# Des nouvelles
## d'une p'tite ville

**Catalogage avant publication de Bibliothèque et Archives nationales du Québec et Bibliothèque et Archives Canada**

Hade, Mario, 1952-
Des nouvelles d'une p'tite ville
Sommaire : t. 1. 1967, Violette.
ISBN 978-2-89585-603-0 (vol. 1)
I. Hade, Mario, 1952- . 1967, Violette. II. Titre.
III. Titre : Des nouvelles d'une petite ville.
PS8615. A352D47 2015    C843'.6    C2014-942500-7
PS9615.A352D47 2015

Les Éditeurs réunis bénéficient du soutien financier de la SODEC
et du Programme de crédits d'impôt du gouvernement du Québec.

Nous remercions le Conseil des Arts du Canada
de l'aide accordée à notre programme de publication.

Nous reconnaissons l'aide financière du gouvernement du Canada
par l'entremise du Fonds du livre du Canada pour nos activités d'édition.

Édition :
LES ÉDITEURS RÉUNIS
www.lesediteursreunis.com

Distribution au Canada :        Distribution en Europe :
PROLOGUE                        DNM
www.prologue.ca                 www.librairieduquebec.fr

 *Suivez Les Éditeurs réunis sur Facebook.*

Visitez le site Internet de l'auteur : www.mariohade.com

Imprimé au Canada
Dépôt légal : 2015
Bibliothèque et Archives nationales du Québec
Bibliothèque nationale du Canada
Bibliothèque nationale de France

# Mario Hade

# Des nouvelles
## *d'une p'tite ville*

### *1967*. Violette

LES ÉDITEURS RÉUNIS

# Du même auteur

*Le secret Nelligan*, roman, Les Éditeurs réunis, 2011.

*L'énigme Borduas*, roman, Les Éditeurs réunis, 2012.

*Chroniques d'une p'tite ville, tome 1 : 1946 – L'arrivée en ville,* roman, Les Éditeurs réunis, 2013.

*Chroniques d'une p'tite ville, tome 2 : 1951 – Les noces de Monique,* roman, Les Éditeurs réunis, 2013.

*Chroniques d'une p'tite ville, tome 3 : 1956 – Les misères de Lauretta,* roman, Les Éditeurs réunis, 2014.

*Chroniques d'une p'tite ville, tome 4 : 1962 – La vérité éclate,* roman, Les Éditeurs réunis, 2014.

À paraître au printemps 2015 :

*Des nouvelles d'une p'tite ville, tome 2 : 1972 – Juliette*

*À mes filles Marie-Claude et Michèle,*
*qui sont les gloires de ma vie.*

# Chapitre 1

Un vieil homme marchait la tête basse, plongé dans ses pensées. Malgré sa petite taille, on pouvait deviner qu'il avait été musclé dans sa jeunesse. Sa démarche chaloupée était causée par ses petits pieds plats qui tiraient vers l'extérieur. Son pas rappelait celui d'un marin qui touchait terre après un long voyage en mer. Il dégageait malgré tout une force brute. Il portait depuis plus de vingt ans la même tenue que les travailleurs d'usine, c'est-à-dire un pantalon et une chemise en coton bleu épais sur une camisole blanche, qu'il troquait le dimanche contre un habit, vieux de plus de trente ans, le temps d'une messe. Ses cheveux cendrés étaient coupés tellement ras qu'on le croyait chauve. Ses yeux étaient gris et son nez d'épervier lui donnait un air sévère qui aurait pu faire peur aux enfants qui ne le connaissaient pas. Ses mains usées par le travail ressemblaient à des griffes qui n'étaient pas faites pour caresser. Pourtant, il aimait flatter la fourrure de ses lapins qu'il gardait toujours dans un petit appentis, derrière son garage.

Le printemps était enfin arrivé. L'Exposition universelle de Montréal se préparait à ouvrir ses portes au monde entier, sur le thème de «Terre des Hommes». La date d'ouverture était le jeudi 27 avril 1967, mais, cette journée-là, Émile était préoccupé par une tout autre réalité. Il venait d'avoir soixante et onze ans et l'heure de la retraite avait sonné pour lui. Il n'était pas prêt à cesser de travailler, même s'il était physiquement usé. Depuis quelques années, il avait un peu réduit sa consommation d'alcool, parce qu'il trouvait ses journées de plus en plus pénibles après avoir pris un coup la veille.

Le lendemain serait sa dernière journée. Le contremaître lui avait annoncé la nouvelle deux semaines plus tôt, mais il ne pouvait se faire à l'idée que sa vie de travailleur se terminait aussi abruptement. Sa femme lui avait fait perdre son permis de conduire l'année de ses soixante-dix ans, après qu'il eut heurté le poteau de téléphone, à l'entrée de leur cour. C'était la deuxième fois qu'il le percutait en revenant ivre de la taverne *Lemonde*. La dernière fois, le transformateur avait failli se décrocher. C'en était assez pour sa femme…

Émile en avait voulu à Lauretta pour ce complot qu'elle avait ourdi et dont il avait été la victime. Cependant, il avait accepté de se départir de son auto, sa magnifique Buick Dynaflow deux tons, blanc et bleu ciel, de 1952. Elle avait quinze ans d'usure et avait encore belle apparence. De plus, elle ne comptait que très peu de millage au compteur. C'était sa première voiture. Auparavant, il se véhiculait au moyen de *pick-up*. Il en avait pris un soin énorme et il ne s'en servait que pour aller au marché public, à l'église ou pour quelques rares sorties quand Lauretta daignait le lui demander. Les quelques fois qu'il l'avait conduite pour aller à la taverne ne lui avaient pas porté chance…

Il pensait à tout ça en traversant le pont piétonnier de la Miner Rubber. Il eut l'idée de regarder vers la rivière Yamaska, en contrebas. Il fut surpris de constater que, s'il enjambait la passerelle, il se tuerait à coup sûr. Émile recula et chassa la pensée morbide qu'il avait eue. Même s'il était vieux, il ne se sentait pas prêt à mourir. Quelle idée de fou lui était passée par l'esprit. Il accéléra le pas et se dirigea vers l'épicerie Paré en se disant qu'une grosse bière chasserait cette pensée lugubre qui l'avait effleuré.

La plupart des compagnons qu'il retrouvait dans le *back-store* depuis une trentaine d'années étaient décédés ou ne s'y rendaient plus pour cause de maladie. C'était un autre constat bien triste : se retrouver fin seul à boire sa bière tablette avec pour seul camarade l'épicier, qui venait jaser entre deux clients de plus en plus rares.

— Une grosse bière, Émile ?

— Ouais ! J'ai pas peur d'le dire, mais c'est plus comme c'était icitte…

— T'as ben raison, Émile ! J'pense que tout le monde est retraité et trop vieux, pis ça va être mon tour dans pas grand temps. Le monde change sans bon sens. Changement d'à-propos, as-tu entendu ça à la radio l'affaire de l'Expo 67 ? Apparemment que ça va être ben bon pour l'économie, mais j'ai de la misère à croire ça. Eille ! As-tu pensé combien ça peut avoir coûté toute cette maudite *shibang* ?

— Le gouvernement est assez menteur qu'on ne sait plus qui croire! Ils parlaient de dix millions, mais, là, ç'a l'air que ça dépasse quarante millions. Si tu veux mon idée, tout ça, c'est des menteries. Mon gars Yvan qui est banquier dit que ça va monter jusqu'à trois cents millions, cette affaire-là. J'me demande ben où c'est qu'y vont trouver autant d'argent, baptême?

— Dans nos poches, c't'affaire, mais c'est rien ça, Émile. C'est juste la pointe de l'iceberg! As-tu pensé à l'autoroute des Cantons-de-l'Est, au pont Champlain, pis au métro de Montréal? C'est toutes des affaires qu'on avait pas besoin pantoute, calvâsse. On avait la route 1 pis le pont Victoria pis le pont Jacques-Cartier pour aller à Montréal. Les libéraux sont en train de nous mettre dans la rue! Je t'le dis, Émile, regarde ça aller pis tu me le diras ben si j'ai raison ou pas.

— On sera plus là pour payer tout ça! C'est eux autres qui vont nous payer avec notre argent… J'ai ben d'la misère à comprendre comment ça marche, mais j'sais que j'achève pis que c'est mes enfants pis mes p'tits-enfants qui vont payer pour toutes leurs folleries.

— En tout cas, c'est pas rassurant! Excuse-moé Émile, il faut que j'aille servir un client…

Émile cala sa grosse bière et laissa trente-cinq cents sur le comptoir, en sortant. Il se rappelait qu'il n'y avait pas si longtemps elle lui coûtait seulement vingt-cinq cents. Il se demandait s'il pourrait continuer à s'offrir ce plaisir si le prix continuait à augmenter à un rythme aussi accéléré. Il finit par conclure qu'il ne lui restait pas tant d'années que ça à vivre. Il avait toujours son bas de laine caché sous son lit, en dessous d'une latte du plancher. Il avait camouflé à cet endroit six mille trois cent vingt piastres et c'était sans compter les quelque deux mille autres dollars qu'il gardait dans ses poches. Il se rembrunit, cependant, en songeant au chèque de pension de vieillesse de quatre-vingts dollars qu'il recevrait par mois, selon ce qu'Yvan lui avait confirmé. Ce serait la misère…

Lauretta devrait continuer à travailler dans son atelier de couture s'ils voulaient joindre les deux bouts. Heureusement que Jean-Pierre, leur petit-fils, payait une pension, mais il avait vingt et un ans et se marierait sûrement un de ces jours. Ah! Émile préférait ne plus penser à l'avenir, qu'il trouvait menaçant. Il poursuivit donc sa route en direction de l'épicerie de Gérard Tessier, où il pourrait prendre une autre grosse bière.

— Salut, Gérard!

— Salut, Émile! Le père Brodeur est déjà dans le *back-store* pis y t'attend.

— Y'est venu pour son tabac. J'vas prendre une grosse bière comme d'habitude pis j'vas me servir moé-même. Si j'en prends plus qu'une, j'te l'dirai.

Émile se dirigea vers l'arrière-boutique, qui était devenue un lieu mythique parce que seuls les vieux habitués en qui Gérard avait confiance y pénétraient. Les plus jeunes dans la vingtaine ou dans la trentaine n'y étaient admis qu'à condition d'être accompagnés par un mentor. Ç'aurait été facile de voler l'épicier s'ils avaient voulu, mais c'était une loi non écrite, comme on ne penserait pas à voler dans une église, à moins d'être un mécréant.

— Salut, Ernest! Tu veux ton tabac? C'est la dernière fois, à moins que tu viennes le chercher directement chez nous. Je finis demain à la *shop*. J'aurai pus de raison de repasser par icitte ben ben.

— Voyons donc, Émile! T'es pas pour te cloîtrer chez vous parce que t'arrêtes de travailler? Tu vas virer fou, toujours pogné avec ta vieille. Moé, ça va faire quatre ans betôt que j'travaille plus pis j'viens toujours prendre ma bière pareil. C'est ma seule sortie.

— Écoute ben, Ernest, ma femme est pas si vieille que ça, tu sauras! Elle a à peine soixante ans, tandis que la tienne doit avoir ton âge. Peut-être même soixante-quinze.

— T'es pas mal baveux, Émile Robichaud! Ma femme a juste soixante-huit ans comme moé.

— Excuse-moé Ernest, j'étais sûr que t'étais plus vieux que moé! Ha! Ha! Ha!

— Tu peux ben rire, mais t'as l'air d'un vieux hibou toé-même ! Ça fait que… on est aussi ben d'arrêter ça là, parce qu'on va finir par se chicaner.

— Farce à part, j'avais oublié que t'avais pris ta retraite aussi jeune !

— C'est pas moé qui l'ai prise trop tôt, c'est toé qui l'as prise trop tard, Émile. En plus de ça, ils m'ont mis dehors la journée où j'ai eu soixante-cinq ans, sous prétexte que j'étais trop lent comme *weaver*. Eille ! J'avais fait ça toute ma vie. C'est juste qu'y veulent plus de vieux…

— Comment tu fais pour arriver à vivre avec ta pension, Ernest ? Moé, c'est l'affaire qui me fait le plus peur.

— Ben, la maison est payée pis j'ai un grand jardin. À l'automne, on fait du cannage pis des marinades. Pour le reste, on le met dans le caveau, en priant pour qu'on en ait assez pour se rendre au printemps. On fait pas de folies pis on se serre la ceinture. J'aimerais ben repeinturer la maison, mais j'ai pas d'argent pour ça. Pis oublie pas qu'on est deux à retirer notre pension, nous autres.

— T'es ben chanceux, Ernest ! Ma femme touchera pas la sienne avant quatre ou cinq ans. J'me demande si j'vas être encore en vie à ce moment-là. Tiens, v'là ton tabac, pis j'm'en vas chez nous.

— T'es ben pressé de partir ?

— C'est rare que ça m'arrive, mais j'ai pas soif pantoute.

— Tu dois être malade, c'est comme de rien.

— Ça doit être ça! En attendant, salut ben.

Tout en marchant pour se rendre chez lui, Émile passa devant le logement de sa vieille mère. Il faudrait bien qu'il se décide à lui rendre visite. Elle habitait au bout de la rue Sainte-Rose, dans l'ancien logement que lui et sa famille avaient occupé en arrivant à Granby. L'immeuble appartenait toujours à monsieur Duhamel, qui se faisait vieux lui aussi. Depuis quatre ans, il passait devant le logement tous les jours. Sa mère, Eugénie, et son mari, Joseph-Arsène Fontaine, avaient vendu la maison du vieux docteur Morissette, à Stanbridge East, pour se rapprocher de ses enfants. Eugénie avait quatre-vingt-neuf ans maintenant, et son mari en avait quatre-vingt-dix.

Émile leur rendait rarement visite parce que son beau-père s'était mêlé de la manière qu'il vivait sa vie de jeune garçon, il y a de cela près de cinquante ans. La querelle remontait au début des années vingt, avant qu'il se marie à Lauretta. Il avait à ce moment-là trente ans. Sa rancune s'était à peine apaisée au fil du temps et c'est pour cette raison qu'il espaçait le plus possible les visites chez sa mère. Une fois, celle-ci lui avait dit: «Émile, tant qu'il y aura du fiel dans ton cœur, aucun miel ne saura l'adoucir.» Il avait reçu ces paroles comme une gifle. Pourtant, elle lui avait parlé avec douceur pour essayer de lui faire comprendre qu'il s'empoisonnait l'existence en nourrissant tant de rancœur.

Même s'il refusait de l'admettre, Émile savait bien que sa mère avait raison. Son beau-père avait eu raison de le mettre en garde sur sa vie dissipée, mais son orgueil démesuré refusait de le reconnaître. Il avait travaillé d'arrache-pied de quinze à trente ans. Toutefois, il avait dilapidé son argent sans compter. Il avait payé la ferme plus rapidement que les huit ans prévus, cependant l'alcool et les femmes de mœurs légères avaient engouffré le reste. Il avait acheté un *pick-up* flambant neuf en 1925 quand son frère Aimé lui avait annoncé qu'il se mariait et qu'il avait l'intention de posséder sa propre ferme. Ce dernier lui avait demandé s'il était prêt à lui vendre la sienne, vu qu'il s'en était occupé depuis si longtemps. Encore une fois, son indomptable orgueil l'avait empêché de la lui vendre. Il avait eu le temps de constater durant ces années d'errance qu'il n'était pas fait pour la vie de fermier.

— Es-tu fou, Aimé ? Jamais je vendrai la terre de p'pa.

— Ça fait trop longtemps que tu t'es habitué à gagner des gros salaires. Vas-tu être capable de vivre avec le peu d'argent que la ferme peut rapporter ?

— Si toi t'es capable, Aimé Robichaud, j'sus capable moé aussi ! Qu'est-ce que t'en penses ?

— Si tu me le dis, je te crois sur parole, mais faudra pas que tu fasses des folies comme t'es habitué d'en faire depuis si longtemps.

— Qu'est-ce que tu veux dire par là ?

— Exactement ce que j'ai dit ! Ce que tu dépenses en folies par mois, c'est plus que ce que tu vas gagner en travaillant comme un damné sur ta terre. Oublie jamais ça, Émile !

— J'ai jamais eu peur de travailler ! On verra ben comment j'vas m'en sortir.

\* \* \*

Émile repensait à ses péchés. Il n'avait jamais été paresseux. S'il est un péché capital dont il avait réussi à se débarrasser, c'était la luxure, mais c'était le seul. Il s'était allègrement vautré dans le stupre pendant sa jeunesse, mais il avait mis fin à cette vie de débauche le jour de son mariage. Par contre, l'orgueil était son pire défaut, et celui-ci était nourri par son complexe d'illettré. Il était envieux de tous ceux qui étaient cultivés. Émile avait un caractère colérique dès qu'il touchait à l'alcool. Sa grande consommation de boisson l'avait amené à dévelop-per la gourmandise. Il avait acquis l'avarice sur le tard, quand il avait commencé à manquer d'argent. Admettre qu'il avait volé sa propre femme en lui cachant le prix qu'il avait obtenu pour la vente de sa terre était terrible pour lui. Lauretta avait découvert le pot aux roses peu de temps après son larcin. Émile ne comprenait toujours pas pourquoi il avait détourné cinq mille dollars pour son bénéfice personnel. Ça le hantait encore aujourd'hui, plus de trente ans plus tard. Quand ce mensonge devenait trop accablant, il se soûlait encore davantage et tous ses péchés se reliaient entre eux jusqu'à faire de lui un être totalement exécrable. Il était malheureux et déçu, au crépuscule de sa vie. Comment pourrait-il changer le cours du peu de temps qu'il lui restait ? Comment pouvait-il briser ce cercle vicieux ? Si au moins il pouvait recevoir un peu de tendresse même s'il savait qu'il n'en méritait pas, car il avait l'impression qu'il pourrait s'amender et finir ses jours avec un peu de joie au cœur.

Lauretta avait suspendu sa couture pour apprêter le souper. Elle savait qu'Émile était très perturbé depuis qu'il savait qu'il était mis à la retraite. Il était constamment plongé dans ses pensées. Elle craignait pour sa santé parce qu'il avait beaucoup vieilli depuis le prononcé du verdict, deux semaines plus tôt. Il semblait extrêmement tracassé et elle ne savait pas ce qui pouvait l'obséder à ce point. Leur relation s'était améliorée au cours des dernières années. C'était comme s'ils s'apprêtaient à se retrouver seuls tous les deux. Jean-Pierre avait atteint sa majorité et elle se préparait à le voir quitter la maison, car il rencontrerait sûrement une jeune fille qu'il épouserait. Elle aurait bien voulu le retenir, mais elle savait que, malgré ses promesses de ne pas la délaisser, il voudrait un jour fonder une famille. Elle entendit Émile entrer dans la maison.

— Bonjour, Émile, comment s'est déroulée ta journée ?

— C'était l'avant-dernière et demain ce sera final bâton. Bon débarras!

— Tu dis ça, mais je n'en crois pas un mot! Dis donc les vraies affaires pour une fois, Émile. Je suis sûre que ça te ferait du bien de te vider le cœur. Tu n'as pas à te gêner, il n'y a que nous deux dans la maison.

— C'est pas facile pour moé, tu le sais. Parler n'a jamais été mon fort. J'ai d'la misère à imaginer que c'est ma dernière journée, demain.

— Je pense que tu vas avoir plus de temps pour toi, tout simplement. Tu aimes ça les fins de semaine, d'habitude. T'as juste à t'imaginer que c'est toujours le samedi…

— J'aime les fins de semaine parce que je sais qu'il y a un lundi qui s'en vient pis que je retourne travailler.

— Je sais que tu as toujours été travaillant. Tu vas sûrement trouver quelque chose pour occuper tes journées. On pourrait aller passer quelques semaines au chalet d'Yvan. Il m'a dit qu'il avait des travaux qu'il aimerait faire. Ça te tiendrait occupé, non?

— J'peux pas faire ça! Il faut que je fasse un très gros jardin cette année. Avec juste ma pension, je dois figurer mon affaire comme il faut. Il faut que le jardin soit parfait et que j'aie une grosse récolte.

— Bon, tu vois! Tu as déjà des projets. C'est drôle, mais je ne suis pas inquiète pour toi. Tu n'es pas le seul ni le premier à prendre ta retraite. Tu vas te faire plein de nouveaux amis, t'auras pas le temps de t'ennuyer, Émile.

— Tu penses ?

— J'en suis certaine ! Arrête de t'en faire pour rien et tu ne manqueras pas d'argent. Tu as toujours ton bas de laine, j'en suis sûre !

— Qu'est-ce que tu veux dire par là, Lauretta ?

— Parce que tu penses que je ne le sais pas que tu as une cachette dans ta chambre ? Veux-tu que je te la montre ?

— Ça fait assez longtemps que je la ramasse, c't'argent-là !

— On ne reviendra pas là-dessus, Émile ! Contrairement à toi, je sais pardonner…

Émile comprit qu'il ne servirait à rien de contredire sa femme, car elle savait depuis plus de trente ans qu'il avait caché une partie de l'argent de la vente de la ferme.

— Je continuerai à payer la moitié des frais si tu continues à débourser comme tu le fais. Je vais travailler dans mon atelier de couture tant que mes yeux tiendront le coup. Ne t'en fais pas pour ça, Émile. Je t'ai pardonné.

— J'le sais que t'es une femme exemplaire, Lauretta ! T'as ben élevé nos enfants malgré toutes mes folleries. J'sus rempli de remords pis j'me dis que j'vaux pas grand-chose en fin de compte…

— Au lieu de te torturer pour rien, pourquoi qu'on n'essayerait pas de vivre les dernières années qu'il nous reste dans l'harmonie? Qu'en dis-tu?

— J'sais pas si j'sus capable, mais j'te promets de faire mon possible, Lauretta. Tu sais que j't'ai toujours aimée, même quand j'étais pas du monde.

— Moi, Émile, quand je te menaçais, c'était pour protéger nos enfants. Je t'ai «marié» pour le meilleur et pour le pire, et j'espère que le meilleur s'en vient. Je n'ai jamais vraiment pensé à divorcer parce que ça allait à l'encontre de mes valeurs. Je sais que tu as toujours eu de la misère à accepter mes parents, mais ils m'ont donné une bonne éducation, que tu l'admettes ou pas.

— J'ai jamais dit le contraire et j'sais que j'te méritais pas! On a quand même eu des bons enfants. J'ai été trop dur avec Monique, notre fille aînée, et j'le regrette aujourd'hui. Son gars, j'l'aime comme le mien, tu l'sais.

— Oui, je le sais, Émile, ça se voit! J'ai vraiment aimé la façon dont tu avais réglé l'agression à la bouteille sur le fils Maynard. Tu as payé sans dire un mot, même si c'était cher.

Émile aimait la tournure de la conversation parce que sa femme mettait en relief les aspects positifs de son passé qui n'avait pas toujours été glorieux.

— Te rappelles-tu de la fois où j'avais jeté la télévision dans la cave en pensant qu'elle était brûlée?

— Si je m'en souviens ? C'est certain ! Je t'avais donné un coup de poêlon en fonte sur la tête pour te calmer les esprits. Tu regardais la lutte et tu avais pris un coup. On avait eu une panne d'électricité et tu croyais que c'était la télévision qui était défectueuse. J'étais tellement en colère que je t'ai frappé pour la première fois de ma vie.

— Tu m'avais pas manqué ! J'ai vu des étoiles pendant une secousse. C'est quand tu me l'as dit que j'ai compris qu'on avait eu une coupure d'électricité… Y'était trop tard, la télévision était en morceaux dans le fond de la cave. Une autre niaiserie qui m'a coûté cher en baptême. J'en ris aujourd'hui, mais j'la trouvais pas drôle sur le coup en plus d'avoir une bosse sur la tête.

— On peut dire que tu ne donnais pas ta place, hein ?

— C'est pour ça que j'ai dit que j'te méritais pas, Lauretta…

— L'important, c'est que, pour les années à venir, ce soit plus harmonieux. Je sais que tu as à combattre tes démons comme moi les miens, mais si on fait un effort chacun de notre bord, on pourrait finir nos jours tranquilles. Es-tu d'accord avec moi, Émile ?

— T'as ben raison, d'autant plus que j'vas être icitte pas mal tout l'temps en ne travaillant plus à la *shop* ! J'vas essayer d'être fin…

— C'est déjà la bonne attitude à adopter. Tu verras que ta retraite ne sera pas une si grosse affaire que ça…

Cette simple discussion avec sa femme le réconforta et le rassura. Il pourrait consacrer une partie de son énergie à la reconquérir, même si leurs amours étaient depuis longtemps platoniques. Les bons souvenirs qu'il avait gardés d'elle lui suffisaient pour lui permettre de continuer à rêver.

Le gros projet de l'année chez la famille Robichaud était la construction du chalet de Marcel, et Lauretta se demandait si Émile pourrait lui prêter main-forte comme il l'avait fait pour Yvan. Son mari avait vieilli et était de plus en plus plongé dans ses rêves du passé. Elle hésitait à lui en parler directement, mais elle consulterait son fils Patrick, le professionnel de la famille en matière de construction. Ce qu'elle fit sans tarder.

— Allô, Patrick! C'est ta mère. Comment vas-tu?

— Allô, m'man! Ça va bien, mais tu m'appelles sûrement pas pour me demander ça… Est-ce qu'il y a un problème?

— Non! Non! C'est juste que ton père tombe en retraite demain et je me demandais s'il ne pourrait pas donner un coup de main pour la construction du chalet de Marcel. Je sais que vous avez planifié de vous rendre à Saint-Jean-de-Matha les fins de semaine. Je pense que ça pourrait lui changer les idées de travailler avec ses garçons.

— Depuis quand tu te préoccupes de p'pa?

— Je le sens fragile et veux, veux pas, ça m'inquiète! On va se retrouver seuls tous les deux quand Jean-Pierre va partir. C'est mon devoir de chrétienne de me préoccuper de lui.

— Sacrée m'man! T'as jamais réussi à le haïr vraiment, pas vrai? Tu l'as toujours aimé malgré tout, avoue!

— Quand on se mariait dans mon temps, c'était pour la vie, pour le meilleur et pour le pire, mon garçon!

— Ça me dérange pas de l'amener avec moi, mais on va dormir sous la tente de Serge et Nicole, moi et Thérèse. Marcel va coucher dans le chalet de sa belle-mère. Il faudrait voir avec Marcel s'il ne pourrait pas lui trouver une place. Il pourrait passer la nuit avec la belle-mère qui est veuve.

— Grand fou!

— C'est une *joke*, m'man! J'vois pas p'pa coucher avec sa grosse belle-mère. J'peux en glisser un mot à Marcel. J'le vois pas pantoute faire du camping. Mais lui, penses-tu que ça lui tente?

— Je le trouve un peu perdu ces temps-ci, mais c'est peut-être à cause de sa retraite. Il m'a dit qu'il n'était pas préparé à arrêter de travailler et qu'il me ferait le plus beau jardin que j'avais jamais vu, mais ce ne sera sûrement pas suffisant pour le tenir occupé comme il le désire.

— Une chose est sûre, p'pa, c'est tout un numéro! Alors que la majorité du monde rêve de la retraite, lui, à soixante et onze ans, il veut pas arrêter… Moi, j'ai à peine trente-deux ans et je pense déjà à ma retraite. On est vraiment pas faits sur le même modèle !

— Je vais te laisser là-dessus et j'attends de tes nouvelles avant de lui en parler. Je ne veux pas qu'il se fasse des illusions si jamais vous n'en voulez pas. Ça lui crèverait le cœur.

— Sais-tu que t'es toi-même tout un numéro, m'man ? Il t'a fait suer toute ta vie pis t'es là à t'inquiéter pour lui de peur qu'on lui crève le cœur. Y'a fait ça toute sa vie avec le tien. Je vais te rappeler, promis.

Patrick n'en croyait pas ses oreilles. Sa mère aimait encore ce vieux schnock. Il se demanda si, en ne faisant que la moitié de ce que son père avait fait endurer à sa mère, sa femme l'aimerait encore. Il en doutait sincèrement. Il en parlerait d'abord à Serge, puis à Marcel. Quant à lui, ça lui était égal. Émile pourrait toujours être utile, pourvu qu'il ne pense pas à prendre le contrôle du chantier.

\* \* \*

— Tu sais pas la meilleure, Thérèse ! C'était ma mère qui voulait qu'on amène mon père avec nous quand on va monter au chalet de Marcel.

— C'est pas une si mauvaise idée que ça, Pat ! Violette aime beaucoup son beau-père. Moi-même, je l'aime bien. À vous écouter parler, c'est un monstre ! Il est très gentil avec ses brus. En tout cas, je sais que Violette, c'est sa préférée. Il la trouve belle, mais jamais il ne se permettrait d'être déplacé avec nous. Il aime les femmes et un petit regard furtif ne fait de mal à personne.

— Es-tu en train de me dire que mon père est un voyeur ?

— Pas plus que vous autres ! Penses-tu qu'on ne voit pas les hommes nous reluquer quand on exhibe un bout de cuisse, un décolleté ou une petite culotte ? Je t'ai même vu regarder ta sœur dans son bikini…

— On vous observe quand vous êtes belles ou pas belles. C'est juste une appréciation. Quand j'examine les autres, je réalise que je suis vraiment chanceux d'avoir une belle femme.

— Patrick Robichaud ! Dis-moi pas des niaiseries comme ça, je ne te crois pas. Vous autres les hommes, vous êtes pas capables de regarder une femme sans saliver. Vous êtes juste une bande de mâles en rut ! Remarque que ça ne me dérange pas si tu lorgnes les autres femmes, parce que c'est moi qui couche avec toi au bout du compte. Et si tu insistes trop, je peux être provocante, moi aussi, et te rendre jaloux.

— Belle mentalité ! Que je ne te prenne pas à exciter un autre que moi parce que tu vas passer un mauvais quart d'heure.

— Tu dis ça, mais je le fais chaque fois que je te vois zieuter une autre femme. J'excite un autre homme à tout coup.

— Viens icitte tout de suite! J'vais te faire payer pour toutes les fois où je t'ai pas vue faire ton agace…

— Qu'est-ce que tu vas me faire? Grand parleur, p'tit faiseur…

Patrick attrapa sa femme et l'assit sur ses genoux.

— Tu vois, Pat! Il s'agit de vous provoquer un peu, en vous laissant savoir que d'autres hommes pourraient nous désirer, et vous voilà montés aux barricades. Remarque que je ne m'en plains pas. Tu es le meilleur que j'ai connu jusqu'à ce jour!

— Tu arrêtes, Thérèse! J'te trouve plus ben drôle. J'ai été ton premier et, ça, je le sais, mais ne viens pas me dire qu'il y en a eu d'autres ou qu'il y en aura d'autres!

— C'est la même chose pour nous, les femmes. On veut l'exclusivité, nous aussi! Est-ce que c'est si terrible que ça? On est aussi jalouse que vous pouvez l'être, bande de machos.

Patrick en avait assez de cette conversation qui l'irritait. Thérèse avait un don particulier pour le mettre en colère quand elle abordait ce genre de conversation qu'il jugeait comme un sujet de taverne.

Le lendemain matin, Émile se réveilla, comme d'habitude, à l'aube. C'était vraiment sa dernière journée de salarié à la Miner Rubber. Il ressentit un pincement au cœur en réalisant que c'était la fin d'une époque. En se rendant à la cuisine, il songea à Lauretta qui avait mis un baume sur sa plaie en tentant de le convaincre, la veille, que la vie continuait malgré tout. Il dut se rendre à l'évidence qu'il était encore en bonne santé et qu'il trouverait sûrement de quoi occuper son quotidien. Ce qu'il avait le plus apprécié de sa conversation avec sa femme, c'était justement le fait qu'ils avaient eu une vraie conversation et non pas un monologue où chacun vidait son sac de reproches dans une discussion de sourds. Lauretta avait ouvert la porte à un monde qu'il croyait disparu pour toujours, mais sa femme avait cette capacité de pardon qui lui était inaccessible. Sans doute pourrait-il apprendre d'elle. Il voulait être bon élève au moins une fois dans sa vie, lui qui avait été un cancre à la petite école et illettré toute sa vie.

Il entendit Lauretta qui se réveillait dans sa chambre. Le craquement du lit et le bruit qu'elle fit en mettant ses mules lui indiquèrent qu'elle devait enfiler sa robe de chambre. Puis la porte s'ouvrit. Sa femme avait l'air reposé. Il la trouvait encore belle, malgré le passage du temps sur son visage.

— Bonjour, Émile !

— Bonjour, Lauretta ! J'ai fait du café si t'en veux.

— C'est justement l'arôme du café qui m'a réveillée. C'est toujours agréable de se faire tirer du lit par cette odeur qui signifie qu'il y a encore de la vie dans la maison. Ta dernière journée ! Veux-tu que je te prépare un sandwich à la graisse de rôti, comme tu les aimes ?

— T'es ben fine, mais j'ai déjà fait mon *lunch*! Il faut que je parte si j'veux pas être en retard…

— Tu as raison! Je ne croyais pas qu'il était si tard. Presque six heures et demie… Passe une belle journée. Je vais te concocter un bon souper si tu reviens assez tôt. Tu vas peut-être aller fêter avec tes amis?

— J'ai rien à fêter! C'est plus un deuil qu'autre chose…

— Excuse-moi, je n'y ai pas pensé! Je prépare un ragoût pour ce soir.

— Bon ben, j'm'en vas! À plus tard, Lauretta.

Émile sortit de la maison et prit la rue en direction de l'usine pour la dernière fois. Il marchait d'un pas régulier comme quelqu'un qui souhaite arriver à l'heure juste au travail, car il n'avait jamais été en retard de sa vie. En général, il aimait bien se rendre au travail à pied. Il voyait ainsi plein de gens qui, comme lui, se rendaient à l'usine, certains en y allant d'un pas pressé de peur d'être en retard pour la nième fois. Émile avait toujours la même démarche chaloupée qui rappelait celle de Charlie Chaplin, mais en moins rapide.

— Eille, le père! C'est ta dernière aujourd'hui? lui demanda un jeune homme qui avait remplacé un vieux travailleur ayant pris sa retraite à son tour.

— Ouais, pis j'ai ben hâte de savoir combien de temps tu vas durer dans la Mill Room?

— Tu vas être mort avant, vieux crisse !

— J'sus pas sûr de ça, le morveux. J'te donne pas deux ans pis tu vas vêler comme tous les autres… Moé, j'sus icitte depuis 1946 ! T'étais même pas au monde ni même dans l'idée de ton père.

Le jeune homme se tut soudainement. Il n'avait que dix-neuf ans et trouvait son travail assez dur et dangereux. Ça demandait une concentration de tous les instants, si l'on ne voulait pas être démembré. Rien ne lui laissait paraître que ce vieil homme avait occupé vingt et un ans ce poste. Pour sa part, Émile travailla toute la journée sans dire un mot. Plongé dans ses pensées, il planifiait son avenir et, de temps à autre, il souriait quand il trouvait une solution à une énigme qui lui avait échappé jusque-là.

À la pause de midi, il engloutit son sandwich et son morceau de fromage. Sa fille Nicole, son gendre Serge et son fils Daniel vinrent le rejoindre à la cafétéria, pour célébrer son ultime jour de travail.

— Pis p'pa ! Dernière journée à suer sur cette maudite machine-là. Tu dois être content ? lui demanda Daniel.

— Si tu m'avais demandé ça hier, j't'aurais dit que j'étais pas prêt, mais, après avoir parlé avec ta mère hier soir, j'pense que ça va être moins pire que j'croyais !

— Comment ça ? M'man t'a fait changer d'idée ?

— Ta mère est pas mal intelligente, t'sais mon gars! Elle m'a fait réaliser qu'y avait autre chose que la *shop*. C'est vrai que ça va me donner plus de temps pour faire mon jardin pis pour donner un coup de main à mes enfants si y'en a qui ont besoin d'aide.

— Ouais, c'est vrai! Moi, j'suis déjà tanné de travailler à la *shop*. J'ai appliqué pour être concierge pour la commission scolaire.

— Toé Daniel, j'aurais tellement aimé ça que tu deviennes un athlète professionnel comme Maurice Richard. T'aurais pus besoin de travailler à la *shop* comme nous autres…

— Tu mets la barre haute, p'pa! J'ai pas la moitié du talent d'un gars comme Maurice Richard ou d'un Jean Béliveau. J'me suis blessé à un bien mauvais moment pour rêver à une carrière dans le sport. C'est pas plus grave que ça, j'y pense plus.

— Moé, j'y pense encore! J'aurais ben aimé ça avoir une vedette du sport dans la famille, mais, que veux-tu, il faut faire avec, hein?

— C'est ça, p'pa, il faut faire avec puis continuer à travailler. Une demi-heure pour manger, c'est pas long, c'est déjà fini!

— Salut, le beau-père! lui lança Serge.

— Salut, p'pa! C'est le dernier *sprint*! ajouta Nicole.

Émile retourna à son poste pour la dernière fois. Il était déjà prêt à le quitter. Certains disaient qu'ils manquaient de temps pour réaliser tout ce qu'ils avaient prévu de faire… Émile ne comprenait pas ce qu'ils voulaient dire. Dans son livre à lui, si tu ne travaillais plus quarante heures par semaine, tu avais à coup sûr trop de temps pour toi. Il se rappelait que, dans sa jeunesse, il travaillait dix heures par jour pendant six jours, et même parfois douze heures par jour pendant six jours. Ce qui ne l'avait pas empêché de s'amuser à sa guise en soirée, ainsi que le dimanche après la messe.

# Chapitre 2

Quand la cloche sonna, Émile savait qu'il ne reverrait plus sa machine. Il avait gagné une longue bataille sur elle et elle avait failli le vaincre, mais il s'en était tiré avec la perte d'un ongle et d'un bout de peau. Ce fut sa seule victoire sur elle. Il lui mena un combat acharné dans cette usine où il œuvra pendant vingt et un ans. Au début, tout le monde prédisait qu'il ne durerait pas plus de quelques mois. Il leur avait prouvé qu'il était beaucoup plus tenace qu'ils le croyaient et que, bien qu'il ait commencé à travailler en usine à cinquante ans, il n'était pas fait du même bois qu'eux. Lui, c'était du bois dur comme le chêne ou l'orme, tandis que les gens de la ville, c'était du bois mou comme l'épinette ou le sapin. Émile pouvait se vanter d'être solide.

Granby avait bien changé depuis son arrivée en 1946. Émile ressentait une certaine nostalgie en voyant l'essor de la ville. Les fermes environnantes s'étaient transformées en quartiers résidentiels. Les maisons poussaient comme des champignons. En 1967, il y avait déjà deux centres commerciaux, le Plaza et le Frontenac. Le Plaza était situé rue Saint-Jacques. On y avait détruit tout un quadrilatère pour faire place à un Woolco, un Dominion, un cinéma, un bar, un restaurant, un salon de coiffure, une pharmacie et toutes sortes de commerces de détail. Le Frontenac, lui, se trouvait sur le boulevard Leclerc. Sa construction changeait aussi la vie des quartiers avoisinants. Son ami l'épicier, Ernest Paré, était sur le point de fermer boutique à son tour. Le supermarché Dominion lui drainait sa clientèle. Il ne lui restait plus que les mauvais payeurs, ou les vieux qui avaient des habitudes bien ancrées. C'était une révolution qui dérangeait les vieux commerçants de quartier et les marchands de la rue principale.

Émile se préparait à aller prendre sa dernière grosse bière chez l'épicier Paré. Il ne savait pas s'il y retournerait ou non plus tard. Il considérait cette visite comme des adieux. Aussi était-il ému de tourner une page de sa vie.

— Salut, Ernest! C'est tranquille après-midi.

— C'est toujours de même, asteure. Le Dominion me rentre franchement dans le corps. J'ai parlé à Juaire, qui est juste au coin de Saint-Antoine pis de Saint-Jacques. Y pense pas pouvoir passer à travers, lui non plus. C'est vraiment pas drôle pour nous autres, les p'tits commerçants. Les jeunes qui livraient en bicycle, c'est presque fini.

— Donne-moé une grosse Molson Ex! Ça, ça devrait pas changer, baptême… J'me rappelle qu'on était toujours cinq ou six à venir prendre notre bière dans le *back-store*, pis, là, j'me retrouve tout seul. J'ai pas peur d'le dire, ça a ben changer!

— Tu peux l'dire, Émile, mais j'espère que toé, tu vas continuer à venir faire ton tour pareil.

— J'le sais pas, Ernest! Chus ben mêlé de c'temps-citte. Chus tout à l'envers, mais j'vas sûrement revenir pareil…

— Si tu me lâches toi aussi, Émile, j'vas m'ennuyer à mourir! Ah, j'te dis que j'ai pas le moral ben fort, moé non plus.

— Moé, j'pense que le mien va remonter parce que ma femme a des meilleurs sentiments qu'avant, mais j'te promets de venir faire mon tour de temps en temps. Là, faut que j'me sauve parce que ma femme m'a dit avant de partir qu'elle me ferait mon repas préféré, du bon ragoût de bœuf avec d'la sauce brune comme juste elle peut la faire. Salut, Ernest!

— Oublie pas de revenir me voir, Émile!

Émile reprit le chemin qu'il avait parcouru plus de vingt ans, matin et soir, beau temps, mauvais temps. C'était devenu un automatisme pour lui, ses pas tournaient machinalement sans qu'il ait besoin d'y penser et, cette journée-là également, ils se dirigèrent vers l'épicerie de Gérard Tessier. Quand il prit conscience de l'endroit où il se trouvait, il se dit en lui-même qu'il ne prendrait qu'une seule grosse et qu'après il regagnerait la maison sans tarder.

— Salut, Gérard!

— Tiens, salut, Émile! Comment s'est passée ta dernière journée à l'ouvrage?

— Ç'a fait drôle un peu! Mon gars, ma fille pis mon gendre sont venus dîner avec moé. Y'ont jamais fait ça avant. Finalement, j'pense que ça sera pas si pire que ça! Ma femme me prépare d'la *job* en masse pour me tenir occupé. Si jamais je m'ennuie, j'pense que j'vas faire le tour d'la ville pour voir comment ça a grandi.

— J'vas être ben franc avec toé, Émile, j'pense que j'm'y perdrais aujourd'hui, pourtant j'suis né à Granby. Ça s'étend de tous les bords, de tous les côtés! C'est-tu vrai ce que j'te dis là?

— T'as ben raison, Gérard! C'est pour ça que j'me promets de faire le tour. À pied, ça risque d'être long. Il va falloir que j'me trouve des places pour me rafraîchir le gosier, si tu comprends ce que j'veux dire.

— C'est ben toé ça, Émile! J'suis pas inquiet que tu trouves, mais, en attendant, si tu veux une grosse bière tablette, c'est dans le *back-store*!

Le vendredi chez Gérard, c'était plus occupé que chez Ernest, parce que la rue Robinson était devenue une artère de plus en plus fréquentée. Il y avait quelques restaurants de type familial, dont un au coin des rues Robinson et Cowie, qu'Émile appelait «Chez Mailloux», et un autre à l'angle de Robinson et Saint-Jacques. L'épicerie de Gérard Tessier se trouvait entre les deux. Le quartier grouillait de gens et était doté d'un salon de coiffure pour dames ainsi que d'un salon pour hommes, le barbier Rheault, d'une station d'essence

Coulombe, de compagnies, comme les enseignes Lajeunesse et la Thor Mills, où travaillait son gendre Paul.

Partout on voyait la croissance de la ville, et son maire, Paul-Olivier Trépanier, qui prenait la relève du maire légendaire Pierre-Horace Boivin, était très dynamique. Émile se sentait dépasser par ce boom, mais, heureusement, sur la rue Sainte-Rose, où il habitait, il y avait encore de grands terrains du côté de la rue où se dressait sa maison. Les gens entretenaient d'énormes potagers qui les mettaient à l'abri du besoin. On ne voyait pas encore les terrains de 6 400 pieds carrés et les maisons en rang d'oignons bâties sur le même modèle. Par contre, de l'autre côté de la rue, on avait percé la rue Sainte-Catherine, ce qui diminuait de moitié la profondeur des terrains.

Une rumeur voulait que l'autre côté de la rue subisse le même sort, où se trouvaient Émile, son gendre Paul Tremblay, les familles Kennedy, Tétreault, Clermont, etc. En cas de résistance de la part des résidents, on menaçait de procéder par expropriation. Émile criait à qui voulait l'entendre qu'il chasserait à la pointe du fusil tous ceux qui s'aventureraient sur son terrain. Il se rappelait l'époque où sa Jersey, qu'il appelait affectueusement Caillette, broutait au fond du terrain. C'était bien avant que la ville ne décide de construire les égouts et l'aqueduc. Les trottoirs et le bitume firent également leur apparition. Il sentait que le progrès les avalerait tous et qu'il n'y pourrait rien.

Émile songeait à tout ça en marchant en direction de sa maison. Il s'était habitué à la ville, mais c'était beaucoup lui demander que d'accepter d'autres changements. Il imaginait mal le progrès s'installer à Stanbridge East, mais il ne voulait pas y penser en ce moment, car il tenait à garder sa bonne humeur pour Lauretta. Elle s'était donné du mal à lui préparer son repas préféré, et c'était la moindre des choses que d'être reconnaissant envers elle en la gratifiant d'un sourire.

— Et puis, Émile! Comment s'est passée ta dernière journée?

— Imagine-toé donc que Nicole, Serge et Daniel sont venus s'asseoir avec moé à la cafétéria! Ça m'a fait plaisir, mais c'était pas nécessaire. J'ai repensé à ce que tu me disais pis j'sus ben content d'arrêter de travailler à la *shop*. Ça sent bon pis j'ai faim!

— Comme je te l'ai dit ce matin, je t'ai fait un ragoût de bœuf. J'imagine que tu vas regarder les finales de la Coupe à la télévision?

— C'est sûr! J'aimerais ben que les Canadiens battent les Rangers à soir. Penses-tu que Daniel viendrait voir le match avec moé?

— Je peux l'appeler si tu veux, mais, à la dernière minute comme ça, il doit avoir d'autres projets. Il y a les enfants à la maison…

— Appelle-le donc, on sait jamais…

Lauretta donna un coup de fil à Daniel. Ce dernier accepta l'invitation, à condition qu'il trouve une gardienne et que Micheline, sa femme, l'accompagne. Lauretta rejoignit Monique et lui demanda si Martine était libre pour garder les enfants de Daniel.

— Martine est déjà prise, mais Maxime peut y aller si ça convient à Micheline, répondit Monique.

— Penses-tu qu'il est assez fiable pour garder des jeunes enfants ?

— Écoute, maman ! Ce ne sont plus des enfants aux couches. La plus jeune a presque quatre ans, puis Maxime a quatorze ans et il a l'habitude.

— D'accord ! Je rappelle Daniel. C'est ton père qui aimerait bien regarder la partie de hockey avec lui. Je lui passe ce petit caprice parce qu'il a fini de travailler aujourd'hui, tu comprends ? J'aime mieux le voir de bonne humeur que maussade. Tu sais comme moi ce qui peut arriver quand il n'est pas heureux. Ça ne me tente pas de le voir dans cet état-là.

— Sacrée maman ! Tu le traites aux p'tits oignons comme si rien ne s'était jamais passé. Tu fais ce que tu veux, car, après tout, c'est toi qui vis avec lui…

— Quand il est bien disposé comme en ce moment, il est facile à vivre, et peut même être serviable. Merci, Monique !

— De rien, maman !

Monique trouvait que sa mère avait le pardon facile et, contrairement à elle, elle ne satisferait pas tous ses caprices. Malgré tout, Monique sentait un changement chez son père. Il était même devenu gentil avec Maxime, lui qui l'avait toujours détesté. Tant mieux si sa mère pouvait finir ses jours dans une harmonie relative, parce qu'elle savait que son père ne pourrait jamais dompter ses démons. Il aurait toujours des rechutes et sombrerait, malgré lui, dans l'alcool. Si au moins il pouvait avoir le vin gai plutôt qu'agressif…

* * *

Quelques jours plus tard, Lauretta revint sur le sujet concernant le chalet de Violette et Marcel. Elle aimait à entretenir ce contact avec ses enfants. Patrick avait glissé un mot à Marcel au sujet de la possible collaboration de leur père à la construction du chalet. Ils n'eurent pas d'objection à ce qu'il les accompagne. Patrick avait planifié de se rendre à Saint-Jean-de-Matha pour la fête de Dollard, à la mi-mai. C'était une longue fin de semaine et ils auraient le temps de couler l'empattement sur lequel s'appuierait le chalet. Marcel avait décidé que celui-ci n'aurait pas de solage, mais plutôt une jupe qui cacherait le vide sanitaire. Patrick avait prévu de monter la tente de Serge près de la berge du lac. C'était une tente française, avec deux chambres et une aire commune au centre. Ils avaient convenu que Marcel et Violette céderaient leur chambre et qu'Émile dormirait dans le chalet de la mère de Violette. Ils le jugeaient trop vieux pour faire du camping.

— Tu peux donner un coup de main à Marcel et à Patrick, Émile. Tout est arrangé. Ils vont couler la *footing* dans deux semaines. Veux-tu bien me dire ce que c'est une *footing*?

— Une *footing*, c'est une *footing*, c't'affaire. Je connais pas d'autre mot pour nommer ça…

— Je vais regarder dans le dictionnaire!

Lauretta revint avec l'explication en tenant le dictionnaire *Harrap's* de Jean-Pierre dans les mains. Émile enviait un peu Lauretta parce qu'elle avait des outils pour trouver réponse à ses questions. Il sentait la colère monter en lui, mais il réussit à se contrôler. Maudit dictionnaire!

— Une *footing*, c'est l'empattement en béton qui doit être creusé hors gel à une profondeur de trois ou quatre pieds selon les régions… Comprends-tu quelque chose là-dedans, Émile?

— C'est exactement ce que tu viens de dire, Lauretta! C'est la base de ciment pour être ben sûr que les murs bougeront pas une fois le chalet bâti. C'est ben important que ça soit bien fait.

— C'est bien pour dire, on peut en apprendre à tout âge. Je n'avais aucune idée de quoi il s'agissait, déclara Lauretta.

— C'est ben rare que les femmes connaissent ces affaires-là, Lauretta.

— C'est comme la couture ! C'est très rare que les hommes connaissent ça. Chacun nos spécialités !

— C'est ça ! J'voulais te dire en passant que ton ragoût, c'est le meilleur que j'ai jamais mangé. J'ai pas peur d'le dire !

— Merci, Émile ! Je ne me rappelle pas de la dernière fois que tu m'as fait un compliment sur les plats que je cuisine.

— Tu l'sais ben d'trop, Lauretta ! J'voudrais que tu t'enfles la tête avec ça parce que t'es bonne dans tout ce que tu fais, c'est pas ben compliqué ! J'suis ben chanceux.

Lauretta rougit de plaisir, mais elle ne voulait pas trop le montrer à son mari. Elle retourna faire la vaisselle. Elle se demandait combien de temps durerait cette gentillesse inaccoutumée. La vie serait tellement douce s'il pouvait toujours être comme en ce moment. Ils pourraient dialoguer tous les jours et ce serait enrichissant. Il y avait tellement de choses qu'elle ne connaissait pas et vice-versa, pensa-t-elle.

— Et puis, Émile ! Penses-tu que tu vas leur donner un coup de main ? Patrick semblait penser que tu serais très utile si tu décidais d'y aller. Connais-tu cette région ? Marcel appelle ça le Nord, mais j'ai vérifié dans l'Atlas et c'est dans la région de Lanaudière, après Joliette. J'espère que j'aurai la chance d'y aller un jour…

— S'ils ont besoin de moi, tu peux leur dire que j'va être là. J'va demander à Jean-Pierre ou à Maxime s'ils veulent nourrir mes lapins que j'suis parti.

— Je pense que Jean-Pierre a quelque chose au programme, mais Maxime peut facilement le faire si tu lui montres comment faire. C'est une bonne idée de partager tes connaissances avec ton petit-fils !

— J'le trouve pas mal serviable depuis quelque temps. Quand y'était plus petit, je le trouvais pas mal tannant. Y'était pas du monde !

Lauretta ne voulait pas le contredire, mais elle savait fort bien que c'était lui, Émile, qui changeait pour le mieux.

\* \* \*

Marcel et Violette habitaient toujours à Pointe-aux-Trembles. Ils vivaient l'effervescence du boom montréalais. Ils trimaient dur en raison de leur projet de construction au lac Noir. Le père de Violette était décédé récemment et sa mère leur avait cédé un terrain afin qu'ils puissent réaliser leur rêve. Marcel avait sollicité l'aide de sa famille, et Violette en avait fait autant de son côté. La famille Robichaud et la famille Dandenault s'étaient mobilisées pour ériger leur chalet. Émile avait l'intention de donner un coup d'épaule. De plus, il s'était attaché à sa bru, laquelle lui témoignait beaucoup d'affection. Elle était pour lui une brise de fraîcheur et il admirait sa beauté. Elle lui rappelait sa Lauretta lorsqu'elle était jeune. Émile aménagerait son horaire en fonction de sa nouvelle tâche et de l'entretien de son jardin et de ses lapins. Il comprenait maintenant ses amis quand ils lui disaient qu'il manquerait de temps pour tout faire ce qu'il avait à faire. Émile avait aidé Yvan à bâtir son chalet au lac Selby, près de Dunham. C'était en 1962, et toute la famille avait mis la main à la pâte. Il gardait de bons souvenirs de cette époque.

Émile se rappelait la fois où Jean-Pierre et Maxime avaient disparu au milieu de l'après-midi, par une belle journée ensoleillée du mois de juillet. Quand Nicole et Monique avaient constaté leur absence, elles étaient parties à leur recherche dans les bois environnants, en scandant leurs noms. Elles étaient persuadées qu'ils cueillaient des mûres ou des framboises. Mais personne ne répondit à leur appel. Elles s'étaient ensuite rendues à la plage Rodd, où elles croyaient les y trouver.

— Bonjour, madame Rodd, avez-vous vu nos deux chenapans, Jean-Pierre et Maxime?

— Oui, au début de l'après-midi. Ils voulaient acheter des *papparmanes*, mais je n'en avais plus! Ils sont peut-être partis à la plage Larose pour s'en procurer…

— Merci, madame Rodd, je peux vous dire qu'ils vont se faire disputer s'ils sont allés si loin sans nous avertir.

Monique avait sérieusement commencé à s'inquiéter. Elle retourna au chalet avec Nicole pour emprunter l'auto de Serge. Elles s'étaient rendues à la plage Larose, mais avaient fait chou blanc.

— Bonjour, monsieur Larose, avez-vous vu un grand de quinze ans et un plus petit d'environ dix ans ? Les deux ont les cheveux châtains et portaient des culottes courtes et des tee-shirts.

— Il y a beaucoup de monde aujourd'hui ! Avez-vous regardé sur la plage ?

— Ils voulaient des *papparmanes*.

— Ah, ben oui ! Je m'en souviens maintenant. Malheureusement, j'en avais plus. Ils sont repartis, mais je n'ai pas vu dans quelle direction ils allaient. Désolé ! Ils sont peut-être à la Snider's Beach ? Bonne chance !

Monique était devenue carrément hystérique. Nicole s'était dirigée vers Snider's Beach, mais les jeunes n'y étaient pas non plus.

— Ils se sont peut-être noyés ? avait crié Monique.

— Retournons au chalet pour avertir les hommes ! Il faut faire une battue et alerter la police, avait suggéré Nicole.

Paul, Serge, Patrick et Émile recouvraient le toit de bardeaux d'asphalte pendant que Thérèse et Lauretta préparaient le dîner lorsqu'elles étaient arrivées.

— On ne les a pas trouvés ! s'était écriée Monique dans un affolement grandissant.

— Il faut appeler la police provinciale pour qu'elle vienne avec leur bateau. J'ai peur qu'ils se soient noyés! avait lancé Nicole.

— Calmez-vous! avait répondu Paul. Jean-Pierre a presque quinze ans et Maxime a quand même dix ans. Ils connaissent le danger de s'aventurer sur l'eau et ils savent nager.

— Où sont-ils, sinon? avait pleurniché Monique, bouleversée.

— Calme-toi, Monique! Ça ne sert à rien de paniquer. On peut aller chez Rodd pour appeler la police, mais je pense qu'il y a une explication logique à tout ça. Tu sais à quel point ils sont aventuriers. Pat, Serge et vous le beau-père, sautez dans vos chars. On va faire le tour du lac en criant leurs noms. Ils vont bien finir par répondre…

— Bonne idée, Paul! avait dit Émile. J'peux pas croire qu'y soient dans le fond du lac, y sont trop vites pour ça! Y peuvent être dans le bois sans avoir vu le temps passer. Lauretta! T'embarques-tu avec moé?

Émile se rappelait cet épisode où tout le monde avait craint le pire. Aujourd'hui, ça le faisait sourire sous la lorgnette du souvenir. Ils avaient averti les voisins, qui avaient cherché avec eux les deux garnements sur la grève, près de leur propriété. Les lieux furent passés au peigne fin, mais leur recherche fut vaine. Il éclata de rire soudainement en se remémorant la fin de cette histoire.

— Pourquoi ris-tu, Émile?

— J'étais perdu dans mes pensées. J'me rappelais la fois où Jean-Pierre et Maxime avaient disparu au lac Selby pis que Daniel et ses chums les avaient retrouvés à Dunham. Ils avaient finalement trouvé des *papparmanes* au magasin général de Dunham. Ça prenait-tu des p'tits crisses comme eux? Hi! Hi!

— Tu peux bien rire maintenant, Émile Robichaud, mais je me rappelle que tu étais très inquiet, toi aussi, à ce moment-là!

— C'est vrai et j'admets que j'étais soulagé. Mais c'était drôle de les voir revenir à coups de pied. Daniel pis sa gang ne se gênaient pas pour leur en donner non plus.

— T'as de curieuses pensées pour t'amuser.

— C'est parce que j'vas aller aider un autre de mes gars à bâtir son chalet que cette niaiserie-là m'est revenue. Avoue qu'on avait eu peur pour rien.

— Pour rien, dis-tu? On ne sait jamais! Il y a toutes sortes de maniaques sur la route, Émile.

— C'est comique que tu parles de maniaques! Quand Jacques est parti tout l'été faire le tour de la Gaspésie avec deux de ses chums, tu t'es pas énervée tant que ça…

— C'est ce que tu crois, mais je peux te dire qu'il n'y avait pas un soir que je ne priais pas pour lui! J'avais tellement peur qu'il lui arrive quelque chose…

— On a été ben chanceux jusqu'icitte avec nos enfants, rétorqua Émile.

— Pourquoi tu dis ça?

— Parce que la vie continue pis qu'on sait jamais ce qui nous attend!

— Tu as raison! On n'a qu'à penser à ce qui est arrivé à Nicole avec son bébé. On ne sait jamais quelle épreuve le Bon Dieu nous réserve. C'est très rare des familles qui n'ont pas leur lot d'épreuves. Regarde nous autres quand on a passé au feu, on a été chanceux de s'en sortir tous vivants. Je ne te remercierai jamais assez d'avoir pris la situation en main comme tu l'as fait.

— Parle pas d'ça! C'est là que ç'a commencé à mal aller pour moé. J'veux plus penser à ce bout-là de ma vie! Plus jamais!

Émile se leva de sa chaise berceuse et sortit dehors pour aller se changer les idées. Lauretta le regarda se diriger vers l'appentis, où il gardait ses lapins. Elle sentait qu'elle avait touché à une zone sensible. Effectivement, tout de suite après l'incendie, la dégringolade en enfer s'était enclenchée pour lui, et l'alcool avait tout gâché entre eux. Tous ses vices, jusque-là cachés, avaient subitement éclos. Lauretta, mais aussi tous leurs enfants, le connaissait dorénavant sous un autre jour.

Lauretta le surveilla par la fenêtre de la cuisine. S'en allait-il soigner ses lapins ou allait-il se diriger vers le garage après avoir passé un court moment avec ses lapins? Elle savait qu'il y gardait de la bière et de la boisson forte. Toutefois, elle ne voulait pas l'empêcher de boire. Tenter de l'arrêter de consommer de l'alcool rendrait la situation encore plus explosive, voire terrible. Quand il allait flatter ses lapins, Émile s'assoyait sur une vieille chaise en bois. Lauretta ne l'avait jamais vu faire, mais Jean-Pierre lui avait raconté qu'il avait été témoin de cette scène et que, en plus, il leur parlait. C'était sûrement une façon de compenser un besoin d'affection dont il était privé, pensa-t-elle. Cela faisait trop longtemps qu'elle n'avait pas eu de contact physique avec lui. Elle se jugeait trop vieille et trop défraîchie pour même y songer. Au début, cette absence de caresses lui avait beaucoup manqué, mais elle avait accepté le fait que c'était terminé pour elle. Aujourd'hui, Lauretta avait soixante et un ans et, après plus de vingt ans sans partager la même chambre et après avoir eu neuf enfants, elle n'en avait plus le goût.

Lauretta cessa son espionnage et retourna à son atelier de couture. Pendant qu'elle travaillait, cependant, elle ne pouvait s'empêcher de penser à son mari. S'il pouvait se limiter à la serrer dans ses bras, elle pourrait s'y résoudre et peut-être même y trouver du plaisir. Elle se demandait quelle serait la situation si elle allait au chalet de Violette et Marcel. Elle devrait, tout comme Émile, coucher chez madame Dandenault tant que le chalet ne serait pas terminé. Comment lui expliquer que ça faisait plus de vingt ans qu'elle faisait chambre à part avec son mari. Elle ressentait une certaine gêne à l'idée de se retrouver dans le même lit que lui, même s'il ne s'agissait que de dormir l'un à côté de l'autre. Lauretta était troublée juste à y songer. Aussi décida-t-elle que, à la première occasion, elle aborderait le sujet avec le principal concerné, Émile.

Se sentir comme une jouvencelle avec un homme qui lui avait fait neuf enfants lui paraissait fou, voire ridicule. Elle en parlerait avec Monique, qui était toujours de bon conseil. Elle se demandait si celle-ci rirait d'elle ou si elle la fustigerait. Puis elle conclut qu'elle réglerait ce problème elle-même et continua à travailler, satisfaite de sa décision.

Le lendemain, elle appela chez Marcel pour savoir si elle devait prévoir des repas pour Émile durant sa fin de semaine à Saint-Jean-de-Matha.

— Bonjour, Violette ! Comment vas-tu ?

— Bonjour, belle-maman, je vais très bien et vous ?

— Bien aussi. Je voulais demander à Marcel si je devais préparer des repas pour Émile durant son séjour au lac Noir, mais au fond c'est plus à toi que je devrais m'adresser à ce sujet.

— Marcel n'est pas encore arrivé du travail, mais j'ai prévu de la nourriture pour tout le monde. C'est la moindre des choses, pour toute l'aide que vous apportez à Marcel.

— Il est presque neuf heures du soir et Marcel n'est toujours pas rentré ! Tu ne t'inquiètes pas ?

— C'est très fréquent ! Il fait beaucoup d'heures supplémentaires pour payer le chalet le plus vite possible. Les banques ne sont pas très chaudes à l'idée de prêter de l'argent pour un chalet, surtout que nous n'avons pas de maison à Pointe-aux-Trembles. Comme vous le savez, on vit dans un logis.

— Il doit être fatigué sans bon sens !

— Sûrement ! Certains soirs, je suis déjà couchée quand il arrive et, quand je me lève, il est déjà parti. Une chance qu'on a les fins de semaine pour se voir…

Ce que Violette omettait de mentionner, c'est qu'il sentait souvent la boisson quand il rentrait tard le soir. D'après elle, après le travail, Marcel s'arrêtait dans un bar avec des confrères pour déguster une bière. Violette s'y était habituée, car son père, décédé depuis peu, était un diabétique qui avait beaucoup absorbé d'alcool dans sa vie.

— Es-tu certaine que tu ne veux pas que je cuisine un bon gros ragoût qu'ils pourraient apporter ? Ça te ferait ça de moins à préparer. Il ne faut pas que tu te rendes malade…

— C'est comme vous voulez, mais j'ai peur que Marcel me dispute d'avoir accepté votre offre.

— Voyons donc, Violette! J'aimerais bien voir ça. Si tu veux, tu n'as qu'à ne pas lui dire et faire comme si c'était une surprise.

— Vous êtes pas mal ratoureuse, belle-maman!

— Il faut que tu tiennes ton bout avec les hommes, et je suis certaine que Marcel n'est pas le plus facile à vivre, non?

— Oh, si vous saviez à quel point je l'aime! Je lui passe ses petits caprices parce qu'il s'échine pour nous deux.

— Je te trouve bien courageuse, Violette, mais j'ai fait la même chose dans mon temps. Marcel m'a toujours dit qu'il voulait des enfants. Est-ce qu'il t'en parle à toi?

— Je ne prends pas la pilule et je ne sais pas pourquoi je ne tombe pas enceinte. J'aimerais ça avoir des enfants, moi aussi! Pas autant que vous, mais au moins deux. Il me semble que ce serait bon pour notre couple.

— Si tu veux des enfants pour solidifier ton couple, tu fais erreur. C'est mon opinion personnelle, mais tu as droit à tes idées. J'ai trop connu de femmes qui se sont retrouvées à élever presque seules leurs enfants. Prends Gérard, par exemple. Je peux te dire que ce n'est pas drôle tous les jours pour ses enfants ni pour sa femme, qui en a plein les bras. Je ne veux pas t'influencer ni juger personne, mais on parle de misère.

— Vous avez peut-être raison. Par contre, je le vois agir avec mon neveu et mes nièces et je peux confirmer qu'il a la fibre paternelle. Là-dessus, je vais vous laisser. Si vous voulez préparer un ragoût, ce ne sera pas de refus, pourvu que ça demeure notre secret.

# Chapitre 3

Marcel était impatient de commencer les travaux prépa-
ratoires. Il attendait son père Émile, son frère Patrick et son
beau-frère Serge, ainsi que sa sœur Nicole et la femme de
Patrick. Les quelques membres du clan Robichaud parti-
raient le vendredi, après le travail. Il fallait compter près de
trois heures de route pour se rendre au lac Noir. Tous s'étaient
entassés dans l'auto de Patrick. Serge était le copilote, Patrick
le conducteur ; Nicole, Thérèse et Émile avaient pris place à
l'arrière. Émile se trouvait près de la vitre parce qu'il chiquait
du tabac et qu'il crachait dehors de temps à autre.

Pour Patrick, c'était un facteur irritant, lui qui prenait un
soin méticuleux de sa voiture. Il savait que, chaque fois que
son père crachait par la vitre, une coulure brunâtre maculait
son auto et s'étalait sur tout son flanc. Il sentait bouillonner
son sang, mais se calma en se disant que, à la première tache,
il devrait de toute façon laver son véhicule.

Patrick demeurait un conducteur anxieux, mais tout se
déroula pour le mieux grâce à Serge, qui lui donnait les
indications en s'aidant d'une carte topographique. Marcel
leur avait suggéré de prendre le traversier de Sorel et dit qu'il
les attendrait à Berthier. Il leur conseilla d'emprunter l'autoroute 40 et de suivre la direction de Joliette. Par ailleurs, il
avait omis de les informer quant à l'attente qu'ils auraient

à subir avant d'embarquer sur le traversier. Émile n'était pas monté sur un bateau depuis l'époque où il faisait passer clandestinement des Chinois en direction des États-Unis par le lac Champlain.

— On traverse le Saint-Laurent sur un bateau? demanda Émile.

— Ouais! répondit Patrick, qui s'impatientait déjà. J'espère qu'on passera pas la nuit à attendre. J'aimerais bien être rendu avant la noirceur, bâtard!

— Tu t'inquiètes pour rien, mon chéri! L'horaire des traversées est écrit sur la pancarte. Regarde!

— C'est bien beau un horaire, mais ça veut pas dire que c'est respecté, baptême!

— Ça ne sert à rien de s'énerver, Pat! On n'arrivera pas plus vite…

— Là, j'ai le feu au cul! As-tu vu mon char? Le père avec sa crisse de chique, il l'a toute salie, sacrement!

— Je vais laver ton auto demain si tu veux, mais tu peux lui dire de ne plus cracher dehors.

— Y'est trop tard, mais j'te promets qu'au retour j'vais y faire avaler sa chique, le vieux crisse.

Émile s'était éloigné et admirait le fleuve. Il n'entendait rien des récriminations de son fils à son sujet. Il était inconscient de la contrariété qu'il lui causait. Sinon, il se serait tout simplement retenu de chiquer son tabac. Finalement, ils purent embarquer sur le traversier et tous se sentaient en vacances. Patrick s'était légèrement calmé quand sa sœur s'était proposé de laver son auto le lendemain de leur arrivée. En quittant le traversier, ils leur restaient encore une heure de route avant d'atteindre leur destination. Patrick était un homme qui angoissait pour un rien. Un petit doute sur le chemin à emprunter suffisait à l'irriter. Il avait eu raison de refuser d'aller à Montréal pour travailler dans la construction en sortant de l'École des arts et métiers, il y a de cela une quinzaine d'années. Il était heureux quand tout était simple, même si c'était moins payant. Il travaillait bénévolement chaque fois qu'on le lui demandait. Qu'il s'agisse d'un ami ou de la famille, pour lui, c'était du pareil au même, dans la mesure où il pouvait démontrer son talent et il était vraiment talentueux.

— Moi, ça me tue de voyager comme ça sans savoir où j'm'en vais! La prochaine fois, c'est toi qui chauffes, Serge!

— C'est comme tu veux! Moi, j'suis un peu comme Gérard, j'aime ça conduire. Demande à Nicole quand on va à Old Orchard, je descends ça d'une traite. Pas vrai, Nicole?

— C'est vrai! T'es un excellent conducteur, avec un bon sens de l'orientation. En tout cas, moi, je ne suis jamais inquiète avec toi!

Ils arrivèrent enfin au lac Noir. En suivant correctement les indications que Marcel leur avait fournies, ils trouvèrent facilement l'emplacement. C'était le crépuscule, et ils devaient monter la tente sans tarder. Nicole et Serge la dressèrent en un rien de temps, pendant que Patrick sortait la glacière et qu'Émile acceptait une bière de Marcel.

— Bonsoir, Violette ! Lauretta m'a demandé de te donner ça et c'est un maudit bon ragoût, j'ai pas peur d'le dire.

— Comment s'est passé le voyage ? Pas trop long ?

— Non ! Non ! J'avais déjà traversé le fleuve Saint-Laurent sur un traversier. Ça faisait au moins cinquante ans que j'n'avais pas mis les pieds sur un bateau. Beaucoup de souvenirs sont remontés à la surface. J'sais pas c'que j'ai de ce temps-citte, je retourne souvent dans le passé. C'est comme si y se passait pas assez d'affaires dans le présent, y faut que j'aille fouiller dans le passé. J'fais pas exprès, ça remonte tout seul…

— Vous avez eu une vie bien remplie, monsieur Robichaud ! C'est normal à votre âge de se pencher sur le passé.

— J'me passerais ben de certains souvenirs ! C'est pas toujours drôle.

— Je vais vous montrer où vous allez dormir dans le chalet de ma mère. On va coucher là nous aussi, moi et Marcel. Vous rappelez-vous de ma mère ? Vous l'avez vue une fois à nos noces.

— Ben oui, j'm'en souviens ! Elle est-tu en bonne santé ?

— Elle vieillit, comme tout le monde. Elle a des cataractes dans les deux yeux, et elle est terrifiée à l'idée de se faire opérer.

— Moi, j'sus ben chanceux, j'sus encore en bonne santé pis j'viens juste de prendre ma retraite. Y'en a qui disent que c'est quand on arrête de travailler qu'on tombe malade. J'ai pas l'intention que ça m'arrive.

— Vous êtes rendu à quel âge, vous ?

— Soixante et onze ans, ben sonnés !

— Je vais vous présenter à ma mère. Maman ! C'est monsieur Robichaud, le père de Marcel...

— Enchanté, madame Dandenault ! J'espère que je vous dérange pas trop, mais j'sus un peu vieux pour faire du camping.

— Aucun problème, monsieur Robichaud ! J'ai la chambre de mon défunt qui est libre.

— Regarde, maman, ce que ma belle-mère a préparé pour nous ! Un gros ragoût de bœuf et il y en a amplement pour tout le monde.

— Elle est bien gentille votre femme, monsieur Robichaud, mais Violette est un vrai cordon-bleu, pas vrai Violette ?

— Ce n'est pas à moi de dire ça, maman !

— Je mets le ragoût au frigidaire et mettez votre bagage dans votre chambre. Moi, je retourne à la tente pour m'assurer qu'ils ont tout ce qu'il leur faut.

— J'te suis, Violette! répondit Émile, qui ne voulait pas se retrouver seul avec la belle-mère de son fils.

La tente était montée. Nicole défaisait le sac dans lequel elle avait enfoui ses vêtements de rechange et ceux de son mari. Elle y avait aussi mis leurs trousses d'hygiène. Patrick et Thérèse dégustaient une bière avec Marcel et Serge. Émile salivait juste à les regarder boire.

— En veux-tu une, p'pa? lui demanda Marcel.

— Ouais, j'en prendrais ben une autre, mais demain. Il faudrait que j'aille à l'épicerie m'en acheter une caisse. J'veux pas siroter toute votre bière.

— Inquiète-toi pas pour ça, p'pa. Vous allez tous travailler et c'est la moindre des choses que j'paye la bière, rétorqua Marcel.

— J'vas être plus à l'aise si j'ai ma caisse de bières. J'la bois tablette!

— C'est comme tu veux, p'pa! Demain matin, on va sûrement avoir besoin d'aller au village. En attendant, j'veux vous montrer les trous que j'ai fait creuser à la pépine. J'avais commencé à les forer à la pelle pis j'me suis rendu compte que c'était toute une *job*. J'me suis dit: «Wow le malade! Y'a des pépines qui vont te faire ça pour le prix d'la bière que tu vas boire à t'arracher le cœur à percer tous ces trous-là…»

— J't'aurais trouvé bien épais si tu les avais tous creusés à la pelle, mon Marcel. Tu pourras les remplir à la pelle si tu veux, quand le ciment sera sec. On pourrait y laisser les formes de bois. C'est juste du *plywood* pas tellement réutilisable ailleurs. As-tu acheté les tiges de fer comme je te l'ai demandé? demanda Patrick.

— Oui, tout est là! La broche, les tiges, les poches de ciment, la garnotte, les sonotubes de dix pouces, le malaxeur pis des chaudières de cinq gallons en masse.

— Ça, c'est parfait mon Marcel! Si tout va bien, demain soir, toutes les formes vont être finies puis le ciment coulé… Toi, Marcel et moi, on va préparer les formes pendant que Serge et p'pa vont faire du ciment. Est-ce que ça vous va?

Les quatre hommes concernés étaient d'accord pour la répartition du travail. Ce serait vraiment un travail d'équipe, avec huit empattements et autant de sonotubes armés. Ils prirent une autre bière avant de se coucher pour la nuit. Le lendemain, Patrick voulait commencer les travaux le plus tôt possible pour être certain que, à la fin de la journée, ce serait fini.

Les deux ou trois petites bières qu'Émile avait bues n'avaient qu'attisé sa soif. Il suivit Marcel et Violette dans le chalet de madame Dandenault. Il n'était pas habitué à être rationné de cette façon. Il prendrait Marcel à part le lendemain pour s'assurer d'avoir sa caisse de douze grosses Molson. Il insisterait pour la payer, et elle lui servirait pour son usage exclusif dans le garage, à l'abri du soleil. Il laisserait aux jeunes la bière froide fournie par Marcel, mais il ne voulait plus être limité dans sa consommation, car ça nuirait à son plaisir de travailler avec ses fils et son gendre.

Émile s'endormit non sans avoir tourné plusieurs fois dans le lit qu'on lui avait assigné. Il ne reconnaissait pas les odeurs familières de chez lui. Il entendait ronfler madame Dandenault et chuchoter Marcel avec sa femme. Il ne comprenait pas les paroles qu'ils échangeaient, mais il ne craignait pas qu'on parle de lui. Marcel lui ressemblait étrangement et buvait autant que lui, sauf qu'il ingurgitait du Cognac en plus. Le fruit ne tombe jamais loin de l'arbre, pensait-il.

Cette nuit-là, Émile rêva encore de son lointain passé. Avant de se coucher, il avait vu sa bru, Violette, dans une nuisette de dentelles et il avait été légèrement émoustillé. Il n'avait jamais vu Lauretta dans un tel vêtement, mais cela ne l'avait pas empêché de comparer les formes de sa bru avec celles de Lauretta, quarante ans plus tôt. À l'époque, elle était belle, sa Lauretta. Aussi belle sinon plus que Violette… S'il avait un regret dans sa vie, c'était d'avoir perdu l'affection de sa femme et tout contact sexuel avec elle. C'était uniquement de sa faute et il le savait, mais, dans ses rêves, elle était encore accessible. Il lui demandait pardon dans ses songes pour toutes ses folies et, chaque fois, elle lui avait répondu en lui ouvrant les bras :

— C'est tout oublié, mon chéri ! Viens me caresser et me serrer dans tes bras comme tu le fais si bien.

— Es-tu certaine de m'avoir tout pardonné ? Comme tu es belle ! J'ai vraiment été fou de me passer de ta beauté si longtemps.

— Oublie tout ça, mon beau délinquant, et prends-moi comme la première fois ! Je suis et serai toujours à toi. Tu as été le premier et le seul. Prends-moi tout de suite, Émile !

Émile serrait son oreiller avec force quand il se réveilla. Il était excité et fut très déçu de constater que Lauretta n'était pas là. Cela faisait des années qu'il n'avait pas eu à ce point envie de sa femme. Il regarda sa montre : cinq heures du matin. Il s'habilla en silence et se rendit sur le bord du lac pour se dégourdir. L'air du matin était frais en ce jour de mi-mai. L'eau était claire et un parfum de lilas vint lui taquiner les narines. Le lac était calme. Il remarqua, sur l'autre rive, une colline très abrupte et une petite église. Il vit quelques malards s'ébrouer sur une eau d'huile. Les gens sommeillaient encore, car il n'y avait aucune activité humaine, et c'était parfait pour lui. Il avait toujours aimé le calme de l'aube sur le bord de l'eau.

Son rêve lui revint à la mémoire. Le fait de rêver à Lauretta le perturbait parce que c'était des rêves impossibles. Jamais il ne pourrait les revivre dans la réalité. Il avait l'impression que ces songes lui faisaient subir son purgatoire, mais de son vivant. Quand il se couchait ivre, il n'avait jamais ce genre de rêves ou, à tout le moins, il ne se les rappelait pas. C'était conflictuel. Il voulait réduire sa consommation d'alcool afin d'être plus gentil avec Lauretta, mais, en se tenant loin de sa dive bouteille, cela l'amenait à halluciner sur toutes sortes de choses la nuit.

Finalement, on commençait à grouiller autour de lui. Nicole sortit de la tente et se dirigea vers le chalet de madame Dandenault. Serge sortit à son tour et alla uriner dans un petit bosquet, près de la tente. Puis il alluma son petit poêle de camping et y déposa la cafetière. Ça sentait bon le café et Émile se rapprocha de la tente.

— Voulez-vous un café, le beau-père? On va manger à l'intérieur. Aussitôt que le déjeuner sera prêt, Nicole va nous appeler!

— Ouais, un bon café ne serait pas de refus! Avez-vous ben dormi?

— Très bien, car sur nos lits de camp, on ne sent pas l'humidité du sol. En plus, on a une chaufferette au gaz.

— Vous êtes ben équipés en baptême!

— Tant qu'à faire, aussi bien être confortable. On fait souvent du camping l'été aux États, on aime bien ça tous les deux, moi et Nicole.

— J'pense que j'vas réveiller Pat! C'est lui le chef de chantier, après tout. Si on veut finir, il va falloir commencer! Qu'est-ce que vous en pensez?

— T'as ben raison!

— Venez, les hommes, le déjeuner est servi! cria Nicole du balcon du chalet.

Patrick se leva rapidement, car il avait une faim de loup. Dans le chalet, Violette était prête à préparer les œufs, les rôties ou les céréales. Elle avait fait du café, elle aussi. Marcel sortait de la douche et la belle-mère était en robe de chambre dans sa berceuse. De toute évidence, elle ne contribuerait pas au déjeuner. Émile entra dans le chalet, suivi de Serge et de Patrick.

— Si à sept heures et demie on est à l'ouvrage, ça va être parfait! mentionna Patrick.

— Ça nous laisse une demi-heure pour manger. Ça devrait aller! répondit Marcel.

— Toi, p'pa! T'as déjà fait ça, du ciment?

— Ben sûr!

— Toi, Serge, tu vas ouvrir les poches de ciment puis charrier l'eau! Vous avez tous les deux amplement le temps de vous préparer parce que, moi et Marcel, on doit s'assurer que l'empattement est de niveau. Tu pourrais peut-être aussi m'aider à couper le bois, Serge, pendant que Marcel nivèle le trou qui fera vingt-quatre par vingt-quatre. Soyez tous prêts, car une fois le travail lancé, ça va rouler…

— Pas de trouble! On s'ajustera au fur et à mesure si ça tourne pas rond comme tu veux, murmura Serge.

— Ça va ben aller, j'en suis certain!

— Nicole et Violette, quand vous aurez fini de ramasser la table et de laver la vaisselle, pourriez-vous aller acheter de la bière? Et aussi une caisse de grosses Molson tablettes, lança Marcel.

— J'vas payer la caisse de Molson! déclara Émile, en fouillant dans ses poches.

— Laisse faire, p'pa! C'est moé qui te l'offre.

Émile tourna un œil vers Marcel, un peu confus. Il aurait aimé un peu plus de discrétion de sa part, mais il était trop tard. De toute façon, Lauretta n'était pas là pour lui jeter un regard perçant afin qu'il se sente coupable.

Le travail commença avec une vivacité extraordinaire, chacun étant fin prêt à exécuter sa tâche. Le premier trou avait été le plus long à niveler, mais les autres furent de la petite bière. Le bois, les sonotubes, les tiges de métal s'imbriquaient les uns dans les autres, dans un synchronisme rappelant un ballet orchestré. Il n'y avait pas de perte de temps, malgré les pauses pour se rafraîchir le gosier.

À midi, Violette et Nicole avaient préparé des sandwichs et des salades variées : patates, macaronis, chou. Ils mangèrent avec appétit sur la table de piquenique. Émile avait besoin d'étancher sa soif, car il avait travaillé sans relâche. Une deuxième grosse Molson fut la bienvenue.

— On a fait une bonne matinée ! Qu'est-ce que vous en pensez, les gars ? demanda Marcel.

— Ç'a pas niaisé ! On a déjà cinq bases de prêtes. À ce train-là, on va finir de bonne heure ! répondit Patrick.

— Pis toé, p'pa, pas trop fatigué ? s'enquit Marcel.

— Pantoute ! J'sus aussi capable que vous autres, tu sauras.

Émile était tout en sueur. En raison de son fol orgueil, il serait mort sous l'effort avant d'avouer sa fatigue. Ils reprirent le travail avec vigueur, parce que Marcel leur avait promis de les emmener dans un bar de danseuses nues. Personne n'y avait jamais mis les pieds sauf Marcel. Il fallait que les hommes s'y rendent à l'abri du regard de leurs femmes. Jamais elles n'auraient accepté que leurs maris fréquentent ce genre d'endroit. Il n'y en avait pas à Granby, mais, à Montréal, ils pullulaient, malgré la rigueur de l'administration Drapeau.

Tous, sans exception, étaient curieux de voir des femmes s'exhiber nues. Émile ne pouvait imaginer que des femmes s'exposent aux regards concupiscents d'une bande de maquereaux en rut. Il continua à travailler comme s'il avait vingt ans, mais, plus l'après-midi avançait, plus il avait soif. L'eau ne pouvait le désaltérer comme une grosse Mol. Il s'était mesuré à des jeunes qui étaient de trente à trente-cinq ans son cadet. Il pouvait être exténué lorsqu'il travaillait à la *shop* parce qu'il exécutait toujours la même tâche, mais faire du ciment était une tout autre histoire. C'était la mi-mai, mais sa chemise était détrempée comme si l'on était au mois d'août, en pleine canicule. Nicole regarda son père et craignait qu'il ne fasse un infarctus.

— Papa! Repose-toi un peu, tu n'as pas à t'esquinter autant. Tu ne travailles pas pour le diable, quand même!

— S'ils sont capables, je suis capable aussi, bâtard!

— Tu es rouge comme un coq, papa! Prendrais-tu une bière? Marcel, Pat et Serge! C'est quoi l'urgence de travailler aussi vite? Avez-vous vu p'pa? Attendez-vous qu'il tombe dans les pommes avant d'arrêter?

— T'as raison, Nicole! On n'a pas besoin de rouler aussi vite. J'le sais pas ce qui nous a pris! On pourrait prendre un *break*... répondit Marcel, qui n'avait pas remarqué que son père était à bout de souffle. Toé, p'pa! T'aurais pu nous dire de ralentir! J'avais oublié que t'avais soixante et onze ans.

— Nicole va m'apporter une grosse bière, ça va me replacer! J'veux pas vous retarder...

— Non! Non! On va prendre le temps de siroter une bière. On a quasiment fini d'installer les formes. J'vais te remplacer après ça! lança Patrick.

Émile était en colère que sa fille ait attiré l'attention sur lui, même s'il se savait épuisé. Il se rappelait les défis qu'il lançait à Paul, son gendre, quand ils faisaient leurs jardins. Il voulait le battre de vitesse, mais, à cette époque, il était plus jeune et Paul était plus vieux que ces jeunesses-là. Maudit orgueil, pensa-t-il, il ne se dompterait ben donc jamais. Nicole lui tendit une grosse bière tablette, et il alla s'asseoir dans une chaise de parterre. Il prit une longue gorgée, se retenant pour ne pas l'engloutir goulûment. Il était trois heures et quart de l'après-midi. Il se demanda s'il n'avait pas trop mangé au dîner, refusant d'admettre que sa fatigue était due à son âge.

— On va au bar tout de suite après le travail! chuchota Marcel. Vous verrez, ça vaut vraiment la peine d'être vu! J'vas prétexter que j'veux commander d'autres matériaux pis que j'ai besoin de vos conseils pour qu'on s'éclipse.

— Tu penses qu'elles vont gober ça? s'enquit Serge. En tout cas, ma femme croira jamais ça.

— La mienne s'y opposera pas! déclara Patrick.

— C'est bien sûr, c'est toi le chef de chantier! rétorqua Serge.

— Les femmes vont magasiner ensemble, pourquoi on ferait pas comme elles?

— Exact, Marcel! J'y avais pas pensé. T'es pas mal plus vite que moi.

— On fait rien de mal à regarder, pis c'est pas contre la loi! répondit Marcel.

— Il reste à peine une p'tite heure d'ouvrage avant d'aller voir les pitounes… conclut Patrick.

Ils reprirent le travail au même rythme, et la pause avait été salutaire pour Émile. Le lendemain, ils n'auraient qu'à combler les trous, si le ciment était assez sec. Marcel planifierait la suite des travaux avec Patrick et Émile, et Serge chargerait les trous de terre. Serge versa le dernier seau de ciment pendant qu'Émile lavait le malaxeur. Les outils furent rangés dans le cabanon de la belle-mère de Marcel. Quand tout fut terminé, ce dernier annonça qu'ils allaient au village pour la commande de matériaux supplémentaires et qu'ils s'arrêteraient peut-être à l'hôtel déguster une bière.

— Est-ce que ça va être long, Marcel? lui demanda Violette.

— Ça prendra le temps que ça prendra, baptême! Il me semble qu'on a assez travaillé.

— Choque-toi pas! Je disais ça pour planifier le souper, c'est tout. À vrai dire, on va manger le ragoût que ta mère a préparé.

Émile fut irrité par le ton de son fils. Violette était si gentille. Elle ne méritait pas d'être maltraitée. Il regarda Marcel et vit un certain mépris dans son attitude. Quelque chose clochait entre eux.

Les hommes montèrent dans l'auto de Marcel et prirent la direction de Saint-Jean-de-Matha. Marcel bifurqua en direction du bar, de l'autre côté du lac Noir. Il se gara à l'arrière du bâtiment et tous descendirent de la voiture.

— Êtes-vous prêts, les gars ? Si une danseuse est à votre goût, pour cinq piastres, elle peut danser à notre table. Vous allez la voir se trémousser de proche, je vous le garantis !

Ils entrèrent dans le bar à la suite de Marcel. L'intérieur était très sombre et il fallait une bonne minute pour s'habituer à la pénombre. Émile se croyait dans une caverne tellement il ne voyait rien. Petit à petit, il remarqua des ombres à des tables, puis des femmes assises au bar, éclairé par une faible lueur.

Marcel leur fit signe de le suivre. Les quatre larrons prirent place à une table libre et attendirent d'être servis. Une serveuse aux seins nus se présenta à eux. Elle se dirigea vers Marcel, comme si elle le connaissait. En se collant, elle lui dit :

— J'me suis ennuyée de toi, mon beau Marcel ! Ce sont tes amis ?

Marcel la prit par la taille et laissa glisser une main sur ses fesses en les caressant.

— Je vous présente Sonia ! C'est une bonne amie… Sonia, voici Pat, Serge et Émile. On a travaillé à mon camp toute la journée, pis, là, on a très soif. C'est ma traite !

Tous commandèrent une bière tout en reluquant Sonia. Ils étaient abasourdis de voir une si belle femme s'exposer à la vue de tous.

— Tout un pétard, mon Marcel! En plus, elle a l'air de bien te connaître. Ta femme sait sûrement pas ça.

— Oh que non! Je l'ai rencontrée à la salle de billard, au village. Quand elle ne travaille pas, elle se tient là. C'est comme ça que je l'ai connue. Elle se défend pas mal, mais elle n'est pas de taille avec moé, c'est sûr. Je l'ai laissé gagner quelques fois, histoire de faire connaissance…

— Ça doit être compliqué d'avoir une amie comme ça? demanda Patrick.

— Ça dépend à quelle heure elle finit! Violette trouve que je joue trop tard au billard, pauvre innocente…

— Non! C'est ta maîtresse? chuchota Serge, surexcité.

Émile, estomaqué, attendait nerveusement la réponse de Marcel. Cette jeune femme avait à peine vingt ans, alors que Marcel en avait trente-quatre. En plus, il était marié. Jamais Émile n'aurait osé tromper sa femme d'une façon aussi éhontée. Marcel ne s'en cachait même pas et semblait plutôt fier de la montrer à son père. Émile devait admettre qu'elle était très belle, mais qui ne l'était pas à vingt ans?

Elle revint avec les consommations. Marcel régla l'addition, en glissant un cinq dollars dans sa petite culotte.

— Aurais-tu le temps de nous faire une danse, ma belle Sonia ?

— Bien sûr, mon chéri ! Je vais aller chercher mon banc.

Sonia revint avec un tabouret pas plus haut que deux marches. Elle grimpa dessus et attendit qu'un morceau de musique commence pour se mettre à danser. Pendant qu'elle se déhanchait lascivement, elle exhiba sa poitrine bombée devant Marcel, tandis que ses fesses frôlèrent le visage d'Émile. Puis elle se tourna complètement, de sorte que son pubis était à proximité des yeux d'Émile. Ce dernier pouvait même sentir son parfum. À la fin de la pièce musicale, elle enleva sa petite culotte qu'elle lança en direction de Marcel, puis se remit à danser. Les trois novices étaient littéralement envoûtés. Émile n'avait jamais vu de sa vie le sexe d'une femme entièrement rasé. Il était habité par des sentiments contradictoires. Sa raison tanguait entre le désir et la répulsion, mais il était fasciné par cette jeune femme qui n'exprimait aucun malaise ni aucune gêne.

Patrick, hypnotisé, commanda de nouveau de la bière et une autre danse. Serge était excité à souhait et se promit de faire l'amour à sa femme sous la tente, même si Thérèse et Patrick entendraient tout de leurs ébats. Il ne se possédait plus. Marcel semblait se moquer d'eux et agissait en habitué. À la fin de sa deuxième danse, Sonia chuchota des mots au creux de l'oreille de Marcel, puis elle l'embrassa avec fougue.

Pour Émile, c'en était trop. Son garçon était en voie de perdition. Il devait absolument lui parler avant de retourner à Granby. Comment pouvait-il bâtir un futur tout en défaisant le présent? Il ne pratiquait sûrement plus sa religion pour agir ainsi.

— Qu'est-ce qu'elle t'a dit, Marcel? lui demanda Patrick.

— Elle m'a simplement demandé si j'aurais un petit moment pour elle durant cette longue fin de semaine.

De retour au chalet de madame Dandenault, ils avaient faim. Marcel leur offrit à tous de la bière, et les trois larrons s'empressèrent d'accepter.

— Où est p'pa? demanda Nicole.

— Il doit être dehors à siroter sa grosse Molson tablette qu'il garde dans le cabanon, répondit Marcel.

Il avait raison. Émile était assis à l'extérieur en buvant sa bière. Il réfléchissait à la meilleure façon de parler à Marcel à propos de son comportement vis-à-vis de Violette. Son fils se comportait de façon à rater sa vie et à la vivre bourrée de remords. Il en savait quelque chose. En revanche, Émile se demandait s'il pouvait se permettre de faire la morale à son fils. Après quelques minutes de réflexion, il trouva la façon d'aborder son fils. S'il se mettait à nu devant lui, Marcel ne pourrait pas lui reprocher d'être un mauvais exemple pour le sermonner. Nicole, qui le cherchait pour l'inviter à souper, surgit quelques instants après qu'il eut trouvé comment faire entendre raison à Marcel.

— Qu'est-ce que tu fais là tout seul, papa ? Le souper est prêt, on attend après toi pour commencer !

— Je prenais juste un peu d'air parce que j'ai eu chaud après-midi !

— Ça, tu peux le dire ! J'ai même eu peur à un certain moment donné. Tu ne devrais plus te mesurer à tes gars à ton âge, papa ! Viens, rentrons !

Émile termina sa bière en une lampée et suivit sa fille. L'air était un peu frisquet dehors, mais il avait aimé être seul avec lui-même pour réfléchir. Il attendrait demain pour parler à Marcel. Trouverait-il les bons mots pour le convaincre de son erreur ?

Ils mangèrent avec appétit, car les plats de Violette étaient succulents. Patrick et Serge se montraient câlins avec leurs épouses. Thérèse était flattée de recevoir tant d'attentions de la part de son mari. Il n'était pas d'une nature affectueuse ni particulièrement porté sur le sexe, mais, ce soir-là, il était excité et Thérèse en était ravie. Quant à Serge et Nicole, ils ne cessaient pas de se caresser. Seul Marcel n'avait rien changé à son attitude, il demeurait stoïque comme à son habitude.

# Chapitre 4

— Qui a le courage de se baigner dans le lac ? lança Serge, qui était un bon nageur.

— Es-tu fou ? L'eau ne doit pas dépasser les cinquante degrés Fahrenheit. On va geler tout rond, sacrament ! répondit Patrick.

— Si vous permettez, madame Dandenault, je prendrais bien une douche ? demanda Nicole.

— Bien sûr, ma belle ! Et vous pouvez tous vous doucher, si vous le désirez, mais soyez économes en eau chaude : j'ai un petit chauffe-eau. Les derniers risquent d'en manquer.

— Moi, je me baigne dans le lac, gang de pissous ! rétorqua Serge que la bière ingurgitée rendait courageux.

— T'es malade !

— Il a l'habitude d'aller à Old Orchard et l'eau n'est pas beaucoup plus chaude que ça au mois de juillet. Moi, je vais prendre une douche, le temps d'aller chercher ma serviette dans la tente... lança Nicole.

— Moi aussi ! mentionna Thérèse.

— Apporterais-tu la mienne ? lui demanda Patrick.

— Oui, mon chéri !

Nicole sortit du chalet en même temps que Serge. En arrivant à la tente, ce dernier prit sa femme dans ses bras et l'embrassa.

— J'ai vraiment le goût de toi, Nicole! Ça te dit?

— Oui, mais que fais-tu de Thérèse et Pat? Ils vont arriver sous peu.

— Va prendre ta douche en premier. Le temps qu'ils terminent de se laver, ça nous laissera un peu de temps. Qu'en dis-tu? Ils ont sûrement la même idée que nous.

— Comment sais-tu ça? demanda Nicole, tout à coup suspicieuse.

— Pat en a glissé un mot pendant qu'on travaillait. Dépêche-toi, je t'attends!

— D'accord!

Nicole était excitée par l'empressement de son mari à lui faire l'amour. De savoir que Pat et Thérèse nourrissaient la même idée qu'eux rajoutait du piquant à l'aventure.

Elle croisa Thérèse qui allait chercher les serviettes pour elle et Pat. Thérèse vit Serge sortir de la tente, nu comme un ver. C'était vraiment un homme séduisant, au physique d'athlète.

Serge et Nicole firent l'amour assez rapidement, Serge parce qu'il était trop excité d'avoir vu le corps de la danseuse dans des déhanchements suggestifs et Nicole parce qu'elle craignait d'être prise sur le fait par son frère et sa belle-sœur. Satisfaits malgré tout, ils terminèrent leurs ébats dans un fou rire en entendant Thérèse et Patrick s'approcher de la tente.

Nicole ne savait pas du tout que son frère était animé du même désir que son mari, car les deux hommes s'étaient nourris à la même flamme, Sonia, que Marcel avait exhibée comme un proxénète. Patrick avait ressenti l'arrogance de son frère quand il les avait entraînés dans ce bar. Avait-il besoin d'agir comme il l'a fait devant son père ? C'était un manque de respect flagrant envers Émile, même s'il ne méritait pas qu'on lui porte autant de considération. Malgré tout, il était son père. Jamais Patrick ne lui aurait fait pareil affront.

Thérèse et Patrick tentaient de faire l'amour le plus silencieusement possible, mais l'autre couple tendait l'oreille en riant sous cape. Quand Thérèse atteignit l'orgasme, Nicole et Serge applaudirent. Patrick fut coupé dans son élan au moment où son plaisir culminait.

— Eille ! Qu'est-ce qui se passe avec vous autres ? Vous n'avez rien de mieux à faire que d'écornifler ?

— On peut se boucher les oreilles si tu veux, Pat, mais ce n'est pas facile à faire après avoir entendu les gémissements de Thérèse. Vas-y mon Pat, je me bouche les oreilles puis ceux de ma femme en même temps !

Déconcentré, Patrick préféra abandonner en maugréant.

— Crisse !

Il essaya de s'endormir, mais sans succès. Il pensait toujours à la jeune Sonia qui s'exposait au regard de tous sans la moindre pudeur. Il la trouva dévergondée, mais ne pouvait s'empêcher d'envier son frère, malgré le fait qu'il trahissait Violette.

Le lendemain matin, après le déjeuner, ils reprirent le travail. Cependant, Patrick préféra laisser sécher un peu plus le ciment avant de couvrir la base.

— Qu'est-ce qu'on fait, maintenant ? demanda Serge.

— Vous pouvez nettoyer le terrain. Moi, j'ai des petites commissions à faire au village. Ça ne devrait pas être très long ! mentionna Marcel, avec un petit sourire en coin.

Ce rictus n'échappa pas à Émile, qui secoua la tête d'un air désapprobateur. Il savait ce que son fils manigançait. Il allait rejoindre la petite danseuse. Au vu et au su de tous ! Cela l'horripilait au plus haut point. Comment pouvait-il quitter le chantier alors que tous les membres de sa famille étaient venus lui donner un coup de main ? Il laissait à sa femme la tâche de s'occuper d'eux, tout en s'apprêtant à la tromper de façon éhontée.

— Marcel ! Tes commissions ne pourraient pas attendre ? Je crois bien que la quincaillerie est ouverte demain…

— Tu connais rien, Violette ! Demain, c'est un jour férié. Tout est fermé, c'est sûr ! J'en aurai pas pour longtemps. Est-ce qu'il manque quelque chose pour les repas ? De la bière ?

Violette s'abstint de répondre. Profondément blessée, elle alla se réfugier dans sa chambre pour pleurer. Elle ne savait pas ce que Marcel tramait, mais elle le trouvait de plus en plus méprisant à son égard. Qu'avait-elle fait pour mériter tant d'arrogance? Elle s'efforçait de ne rien laisser paraître, mais ses belles-sœurs ne pouvaient pas ignorer qu'un malaise grandissant s'installait entre eux.

— Qu'est-ce qui se passe, Violette? Je vois bien que ton mari est désagréable.

— Si au moins je le savais, Nicole, je pourrais tenter d'arranger les choses, mais il ne me parle que de banalités, comme des choses à prendre à l'épicerie, si le souper est prêt, des trucs comme ça… Aussitôt que je lui demande ce qui ne va pas, il s'esquive en me disant que ça ne me regarde pas. J'ai peur qu'il me laisse! Il ne me touche plus et il ne m'embrasse plus non plus.

— Plus je le vois aller, plus je trouve qu'il ressemble à mon père il y a vingt ans. Il est suffisant, arrogant, comme s'il détenait le monopole de la vérité. Si mon mari agissait ainsi, je lui montrerais la porte. Il aurait l'air d'un itinérant, à la rue avec seulement son linge dans son baluchon…

— Je ne peux pas faire ça, Nicole, je l'aime trop.

— Tu ne peux pas te laisser traiter de la sorte, Violette! Fais une femme de toi, sinon il t'écrasera. Et ce sera pire. Il faut que tu te fasses respecter. Ah, si j'étais un homme, je lui donnerais une bonne raclée dont il se souviendrait longtemps. Tu n'as pas un frère ou un beau-frère qui pourrait le secouer un peu?

— Mon frère, c'est une pâte molle, et mes beaux-frères ne voudraient pas s'en mêler. Il est toujours aimable avec tout le monde, personne ne voit son hypocrisie. C'est moi le problème.

— Arrête de dire ça, Violette! Tu sais que ce n'est pas vrai. Je te dis qu'il est comme mon père, mais en pire...

— J'ai toujours trouvé ton père très gentil avec moi. C'est pour ça que je pense que c'est moi le problème.

— Je vais lui parler, à mon frère, et il va voir de quel bois je me chauffe. Il va arrêter de te mépriser ou bien je ne m'appelle pas Nicole...

— Non! Ne fais pas ça. Ça va juste empirer la situation. Je t'en supplie!

— Tu me désoles! Tu n'as pas fini de souffrir si tu n'interviens pas tout de suite. En tout cas, si jamais tu changes d'idée, appelle-moi n'importe quand. Je vais lui dire ses quatre vérités, crois-moi!

— Merci, Nicole, les choses vont peut-être s'arranger d'elles-mêmes. Il travaille trop, ces temps-ci!

— Cesse de le défendre! Tu vas me mettre en colère et je ne pourrai plus me retenir de l'engueuler.

Elles durent interrompre leur conversation, car madame Dandenault entra dans le chalet. Violette avait les yeux rouges quand elle sortit de la chambre, suivie par Nicole.

— Qu'est-ce qui se passe ici, Violette ? Tu as pleuré ?

— Ce n'est rien, maman ! C'est ma période du mois…

— Il n'y a rien d'autre qui te tracasse ?

— Si je te le dis, maman…

— D'accord ! Venez donc profiter du beau soleil dehors. On est tellement bien qu'on se croirait en juillet.

Pendant que Violette faisait semblant que tout allait bien, Marcel culbutait la jeune Sonia dans la chambre qu'elle occupait au motel de Saint-Jean-de-Matha. L'étreinte fut brève, car le moment était mal choisi. En effet, toute sa famille s'était déplacée pour l'aider à construire son chalet. Il disait toujours «son chalet», mais en réalité il appartiendrait plus à sa femme qu'à lui, car madame Dandenault avait fait don du terrain à sa fille. Marcel n'avait presque pas mis d'argent de côté, alors que Violette épargnait chaque sou qu'elle pouvait pour concrétiser leur rêve.

— Écoute, Sonia ! Je ne pourrai pas rester longtemps. Il y a trop de monde chez ma belle-mère, tu comprends ?

— C'est pas grave ! Tu prends au moins le temps de me faire l'amour avant de repartir. Ta femme ne se doute de rien ?

— Ben non! Pourquoi tu me demandes ça? J'te l'avais dit: il faut que je bâtisse mon chalet. Après, on pourra se voir plus souvent.

— Ta femme, c'est une vraie dinde si elle ne s'aperçoit de rien. Moi, je peux te dire que je le saurais si tu me trompais avec une autre. Ce serait ta fête!

— Je ne la touche plus depuis qu'on a commencé à se voir.

— Je ne sais pas ce que t'as de si spécial pour que je sois accrochée à toi comme ça. Tu me baises à la sauvette la plupart du temps, alors que je pourrais sortir avec des gars plus riches, plus beaux et plus jeunes que toi. La journée que j'vais comprendre, je ne serai plus là…

— Arrête tes niaiseries pis viens m'embrasser! J'sus sérieux quand j'te dis que j'ai pas de temps.

Ils firent l'amour, puis il prit sa douche avant de la quitter. Il gardait dans le coffre de son auto une bouteille d'Aqua Velva dont il s'aspergeait généreusement chaque fois qu'il sortait de chez sa maîtresse. C'était un rituel pour éviter que Violette, qui avait le nez fin, découvre des odeurs de parfum venant d'une autre femme. Il rapporta de la bière et les quelques articles qu'elle lui avait demandés.

Marcel s'était absenté presque trois heures et il était revenu en se montrant digne comme un grand seigneur. Il répétait dans sa tête les mensonges ingénieux qu'il avait forgés à l'intention de sa femme. Il ne voulait pas éveiller les soupçons de personne. Sinon, il se serait terré dans un mutisme total. C'était plus facile de se taire que de mentir.

— Voici du renfort, les gars! Veux-tu une bonne Molson, p'pa?

— Tu sais que j'la préfère tablette. Y m'en reste encore dans ma caisse. Merci ben quand même!

— Pat et Serge, en voulez-vous une frette?

— Ça serait pas de refus! répondirent-ils en chœur.

— Le ciment est prêt à être enterré, on t'attendait! reprit Pat.

— Le temps de me changer pis on s'y met, fit Marcel.

— C'est comme tu veux!

Marcel rentra dans le chalet de sa belle-mère et fut reçu par le regard glacial de sa sœur Nicole.

Elle était seule. Violette, Thérèse et sa belle-mère étaient parties rendre visite à Gilles, le frère de Violette, à son chalet.

— Veux-tu bien me dire où t'étais passé? Tu peux faire ce que tu veux de ta vie, Marcel, mais on n'a pas besoin d'être témoins de ta méchanceté envers ta femme.

— De quoi tu te mêles, la p'tite sœur? C'est pas tes affaires pantoute où je me trouvais. J'ai bien assez de ma femme qui veut savoir tout de mes déplacements.

— Justement! Je l'ai vue pleurer juste après ton départ. Si tu ne l'aimes plus, va-t'en. Elle pourra au moins tenter de refaire sa vie, mais, là, tu la détruis à petit feu. Si ça continue, je ne reviendrai plus. Et Serge non plus si je n'y suis pas.

— J'ai juste joué quelques parties de billard. Il n'y avait rien d'autre à faire à matin. J'aime ça le billard, car j'fais de l'argent à toutes les fois. Ça paye la bière!

— Tu peux me conter toutes les menteries que tu veux, mais je ne te crois pas du tout. J'ai posé des questions à Serge et à Pat, les deux semblaient coupables de ne pas me répondre. Ça dit tout!

— Qu'est-ce que ça dit, d'après toi, hein?

— J'pense que tu as une maîtresse et ta femme commence à avoir des doutes, elle aussi. Tiens, tu deviens rouge? J'ai tapé dans le mille, c'est ça?

— Si je deviens rouge, c'est parce que tu me mets en crisse avec tes soupçons. Je suppose que tu vas rapporter ça à ma femme? T'as toujours été une langue sale, Nicole. Juste bonne à raconter des osties de menteries.

— À voir ta réaction, je sais que t'es coupable! Prouve-moi le contraire, sinon je vais sûrement lui ouvrir les yeux, à Violette. Tu vas arrêter de nous prendre pour des idiotes. Si les gars veulent être tes complices, c'est leurs affaires!

Marcel aurait étranglé sa sœur. Il affichait un air grognon. Cette confrontation l'avait secoué. Nicole l'entendait claquer les tiroirs du bureau et la porte de la garde-robe. Son agressivité la laissait indifférente. Elle connaissait son frère comme le fond de sa poche et elle savait tous ses défauts. Marcel avait toujours été un menteur et un tricheur ainsi qu'un voleur. Il avait déjà contrefait la signature de Lauretta pour encaisser le chèque d'allocation familiale qu'elle avait reçu. Ce n'était qu'une de ses nombreuses fourberies dont elle se rappelait. C'est pourquoi elle n'avait aucune pitié pour lui.

— J'espère que tu vas fermer ta grande gueule en attendant d'avoir des preuves de ce que tu avances. C'est pas nécessaire de faire de la peine à Violette pour rien…

— C'est justement ce que je me disais ! Je vais t'avoir à l'œil, Marcel. Tu as intérêt à te conduire correctement avec ta femme. Ton charme ne marche pas avec moi, parce que je te connais trop !

Marcel ne répondit pas à cette dernière pointe de sa sœur. Il sortit rejoindre Émile, Pat et Serge. Il avait hâte de les voir retourner à Granby, car il ne savait pas s'ils avaient ébruité leur sortie au bar où travaillait Sonia. Peut-être aurait-il dû résister à la tentation de faire son fanfaron ? Il s'était montré fier de leur solidarité, mais il avait sans doute commis une erreur de jugement.

— OK, les gars ! On remblaye le terrain. Après ça, on prend une bonne bière bien méritée ! lança Marcel.

— On est prêts depuis longtemps! répliqua Serge, qui commençait à s'impatienter.

Marcel fit semblant de ne pas voir les femmes sortir du chalet de sa belle-mère. Il s'activa à remplir un des trous avec son père, tandis que Serge et Pat en chargeaient un autre.

— As-tu pensé à vérifier le trécarré, Pat?

— Ouais, je l'ai fait pendant que t'étais parti! Il est parfait. J'sais comment travailler, en doutes-tu?

— J'ai-tu le droit de m'en assurer, sacrament? Qu'est-ce que vous avez tous à me chercher des poux cet après-midi? C'est-tu à cause de mon absence de ce matin? Vous le savez que j'avais des choses à faire...

— On est bien d'accord avec toi, Marcel, mais les femmes ont l'air triste pis, ça, c'est pas une bonne idée, répliqua Serge.

— Les femmes! Les femmes! Parles-tu de la tienne ou de toutes les femmes? tempesta Marcel.

— Penses-tu qu'elles sont innocentes au point de ne pas voir ta p'tite *game*? Eille, réveille! répliqua Patrick.

— À moins que quelqu'un ait bavassé, elles ne peuvent pas savoir où j'suis allé, cria Marcel malgré lui.

Il y eut un silence pendant que les femmes venaient vers eux. Thérèse leur jeta un regard hautain difficile à interpréter. Marcel sentit qu'on lui manifestait de la froideur et n'aimait pas qu'on l'affronte sur ce qu'il considérait être son propre terrain. Il sentait qu'il devait distancer ses rencontres avec Sonia, mais il était déjà accro à son corps de déesse et à ce fruit défendu qu'il savourait à pleine bouche.

— J'vais essayer d'être plus discret à l'avenir, mais vous ne pouvez pas imaginer ce que c'est que de se retrouver avec une fille belle comme Sonia. Elle ne me demande rien, sinon que je lui fasse l'amour sans réserve. Avec Violette, ça se limite à la position du missionnaire. Pour elle, le cunnilingus, c'est dégueulasse. Avec Sonia, il n'y a pas de tabou. J'ai trente-quatre ans et c'est une fille de vingt ans qui m'apprend à faire l'amour et à aimer ça.

— Je te comprends ! Il y a des femmes plus prudes que d'autres, mais t'aurais dû le savoir avant de la « marier », Marcel, lui lança Serge.

— Oui, mais quand je l'ai épousée, elle était vierge. Comment voulais-tu que je le sache, sacrament ?

— Fermez-vous les oreilles, le beau-père, mais quand j'ai « marié Nicole », on avait déjà fait l'amour. Ça s'était passé tout de suite après nos fiançailles. J'ai eu le temps de voir si ça marcherait de ce côté-là et elle aussi, déclara Serge.

— Quand est-ce que vous allez arrêter de parler de cochon-neries ? Si vous voulez en faire, gardez donc ça pour vous autres ! dit Émile, de plus en plus indisposé.

— Toé, p'pa, viens pas me faire croire que t'as jamais fait ça avant le mariage. Tu t'es marié à trente ans…

— Tu sauras, Marcel, pis j'ai pas peur d'le dire, que, lorsque j'ai «marié» ta mère, elle était vierge. C'que j'ai fait avant, ça regarde que moé! On fait tous des erreurs à un moment ou à un autre… Quand tu te maries, tu dois respecter ta femme, un point c'est tout!

— C'est plus de même que ça marche, aujourd'hui! On est en 1967, pas en 1900 tranquille…

— Tu sauras m'le dire quand tu te retrouveras tout seul, sans famille. La morale…

— C'est toujours ben pas toé qui va me donner des leçons de morale après tout ce que t'as fait vivre à m'man. Tu ne l'as peut-être pas «trichée», mais t'as fait tout le reste en te soûlant tout l'temps. Oublie jamais que j'ai été témoin de tes beuveries, alors pour ce qui est de la morale…

Émile lâcha sa pelle et s'éloigna du groupe. Il s'en alla se promener sur le bord du lac, puis revint sur ses pas pour prendre la route qui menait au village. Patrick crut bon d'intervenir en l'interpellant.

— Où est-ce que tu t'en vas comme ça?

— J'm'en vas prendre l'air! Inquiétez-vous pas, j'vas revenir…

— Laisse-le faire! C'est juste un vieux grognon, lança Marcel, de plus en plus aigri.

— T'as couru après, Marcel! dit Serge.

— Toé, rajoute-z-en pas!

Émile continua à marcher tranquillement sur le chemin de terre. Il était parti pour éviter de se disputer et surtout parce qu'il craignait les remarques de Marcel et le fait qu'il en ait trop dit en mentionnant qu'il avait été loin d'être blanc comme neige. Il adorait l'épouse de son fils, c'était une femme bonne et sans malice. Aussi, il ne pouvait pas comprendre qu'il lui préfère une petite dévergondée. Pour lui, Marcel avait eu tout le temps, avant son mariage, de satisfaire ses fantasmes sexuels. Cependant, il sentait que ce n'était pas pour cette seule raison qu'il fréquentait Sonia. Il poursuivit sa marche jusqu'au croisement du chemin de terre et de la route principale.

Émile était assoiffé par sa longue marche. Une épicerie se trouva à la bifurcation de la route. Il décida d'y acheter de la bière pour se désaltérer.

— Bonjour, j'voudrais quatre grosses Molson tablettes, si vous en avez!

— Bien sûr, m'sieur! Les voulez-vous dans un sac?

— Oui! Dites-moé donc, y'a combien de milles d'ici à la p'tite chapelle qu'on voit quand on est de l'autre bord du lac?

— D'ici, vous n'êtes vraiment pas loin! J'vous dirais un mille et demi tout au plus.

— Merci ben!

Aussitôt sorti de l'épicerie, il chercha un endroit pour savourer sa bière. Tout près, Émile trouva un rocher avec vue sur le lac. Il décida de s'y asseoir. Il déboucha sa bière avec le canif qui ne le quittait jamais. Il prit une longue gorgée, puis une autre. Depuis son départ de Granby, il avait très peu bu. S'il avait souffert jusque-là sans se plaindre, maintenant il n'avait plus aucune raison de se restreindre puisque l'harmonie du groupe était brisée.

Après avoir avalé sa première grosse bière, il avait encore besoin d'étancher sa soif. Il en décapsula une autre et en prit une bonne lampée. Émile pensait aux membres de sa famille. En moins de deux jours, ils avaient réussi à se quereller, malgré leur petit nombre. Est-ce que ça existe des familles qui ne se disputent pas, se demandait-il? Il n'y avait pas pire exemple que lui-même pour donner le ton aux autres. Il savait que, chaque fois qu'il oserait donner son opinion, il prenait le risque qu'on pointe son passé peu reluisant. Pendant qu'Émile réfléchissait en sirotant sa bière, Marcel travaillait comme un déchaîné à remplir les trous, pendant que Patrick et Serge accomplissaient la même tâche, mais en équipe. Marcel s'était isolé lui-même en effectuant le travail seul.

— Les gars, le dîner est prêt! lança Thérèse.

— OK, on arrive !

— Où est papa ? demanda Nicole.

— Y'est parti prendre une marche ! répondit Marcel, exténué.

— Tu parles d'une drôle d'idée ? rétorqua Nicole.

— On s'est chicanés un peu, mais il m'a dit qu'il reviendrait ! J'gagerais qu'il est rendu à l'hôtel…

— T'as l'air d'avoir oublié son âge ? reprit Nicole.

— Laisse-le faire ! Quand il va être ben soûl, il va revenir…

— T'as pas de cœur, Marcel ! S'il n'est pas revenu après le dîner, je vais aller le chercher. Viendras-tu avec moi, Violette ? Tu connais le coin, toi. Il peut aussi bien s'être perdu…

— Pourquoi pas, ça va me faire du bien à moi aussi de prendre un peu l'air.

Elles finirent de laver la vaisselle, de la ranger et de nettoyer la table. Elles étaient enfin prêtes à partir à la recherche d'Émile. Si elles se montraient empressées de quitter les lieux, ce n'était pas parce qu'elles craignaient pour lui, c'était pour le plaisir que cette sortie leur procurerait. Marcel appréhendait que Nicole révèle ses soupçons à Violette. Est-ce que sa sœur avait été mise au courant de ses escapades amoureuses par Serge ou avait-elle simplement deviné son infidélité ? Il n'était pas rassuré de les voir partir ensemble. Elles disparurent sur la route, dans un petit nuage de poussière.

— On devrait arrêter à l'épicerie Bournival! Ils l'ont sûrement vu passer. Ils pourraient nous renseigner au sujet de la direction qu'il a prise.

— C'est une bonne idée, Violette! Ça nous fera gagner peut-être du temps.

Violette descendit de l'auto et se renseigna auprès de la caissière. Suivant la description qu'elle fit du vieil homme (petit de taille, les cheveux en brosse et argentés, avec une tenue de travailleur), elle sut tout de suite qu'il s'agissait de lui.

— Bien sûr, madame Robichaud, que je l'ai vu. Je me demandais d'où il venait parce que vous savez, on connaît tous nos clients. Mais, lui, je ne l'avais jamais vu auparavant. C'est un parent?

— Oui, c'est mon beau-père!

— Il a acheté quatre grosses bières et il les voulait chaudes. C'est pour cette raison que je me souviens de lui. Il a pris la direction de la chapelle. Avec quatre grosses bières, je me suis dit qu'il n'y allait sûrement pas pour dire une prière…

— Merci de l'information!

Violette se demandait quelle était la raison du comportement de son beau-père. Il y avait un malaise dans l'air causé par les agissements de Marcel. Elle ne pouvait s'empêcher de penser que c'était peut-être ses pleurs du matin qui avaient amplifié l'inconfort ressenti par tous.

— Nicole, la caissière m'a dit que ton père avait pris la direction de la chapelle. Il faut que tu tournes à droite.

— Mon père à la chapelle? Mon Dieu, j'avais oublié que c'était dimanche! Il me surprendra toujours, mais j'ai de la difficulté à concevoir qu'il y ait pensé et qu'il ne m'en ait pas glissé un mot. Allons-y!

— Ne va pas trop vite au cas où ce n'était pas son objectif. Il n'y a pas de messe en après-midi. La dernière messe est à onze heures. Je doute qu'il ait eu le temps d'y être à temps, dit Violette. J'ai oublié de te dire qu'il avait acheté de la bière…

— Ça lui ressemble beaucoup plus! Regarde de ton côté et je regarde du mien. Il s'est certainement arrêté à quelque part pour se reposer et boire sa bière. Je gagerais qu'il est sur le bord du lac à admirer la nature. Qu'est-ce qui a bien pu le pousser à partir comme ça sans nous avertir? demanda Nicole

— Je n'en ai aucune idée! Regarde, Nicole, je crois que c'est lui sur le rocher là-bas!

— C'est bien lui! répondit Nicole

Nicole s'approcha de l'endroit où son père était assis et stationna l'auto. Elle en sortit suivie par Violette, qui semblait soulagée d'avoir retrouvé son beau-père. Émile avait une grosse bière à la main et se parlait à lui-même. Il y avait un sac en papier à côté de lui et trois goulots décapsulés dépassaient du sac. Avait-il bu toutes ces bières en si peu de temps ? Celle qu'il tenait à la main était à moitié vide. Nicole ne parut pas surprise, mais Violette était éberluée par sa capacité d'absorption. Il ne paraissait pas ivre, mais ses yeux étaient injectés de sang et étaient presque fermés.

— Qu'est-ce que tu fais ici, p'pa ? Tu ne connais pas le coin et tu aurais pu te perdre !

— Y'a pas de danger que j'me perde. On est venu dans le coin hier !

— Vous êtes venus dans le coin hier ! Où ça ?

— Au p'tit bar pas loin d'icitte !

Violette savait exactement de quel bar son beau-père parlait. Il n'y en avait qu'un et c'était le bar de danseuses nues. Toutes les femmes du coin avaient fait des pressions sur le curé, qui à son tour en avait parlé au maire. Ça n'avait rien donné parce que le bar était dans une zone neutre contrôlée par la police provinciale.

— Bon ben là, p'pa, finis ta bière pis viens-t-en ! Ramasse tes bouteilles vides, on retourne au chalet, lui dit Nicole.

— J'ai pas le goût ! répondit Émile.

— Qu'est-ce qui te prend de ne pas vouloir revenir au chalet ?

— C'est des affaires d'hommes qui vous regardent pas !

— Des affaires d'hommes ? Qu'est-ce que ça veut dire ? lui demanda Nicole.

— J'le dis pas parce que Marcel va être en beau maudit après moé.

— Arrête de niaiser pis viens-t'en ! J'te demanderai pas c'est quoi votre secret.

— Moi, j'ai une bonne idée de ce que peut être le secret. Il y a un bar de danseuses nues et je parierais qu'ils sont venus se rincer l'œil hier après avoir fini de couler le ciment, déclara Violette, chagrinée.

— Embarque, p'pa !

Émile se leva et tituba un peu, mais ramassa ses bouteilles vides et s'installa sur le siège arrière de l'auto avec un air penaud. Il avait le goût de faire une sieste en plein air pour cuver la bière qu'il avait bubu. Violette et Nicole, à l'avant, étaient silencieuses. Nicole aurait une conversation avec Serge avant la fin de la journée. Violette se réfugierait dans le silence, car elle était incapable d'affronter son mari.

# Chapitre 5

L'atmosphère était lugubre au chalet de madame Dandenault ce dimanche soir-là. Tout le monde soupçonnait l'autre d'avoir trahi le secret. Les femmes étaient sur le qui-vive et Émile était taciturne parce qu'il pensait avoir trahi son fils sans avoir prononcé une seule parole. Il n'approuvait pas le comportement de Marcel, mais jamais il n'aurait dit mot. C'est Patrick qui brisa le silence en déclarant qu'il voulait repartir tôt le lendemain.

— Écoute, Marcel! On a fait ce qu'on avait planifié de faire durant la fin de semaine. S'il n'en tenait qu'à moi, je repartirais très tôt demain matin. J'ai des petits travaux que je pourrais terminer en après-midi à Granby. Je serai là vendredi soir prochain comme prévu avec Paul et Monique.

— Moi, je peux laisser la tente montée à l'endroit où elle est si tu me dis qu'il y aura quelqu'un pour la surveiller, reprit Serge.

— Je serai là, Serge! Je passe le reste de l'été à mon chalet et j'ai toujours une chambre de libre si vous en avez de besoin, rajouta madame Dandenault.

— Ben merci pour le coup de main! C'est vrai qu'on a fait exactement ce qu'on avait prévu de faire. La fin de semaine prochaine, si on réussissait à faire le plancher, ça serait une maudite bonne affaire de faite, dit Marcel pour motiver les troupes à revenir. Il savait qu'il avait été trop loin en se pavanant devant son père, qui était contre l'adultère. Il voulait les épater, mais il n'avait réussi qu'à leur faire peur tous autant qu'ils étaient. Il ferait gaffe avec Paul, car, si Monique apprenait qu'il trompait sa femme, il n'était pas mieux que mort. Il la craignait toujours.

Le lendemain matin, le clan Robichaud repartit en direction de Granby. Tout le monde se sentit soulagé parce que l'atmosphère était vraiment malsaine. Personne ne voulait être témoin du conflit qui se préparait entre Marcel et Violette. Le retour se fit dans le silence. Chacun avait sa vision de la situation. Émile se demandait s'il en parlerait à sa femme. Lauretta avait peut-être plus d'autorité que lui. Émile avait trop de vices connus pour inspirer le respect et il le savait. C'était pour cette même raison qu'il était parti à pieds pour aller prendre un coup et se faire oublier.

— Puis Émile, comment s'est passé votre fin de semaine ? Avez-vous bien travaillé ? demanda Lauretta

— On a tout fait ce qu'on avait à faire, mais j'pas sûr que je vas y retourner ben souvent. C'est loin, pis coucher dans la chambre du défunt d'la mère Dandenault, j'ai pas aimé ça…

— Il n'y a rien qui t'oblige à aller travaillé sur la construction à ton âge. Moi, je pense que je vais attendre qu'il soit fini avant d'y aller. On peut toujours aller au chalet d'Yvan avec Daniel et Micheline si jamais ça nous tente. C'est moins loin.

Ça n'avait pas échappé à Émile que sa femme l'incluait dans ses projets futurs et il en fut très content. Il aimait mieux couper le gazon au chalet d'Yvan que d'aider Marcel à construire son chalet, mais il était bien chez lui d'abord et avant tout.

— Max, y'as-tu pris soin de mes lapins, Lauretta ?

— Tu n'as pas à t'inquiéter de tes lapins, il est allé les voir deux fois plutôt qu'une. Je pense qu'il a même nettoyé les cages. Vas vérifier, tu verras bien !

— C't'une bonne idée ! J'vas aller voir si y'a ben fait ça. Après tout, c'est la première fois que je confie mes lapins à quelqu'un. C'est rendu presqu'un homme ! Moé, à son âge…

— C'est une autre époque, Émile. Il a hâte de finir ses classes pour laisser tomber son parcours de Journaux. Il a trouvé un emploi d'été chez Laurin fruits et légumes, mais je trouve qu'il n'est pas payé assez cher. Cinquante cents de l'heure en 1967, ce n'est vraiment pas beaucoup. Cinquante heures de travail pour vingt-cinq dollars, c'est abusif.

— J'me rappelle d'avoir travaillé pour une piastre par jour pis c'était de l'ouvrage dur…

— L'argent valait plus qu'aujourd'hui dans ce temps-là, Émile. Ce n'est pas comparable plus de cinquante ans plus tard.

— Ouais, t'as ben raison! C'est plus pareil pantoute, c'est ben ça qui me fait peur avec une p'tite pension de misère.

— On ne reviendra pas là-dessus, Émile. Il faut faire confiance à la vie, parfois.

— La vie m'a jamais fait de cadeaux. Je vois pas pourquoi elle commencerait aujourd'hui!

— À t'écouter, on dirait que tu as perdu la foi! Le bon Dieu est juste et il donne toujours à ceux qui sont dans le besoin.

— J'ai pas perdu la foi, mais j'suis pas aveugle! Penses-tu que Violette mérite d'être traitée comme Marcel la traite? Dis-moé pourquoi il lui fait de la peine tout le temps?

— Pourquoi tu dis ça, Émile? Tu sais quelque chose que je ne sais pas, raconte!

Émile avait mis les pieds dans le plat sans s'en rendre compte. Il ne pouvait plus cacher la vérité à sa femme. Il était certain que Marcel trompait sa femme, mais il n'avait pas de preuve. Si jamais il avait tort, ce serait de la médisance. Il n'avait rien vu de ses yeux vus, aucune certitude. Il pouvait dire qu'il le soupçonnait et c'était déjà moins pire que le flagrant-délit. Il n'en demeurait pas moins que Marcel n'était pas gentil envers son épouse. Ça, c'était irréfutable. Ça lui rappelait sa vie passée, du temps où la colère et la frustration le rendaient totalement exécrable aux yeux de sa femme. Il avait été tellement ignoble envers sa fille Monique qu'elle ne lui avait pas encore pardonnée cette époque.

— J'dis ça, mais j'ai pas de preuve ! J'aurais dû me taire.

— Non, Émile ! Tu as commencé, tu vas finir.

— Y'est juste pas fin avec elle ! Il lui parle sec comme s'il lui en voulait pour quelque chose.

— Tu me caches quelque chose, mais je vais le savoir pareil ! Je vais questionner Nicole ou Thérèse, Patrick ou Serge et je vais finir par savoir ce qui se passe.

— T'en saurais sûrement plus comme ça ! Bon ben, j'vas aller voir mes lapins…

Émile lui avait mis la puce à l'oreille et c'était un martyr pour elle de ne pas savoir le fin fond de l'affaire. Lauretta se promettait de questionner sa fille ou sa bru à la première occasion. Ce serait aussi révélateur de lire le malaise de son fils ou de son gendre. Elle avait besoin de parler à quelqu'un et elle n'avait qu'à traverser chez Monique, qui habitait juste à côté.

— Allô, Monique ! C'est ta mère. Est-ce que tu es occupée en ce moment ?

— Bonjour, maman ! Les enfants jouent dehors dans la cour et Martine les surveille. Pourquoi tu me poses cette question-là ?

— J'ai besoin de parler à quelqu'un. Comme tu sais, ton père est revenu du chalet de Marcel plus tôt que prévu. Apparemment que Violette et Marcel, ça ne va pas bien.

— Viens faire un tour et je te prépare un café.

— J'arrive !

Lauretta se rendit chez sa fille, où elle se sentait toujours la bienvenue. Paul l'avait en haute estime et tous les enfants l'adoraient. Monique était toujours sa complice dans les moments difficiles.

— Imagine-toi donc qu'Émile, ton père, est revenu assez perturbé de son voyage à St-Jean-De-Matha. Comme je te le disais tantôt, apparemment que Marcel n'est pas très gentil avec sa femme. Pauvre Violette, elle qui est si douce, je ne comprends pas.

— Ça arrive dans tous les couples des moments plus creux où l'autre te tape sur les nerfs. Ce n'est pas facile de maintenir un dialogue comme tu le sais, maman. Il suffit d'une petite erreur parfois et tout s'embrouille. Paul m'agace à l'occasion quand il revient d'un encan avec Louis-Paul et qu'ils ont un verre dans le nez. Pourtant, quatre-vingt quinze pourcent du temps, il est impeccable pour ne pas dire parfait.

— C'est vrai qu'il est adorable ton mari, ma fille. Tu es bien chanceuse ! Marcel devrait se trouver chanceux à son tour d'avoir une femme si généreuse, si douce, si…

— C'est peut-être juste ça maman. Elle est trop… Marcel est loin d'être parfait et peut-être que ça lui prendrait une femme avec plus de défauts. J'adore Violette et je pense que Marcel ne la mérite pas. Marcel a gardé son côté voyou, il n'a pas « maturé ». Il voudrait des enfants, mais il ne fait rien pour en avoir. Il blâme sa femme sans avoir passé de test de fertilité. Comment peut-il savoir si ce n'est pas lui qui est stérile ?

— Il t'a parlé de ça ? Je me suis toujours posé la question pourquoi il n'avait pas d'enfant.

— Pour avoir des enfants, il faut être adulte et, lui, c'est encore un adolescent qui refuse de vieillir. Il est bon avec les enfants des autres, mais avoir des enfants, c'est un travail à temps plein. Je ne crois pas qu'il soit apte à être père...

— Oui, mais, Monique, on apprend avec le temps à prendre ses responsabilités et on s'améliore petit à petit...

— Il a déjà confié à Paul que sa femme n'aimait pas le sexe. J'ai beaucoup de difficultés à le croire. Ce n'est peut-être pas une bombe sexuelle, mais ça se peut aussi qu'il soit maladroit avec elle. En tout cas, avant de blâmer Violette, j'étudierais son cas. C'est trop facile de blâmer l'autre. Ce n'est jamais tout blanc ou tout noir, tu le sais, maman !

— Dieu merci, c'est une chose du passé depuis très longtemps pour moi ! Mais, pour un jeune couple, c'est regrettable...

— Tu le dis, maman ! Je ne me priverais pas de sexe pour aucune considération et Paul non plus, j'en suis certaine. C'est réconfortant de se sentir désirée. Ça chasse la mélancolie et souvent ça peut nous aider à nous réconcilier suite à une dispute.

— Tu y vas la semaine prochaine avec Paul ? Essaie de savoir ce qui se passe entre eux, faire un peu de lumière sur la situation. Je sais que Violette s'ouvrira à toi, et peut-être que Marcel fera de même avec Paul, qui sait ?

— Je suis prête à discuter avec Violette, mais je ne te promets rien en ce qui concerne Paul. Tu sais à quel point il est discret, mais je peux lui en glisser un mot. Juste par l'observation, il pourra, je crois, se faire une bonne idée de l'état des choses.

— Je sais qu'il te répondra que ce n'est pas ses affaires, mais si on pouvait raccommoder ce couple, ce serait un geste chrétien que de les...

— Maman ! Je t'arrête tout de suite si tu commences à mêler la religion à ça. Tu t'apprêtais à dire que ce serait un geste chrétien que de les aider... Je suis prête à le faire sans tes bondieuseries parce que c'est mon frère et ma belle-sœur et que je les aime bien, un point, c'est tout.

— D'accord ! D'accord ! Tu ne changeras jamais d'idée. Tu ressembles à ton père quand tu réagis comme ça, têtue comme pas une...

— Pourquoi devrais-je changer quand je vois toute cette bande de grenouilles de bénitier médire à qui mieux mieux ? On ne reviendra pas sur le passé parce que je suis très à l'aise dans ma position actuelle.

— Si tu me promets de me tenir au courant, je te promets en échange de ne plus jamais te parler de religion.

— Voyons, maman. Tu sais bien que tu es incapable de tenir ta promesse quand il est question de religion et du Bon Dieu. Je vais quand même te tenir au courant, si j'ai l'occasion de me retrouver seule avec l'un ou l'autre.

— Merci, ma grande ! Tu sais que ça m'inquiète beaucoup. Il y a déjà bien assez de ton frère Gérard qui est divorcé, je ne voudrais pas qu'il y en ait d'autres qui rompent dans la famille.

— Ça, maman, il n'y a rien de moins sûr ! Aujourd'hui, on se sépare pour un oui ou pour un non, et ça ne va que s'amplifier avec le temps.

— Comment veux-tu que je ne prie pas Notre Seigneur avec le portrait sombre que tu me décris ! Les jeunes ne pratiquent plus, même s'ils se disent catholiques. Il ne faut pas s'étonner si tout va mal.

— Mes enfants sont éduqués avec des principes moraux très élevés et j'aimerais bien les comparer avec ceux qui se couvrent d'eau bénite.

Lauretta retourna chez elle en réfléchissant aux propos de sa fille. Elle savait que les enfants de Monique n'étaient ni meilleurs ni pires que les autres enfants. Ils étaient peut-être plus cultivés que la moyenne en raison de l'amour de la lecture qu'ils partageaient avec leurs parents.

La semaine passa très rapidement, étant donné que c'était férié le lundi. Ça sentait l'été et la fin des classes.

À peine un mois avant le début de l'été. Maxime se rendait à l'Expo 67 tous les dimanches avec ses amis. Il s'était procuré un passeport jeunesse à même ses économies. Cela signifiait qu'il ne serait pas très présent à la maison durant l'été, six jours au magasin de fruits et légumes et une journée à l'Expo. Il était devenu un adolescent indépendant dans tous les sens du terme. Monique faisait un parallèle entre son fils Maxime et son frère Jacques; tous deux étaient dotés d'une intelligence vive, d'un esprit contestataire. Elle était fière de son fils, tout en craignant qu'il se laisse influencer. Quand elle entrait dans sa chambre, elle voyait le poster de Che Guevara, ce protestataire qui avait combattu en Bolivie, après avoir été chef révolutionnaire à Cuba aux côtés de Fidel Castro. Ce qui l'importunait le plus, c'était le slogan qu'il avait confectionné lui-même et qu'il avait fixé au-dessus de la porte: « I gotta be free » (Je dois être libre). Libre de quoi, de qui? Monique ne comprenait pas trop ce qu'il voulait dire par ces mots, mais ses lectures étaient encore plus inquiétantes. Karl Marx, Mao Tsé-toung, Jack Kerouac et d'autres qui faisaient partie du programme scolaire, comme Jean-Paul Sartre, Albert Camus, Baudelaire, etc. Elle avait aussi remarqué des odeurs particulières, comme des cigarettes françaises. En réalité, Maxime avait commencé à fumer de la marijuana et du haschich.

De toute façon, tant qu'il travaillait bien en classe, elle pensait qu'il n'y avait pas lieu de s'inquiéter. Il avait les cheveux mi-longs, certes, mais tout le monde portait les cheveux très longs en 1967. De fait, son frère Marcel l'inquiétait plus que son fils. Jusqu'à preuve du contraire, son fils se comportait comme la majorité des adolescents. Paul était plus attentif à Maxime grâce à Louis-Paul Neveu, qui était au courant de tous les ragots qui circulaient dans la petite ville de Granby.

* * *

Paul avait préparé les outils qu'il apporterait au chalet de Marcel. Exceptionnellement, il n'y avait pas d'encan de prévu pour cette fin de semaine. Sa belle-mère aurait un œil sur la maisonnée, car Martine, malgré ses quatorze ans et sa capacité à s'occuper des deux plus jeunes, demandait tout de même une certaine supervision. Pour Paul, ce serait comme des vacances, même s'il travaillerait pendant ce long congé. Le travail physique lui faisait toujours du bien moralement, car il aimait aider ceux qui le sollicitaient.

Monique, elle, avait une mission. Elle se promettait d'étudier le comportement de ce couple qu'elle aimait beaucoup. Marcel était un grand charmeur quand il était bien disposé, mais il pouvait facilement être fourbe quand il voulait enjôler sa victime. Elle le connaissait sur le bout de ses doigts.

Le vendredi, à quatre heures de l'après-midi, tout le groupe était prêt à partir. Ils souperaient tous une fois sur place. Monique avait préparé une sauce à spaghettis pour le chalet, mais en avait laissé suffisamment pour les enfants. Pendant l'absence de ses parents, Martine aurait la tâche facile, car sa mère avait cuisiné des repas. Elle n'aurait qu'à les mettre au four. Monique pouvait donc partir l'esprit tranquille.

— Salut, le beau-frère ! On n'attend que toi… lança Patrick pour taquiner Paul.

— Je travaille, moi, au cas où tu ne le saurais pas ! J'ai même fini une demi-heure plus tôt pour t'accommoder.

— J'ai mis tes bagages dans le coffre et j'ai l'impression que tu pars pour l'été. C'est pas un autobus, mon char !

— Si tu as quelqu'un à critiquer, parle à ma femme ! À part mes outils, j'ai mes bottines, une paire de pantalons et une chemise de travail.

— J'te taquine, Paul ! On a de la place en masse. J'ai même apporté une caisse de bières…

— Monique ! As-tu pensé à emporter quelques bouteilles de vin que j'ai reçues en cadeau de Transport Maislin ?

— C'est vraiment ce qu'on peut appeler un pot-de-vin, répliqua Patrick, toujours aussi taquin.

— Ouais, mais je ne les ai pas demandées ! J'ai reçu une caisse ici à la maison. Il faut dire que je leur donne pas mal d'ouvrage.

— Moi, quand je finis une maison, y'a jamais personne qui me donne quoi que ce soit… se plaint Patrick.

— Ça dépend toujours de la qualité du travail que tu fais et du prix que tu charges…

— J'pense qu'on est mieux d'arrêter ça là, Paul, parce que tu risques de finir le voyage dans le coffre.

— Je te ferai remarquer que c'est toi qui as commencé à m'étriver. Je pense aussi qu'on est mieux d'arrêter ça là, dit Paul.

— On décolle !

Le voyage parut moins long cette fois-ci. Il n'y avait que quatre passagers à bord de l'auto. Thérèse placota de tout et de rien et Monique l'écouta bavarder de son travail à l'usine de textile, Hafner Fabrics. Thérèse y travaillait depuis l'adolescence et n'avait pas connu autre chose. Elle parlait donc de ce qu'elle connaissait. Quant à Monique, elle avait échappé au travail en usine depuis qu'elle avait épousé Paul et, à la naissance de Maxime, elle avait commencé à travailler à l'atelier de couture de sa mère.

Les hommes planifiaient le travail qu'ils avaient à réaliser en deux jours. Patrick espérait que l'un des beaux-frères de Marcel se joigne à eux, car il n'aimait pas laisser du travail en plan, tout comme Paul d'ailleurs.

Plus ils approchaient de leur destination, plus Patrick et Thérèse prévenaient Paul et Monique du malaise qui s'était installé entre Violette et Marcel. Ce n'était rien de défini, tout au juste une gêne qu'ils avaient cru percevoir une semaine auparavant, à moins que le couple camouflait la vérité pour ne pas les inquiéter. Monique avait obtenu suffisamment d'indices par Lauretta pour savoir que c'était plus qu'un malaise ou une gêne. De toute façon, elle le verrait bien en arrivant. Monique et Paul adoraient le paysage de la région de Lanaudière, mais un détail les avait marqués : le sol était sablonneux et propice à la culture du tabac. C'était toujours étonnant de constater les différences territoriales à si peu de distance. Le Québec était à n'en pas douter un beau pays très diversifié, pensa Paul. Ils arrivèrent enfin au lac Noir.

— Bonsoir, les touristes ! lança Marcel, qui semblait en pleine forme.

— Salut, le beau-frère ! Voilà ton équipe de travailleurs qui arrive et qui est prête à abattre de la grosse besogne.

— Salut, Paul ! On a effectivement un gros programme, mais on fera ce qu'on pourra. J'aimerais bien qu'on monte le plancher si on est capables.

— Inquiète-toi pas, Marcel ! J'sais exactement comment m'y prendre, répondit Patrick, qui voulait affirmer sa position de chef de chantier.

— Moi, je vais faire ce que Pat va me dire de faire ! Comme ça, si ton chalet est bancal, je ne risque pas d'être brûlé sur le bûcher. C'est Pat qui est au batte !

— Inquiète-toi pas non plus, Paul ! J'connais mon affaire !

— Tu peux le dire, il en rêve la nuit ! dit sa femme Thérèse.

— J'ferais pas mieux si c'était à moi ! rétorqua Patrick.

Monique s'était dirigée vers Violette, qui se tenait un peu en retrait, et lui fit une accolade. Elle la regarda dans les yeux.

— Comment vas-tu, Violette ?

— Un peu fatiguée, mais ça va ! Et toi, Monique ?

— Je me sens en vacances sans les enfants et je suis contente de te voir. Cette fin de semaine, tu te reposes. Je prends la relève avec l'aide de Thérèse, je te trouve un peu cernée.

— C'est parce que je ne dors pas vraiment bien ces jours-ci en plus de l'*over time* et des trois heures de transport en autobus par jour. C'est encore pire depuis l'ouverture de l'Expo 67. Je travaille sur la rue Chabanel, et le boulevard Métropolitain est tout le temps congestionné. J'aimerais tellement travaillé dans l'est de la ville, mais les *shops* de couture sont toutes dans le même secteur.

— Tu n'as pas pensé à faire autre chose ?

— Ça fait vingt ans que je travaille à la même place. J'aime mon travail et mon patron m'apprécie beaucoup. Ce ne serait pas facile de changer de métier ! J'aurais l'impression de recommencer à zéro…

— Essaye de trouver un logement plus près de ton usine.

— C'est Marcel qui serait pénalisé parce qu'il travaille à Pointe-aux-Trembles, à la Canadian Copper.

— Ce n'est pas facile, sans compter que toute ta famille y vit…

— Tu as raison! Quand Marcel travaille tard, j'ai au moins ma famille que je peux aller visiter. Ah, j'oubliais! Ma mère n'est pas ici en fin de semaine. On peut tous coucher à l'intérieur. C'est plus confortable que le camping.

— Bonne nouvelle! Je vais sortir les bagages et la sauce à spaghettis que j'ai cuisinée pour le souper. On a même apporté deux bouteilles de vin. Ce sera fête au village ce soir!

— Je ne supporte pas tellement la boisson.

— Un petit verre de vin rouge ne te fera pas de tort, crois-moi!

Violette avait retrouvé son sourire qui la rendait si charmante. Monique avait un effet tonifiant sur sa belle-sœur. Elle essaierait de lui redonner un peu de joie de vivre et tenterait de comprendre ce qui minait Violette. Heureux de coucher à l'intérieur du chalet, chaque couple s'installa dans sa chambre respective. Puis tous se retrouvèrent autour de la table pour savourer le repas concocté par Monique. L'atmosphère était à la fête. Sachant la journée de labeur qui les attendait le lendemain, ils se couchèrent relativement tôt.

\* \* \*

L'odeur du café au percolateur préparé par Monique réveilla la maisonnée. Paul s'était empressé de faire sa toilette pour être prêt à l'action. Violette se leva, la fatigue imprimée sur le visage.

— Va te recoucher, Violette, je m'occupe de tout! Profite de l'occasion quand elle se présente.

— Tu es certaine? Je ne voudrais pas indisposer Marcel. Je suis quand même l'hôtesse…

— Quand il sortira de la salle de bain, je lui dirai que c'est moi qui t'ai obligée à regagner le lit.

Violette écouta sa belle-sœur, le regard légèrement inquiet. Qu'allait dire Marcel en la sachant de nouveau au lit? Elle espérait que Monique interviendrait en sa faveur pour lui éviter les reproches de son mari. Monique et Thérèse préparèrent le déjeuner. Le bacon grésillait dans le poêlon épais, pendant que Monique cuisinait des œufs et que Thérèse faisait les rôties.

— J'ai hâte de me mettre à l'ouvrage pour voir si tout ira comme j'le pense, dit Patrick.

— J'ai confiance, Pat! Si tout est à l'équerre, répondit Paul.

— Quand on a enterré les sonotubes la semaine passée, tout était parfait. Pas vrai, Pat?

— Oui, c'est vrai! Commençons, si on veut finir. Paul, c'est toi qui vas scier le bois. Je vais te donner les mesures. Marcel, tu vas clouer avec moi. On se met à l'équerre tout le temps, ça devrait bien aller. Ça vous va ?

— Aucun problème ! répondit Paul.

— Parfait, on chausse nos bottes !

Les trois hommes amorcèrent les travaux. Il faisait beau et le temps n'était pas trop chaud en ce début de matinée. Marcel était excité de voir la structure prendre forme. Après le dîner vint le temps de fixer les feuilles de contreplaqués qui solidifieraient l'armature du plancher.

— Moi, je serais dû pour une bonne bière ! On n'a pas arrêté de l'avant-midi et on a mangé rapidement. Il est presque trois heures. Une bière froide nous maintiendrait le moral, lança Marcel.

— Je ne dirais pas non, mais juste une ! Ce n'est jamais bon de mélanger alcool et travail… déclara Paul.

— J'pensais que tu nous entraînerais dans ton p'tit bar. J'suis sûr que Paul n'a jamais vu ça, Marcel !

— Penses-tu que je ne suis jamais sorti de ma vie, Pat ?

— J'ai jamais dit ça, mais c'est nouveau comme bar. En tout cas, moi, c'était ma première expérience. J'peux te dire que c'est pas ma femme qui s'en est plainte.

— Les femmes aiment rarement ça quand les hommes se retrouvent dans les bars sans elles. Quelle sorte de brasserie est-ce ?

— C'est un bar de danseuses nues, chuchota Patrick. Marcel en connaît une assez bien ! dit-il d'un ton plus tonitruant. Pas vrai, Marcel ?

— Baisse le ton, sacrament ! Déjà que Violette semble avoir flairé quelque chose. Fais pas exprès, Pat !

— J'ai déjà vu ça des *strip-teaseuses*, voyons donc ! Quand j'allais au cabaret avec Monique, il y en avait toujours une qui faisait partie du spectacle. Eille, les p'tits gars, sortez un peu !

— C'est pas la même chose, Paul ! J'suis sûr que t'as jamais vu ça… Les danseuses se déhanchent à six pouces de ton nez. Tu vois tout, puis y'en a qui sont belles en sacrament. Pas vrai, Marcel ?

— Tu veux vraiment me mettre dans'marde ? Violette a déjà des soupçons, je viens de t'le dire. Ferme-la !

— Calme-toi, Marcel ! Les femmes sont à l'intérieur du chalet. Elles peuvent pas nous entendre. Allez, on y va ! Juste pour déniaiser le beau-frère le temps d'une bière.

— OK ! Mais seulement si tu t'la boucles et si Paul est d'accord. Par contre, j'me demande quelle menterie j'pourrais inventer pour pas attirer l'attention de nos femmes.

— Si Paul vient avec nous, tout passera comme dans du beurre dans la poêle! Jamais elles vont soupçonner quoi que ce soit. Il faut prétexter l'achat de matériaux ou l'envie de faire une partie de billard…

Paul venait enfin de découvrir le pot aux roses. C'était donc ça qui avait bouleversé son beau-père et qui inquiétait Violette. Selon le sous-entendu de Patrick, Marcel serait intime avec l'une d'elles. Il trouvait déplorable que ce dernier mette en péril son couple pour une simple aventure. De toutes ses belles-sœurs, Violette était celle avec qui il avait le plus d'affinités. Elle était la gentillesse même, elle incarnait la générosité, elle était infiniment douce et plutôt jolie, malgré une tendance à l'embonpoint. Pour lui, Marcel ne la méritait pas et ne savait pas sa chance d'avoir cueilli une perle aussi rare.

Ils continuèrent leur tâche, le temps que Marcel déniche le mensonge du siècle. Le plus simple était la partie de billard, comme l'avait suggéré Patrick. Marcel annonça la nouvelle aux femmes, tout en promettant qu'ils seraient de retour rapidement. Monique regarda Paul sans trouver quoi que ce soit de suspicieux dans son comportement, car son mari avait fait l'acquisition d'une table de *snooker* l'année précédente, pour le plus grand plaisir de leur fils Maxime.

Violette était rassurée, Thérèse semblait indifférente, et les hommes partirent dans leur tenue de travail. Au lieu de prendre la direction de Saint-Jean-de-Matha, Marcel tourna à droite, vers le bar de danseuses. Paul était bien curieux de voir ce nouveau genre de brasserie. Ils entrèrent dans l'établissement et furent assaillis par l'obscurité des lieux comme s'ils venaient de pénétrer dans un sépulcre. Paul eut besoin de quelques secondes pour s'habituer à la pénombre. Il suivait Pat, qui talonnait Marcel. Ils prirent place à une table libre. C'était bien comme Pat l'avait décrit. Des danseuses se déhanchaient lascivement sur un petit tabouret à côté des clients.

Tout à coup, une danseuse habillée d'une simple petite culotte s'approcha de leur table. Elle semblait connaître Marcel, car elle se montra aguichante et langoureuse.

— Bonjour, Marcel! Vous désirez boire quelque chose? Tiens! Je ne connais pas celui-là! fit-elle en pointant Paul.

— C'est mon beau-frère! Il est venu m'aider à construire mon chalet. Apporte deux Labatt et une O'Keefe, s'il te plaît. Paul, je te présente Sonia.

— Enchantée, Paul! Et si je me rappelle, lui, c'est ton frère Pat! C'est ça?

— T'as une bonne mémoire, Sonia! répondit Patrick, flatté.

— Je reviens dans un instant avec vos bières.

— As-tu vu le pétard, Paul? Elle ferait bander un évêque et c'est Marcel qui se la farcit, le salaud!

— Tu peux pas t'empêcher d'ouvrir ta grande gueule, hein Pat?

— Qu'est-ce qu'il y a ? Tu l'as bien présentée à p'pa. Paul, c'est pas un con !

— J'en doute pas une minute, mais c'est à moé de décider. OK !

— T'es donc ben chiant, Pat, sacrament ! J'veux que ça soit clair pour tout le monde ! C'est moé qui vas avoir des ennuis si j'me fais pogner par ma femme.

— Écoutez, les gars, c'est bien mal parti votre affaire. Il y a déjà votre père qui se doute fortement de ton infidélité, Marcel. Et tu t'en vas où avec ça ? Tu risques de tout perdre si ta femme découvre que tu la trompes. Est-ce que ça vaut vraiment la peine ? J'aurais préféré ne pas être mis au courant de tes histoires. On dirait que tu cherches à te faire prendre. Ç'aurait dû rester entre toi et ta danseuse, dit Paul.

Marcel avait écouté son beau-frère avec attention. Il savait que Paul avait raison, mais il n'avait pu résister à l'envie de se vanter de sa prise auprès des membres de sa famille.

— T'as peut-être pas tort Paul, mais il est trop tard maintenant. J'ai goûté à mieux et j'ai pus envie de coucher avec Violette.

— Pourquoi tu bâtis ce chalet-là, batèche ? Penses-tu que tu vas pouvoir garder une maîtresse et ta femme en même temps, et continuer à vivre dans le mensonge ? Dans peu de temps, tout le monde va y être mêlé. Ta jeune Sonia, en supposant qu'elle t'aime, va-t-elle supporter pendant longtemps d'être le deuxième violon d'un trio qui sonne faux ?

— Qu'est-ce que tu veux dire par là ? Parle donc simplement pour que j'te suive, sacrament.

— Veux-tu que j'te fasse un dessin ? Trois, ça ne marche pas ! Il y en a au moins un qui va souffrir, si ce n'est pas les trois… Réfléchis, Marcel ! Veux-tu absolument faire souffrir Violette ? Ou Sonia ? Et toi là-dedans ? Comment tu crois pouvoir t'en tirer, pris entre deux femmes ? Ce n'est pas l'histoire d'un soir que tu vis en ce moment, mais une aventure qui se poursuit…

Marcel était bouche bée devant la franchise de Paul. Il ne pouvait nier que son beau-frère avait raison, mais il était dans le déni le plus total. Sa gourmandise, sa voracité et son égoïsme n'avaient pas de limite. Pourquoi ne pouvait-il pas s'offrir tout ce qu'il désirait dans la vie ? La souffrance des autres était son dernier souci. Pour lui, chacun vivait sa vie comme il l'entendait. Si une personne tombait au combat, il n'y pouvait rien. Toutefois, il oubliait qu'il montrait toutes les cartes de son jeu chaque fois qu'il en avait l'occasion et qu'il était heureux d'exhiber la proie qui avait mordu à son piège.

— Laisse-moi régler mes propres affaires, Paul. J'aimerais que tu n'ébruites pas ce que tu viens de découvrir et que tu tiennes ta langue, surtout avec ma sœur…

— Quand tu parles de ta sœur, parles-tu de ma femme Monique ? Pour ce qui est de tenir ma langue, tu devrais commencer par tenir la tienne ! Si l'information filtre, ça ne viendra pas de moi, mais de tous ceux qui le savent déjà, à commencer par ton père. Je ne sais pas où t'avais la tête quand tu l'as amené ici.

L'atmosphère était lourde. Paul était en colère, Marcel s'en voulait de l'avoir emmené dans ce bar, et Patrick était mal à l'aise de voir Marcel se faire vertement tancer par Paul.

# Chapitre 6

Le trio termina le plancher le lendemain. Malgré la tension qui régnait sur le chantier, le travail avança rapidement comme si tout le monde avait hâte d'en finir. Les femmes ne furent pas trompées par leur instinct. Un changement d'atmosphère s'était bel et bien effectué depuis le retour de leurs hommes de leur supposée partie de billard : ils étaient tous silencieux. Pour satisfaire sa curiosité, Monique posa la question à son mari avant d'aller au lit.

— Qu'est-ce qui se passe, Paul ?

— Rien de spécial, sauf peut-être la fatigue. Je ne me coucherai pas tard ce soir. J'ai perdu l'habitude de travailler aussi fort physiquement. On veut absolument finir tôt demain, si on veut regagner Granby en début d'après-midi.

— Pourquoi cette hâte ?

— On travaille tous lundi matin !

— Ce n'est pas la seule raison.

— Tu n'as pas ressenti que l'ambiance n'était plus aussi joyeuse ?

— Oui, mais pourquoi ? C'était ça ma question…

— Marcel n'est pas en forme et on ne sait pas pourquoi. C'est peut-être parce qu'il espérait l'aide d'un de ses beaux-frères de la famille Dandenault et que ce dernier ne s'est pas pointé. Je n'en sais rien, je ne suis pas devin, Monique…

— J'vais avoir le fin mot de l'histoire, crois-moi ! Je suis habituée à obtenir des réponses à mes questions. Je vais lui poser directement la question demain matin. En attendant, bonne nuit, mon chéri !

— Bonne nuit, mon amour ! J'irai te rejoindre dans quelques minutes.

\* \* \*

Violette ignorait-elle que Marcel la trompait ou faisait-elle semblant de l'ignorer ? Paul savait que la personne la plus concernée était souvent la dernière à apprendre la vérité. Il la tenait en haute estime et était attristé de la savoir avec un mari aussi ingrat. Aux dires de Marcel, Violette n'aimait pas avoir des relations sexuelles. S'il disait vrai, il le croyait très malhabile. Marcel prétendait aussi que sa femme était stérile, et sans avoir vérifié si c'était elle ou lui. Cette incapacité à avoir des enfants lui donnait toutes les excuses quand on l'affrontait au sujet de son adultère. Pourquoi n'avait-il pas tenue secrète sa liaison avec sa maîtresse ? Marcel n'était pas facile à comprendre, mais aucun de ses arguments ne tenait la route.

Plus la situation se dégradait et plus Paul le méprisait. Il préférait se tenir loin de son beau-frère. Il avait cru que Marcel changerait en vieillissant et que le mariage l'aurait fait mûrir. La réalité était tristement tout autre. Il était aussi égoïste et orgueilleux que dans sa jeunesse. L'héritage génétique avait bon dos, mais même Émile était scandalisé par l'attitude de son fils.

Le lendemain, ils commencèrent le travail tôt. Comme prévu, à midi, le plancher était terminé. Paul se doucha et troqua sa tenue de travail contre des vêtements plus appropriés pour effectuer le voyage de retour. Monique s'était assurée de ne rien oublier, tandis que Paul rangeait ses outils dans le coffre arrière de l'auto de Patrick. Ils avaient avalé un repas léger avant de filer vers Granby.

— C'est déjà le temps du départ, Violette! J'espère qu'on se reverra bientôt. Ne te gêne pas pour m'appeler si tu en as envie. J'ai toujours plaisir à te parler, dit Monique.

— Tu vas me manquer, Monique. Je serai ici tant que le chalet ne sera pas terminé. Ça prendra sûrement une bonne partie de l'été. J'espère que ma famille apportera sa contribution. Tu peux dire à la tienne que j'apprécie vraiment toute l'aide que vous nous donnez. Un gros merci.

— Ne t'inquiète pas, Violette, je transmettrai tes salutations! Tu es très aimée dans la famille et tu les verras sûrement à tour de rôle au cours de l'été. Nous, on reviendra pendant les vacances de Paul, c'est certain.

Monique monta dans la voiture et Patrick démarra dans un crachat de fumée. Le trajet parut long, car un silence de plomb régna dans l'habitacle. Paul et Patrick restèrent muets comme des carpes. Thérèse s'endormit peu de temps après le départ. Monique sortit un roman de son sac à main et s'installa confortablement pour lire. Finalement, Patrick brisa le silence en parlant des travaux qui restaient à effectuer au chalet.

— On a bien travaillé, Paul, ne trouves-tu pas?

— Oui, tu as raison! Il n'y a pas eu de perte de temps. Ça avance bien.

— Si Marcel avait un peu plus d'aide de la part de sa belle-famille pour fermer le carré, ça serait encourageant! C'est la finition intérieure qui est toujours plus longue à faire.

— Là-dessus, je suis d'accord avec toi, Pat! Ils auront un chalet charmant, car la place est à l'avenant. C'est un très beau lac avec une plage de sable. Marcel est très chanceux que sa belle-mère leur ait fait cadeau du terrain. Ils ont une vue superbe!

— Ouais! Un grand terrain comme ça, ça vaut quelques piastres. Y'a pas de danger que ça m'arrive à moi, sacrament…

— À moi non plus, d'ailleurs! Quand mon père a perdu sa terre, il n'a jamais réussi à se refaire une santé financière. Il vit pauvrement, mais il n'est pas plus malheureux pour autant. La famille l'aide à sa manière depuis que ma mère est morte.

Je pense bien que ma sœur Annette va l'accueillir chez elle. Il est plus vieux que ton père.

— En parlant de père, le mien est étonnant pour son âge ! Émile peut encore donner une bonne journée d'ouvrage. Il l'a prouvé la semaine passée quand on a coulé le ciment.

— Il faut reconnaître ses qualités ! Il vient juste d'arrêter de travailler à la Miner. Il avait une *job* difficile, apparemment. Chapeau !

— C'est un vieux crisse, mais y'est fait fort !

— J'ai eu mon lot de différends avec lui, mais il semble moins pire depuis quelque temps… répondit Paul.

— Il avait l'air scandalisé quand Marcel l'a emmené au bar.

Paul regarda Patrick avec des yeux qui l'imploraient de se taire. Patrick avait oublié la présence de leurs femmes. Il réalisa son erreur en jetant un œil dans le rétroviseur et en apercevant sa sœur Monique qui était tout ouïe.

— Pour quelle raison ? demanda-t-elle.

— À cause du prix de la bière, bégaya Patrick.

Monique comprit que son frère mentait à son timbre de voix et à son teint qui virait au rouge.

— Sais-tu que tu mens très mal, Pat ? Ça prend plus que le prix d'une bière pour le scandaliser… Crache le morceau tout de suite parce que je vais le savoir de toute façon !

Patrick se sentait coincé. Il aurait préféré que ce soit Paul plutôt que lui qui n'ait su tenir sa langue. Il essaya de trouver une façon de s'en sortir sans tout déballer.

— Ok, j'vais te le dire, mais parle-z-en pas à m'man! C'est Marcel qui nous a emmenés dans un bar de danseuses. P'pa a trouvé ça effrayant de voir des femmes toutes nues. Y'a pas de quoi en faire un drame!

— Je gage que c'est ça vos parties de billard!

Elle fixait le derrière de la tête de Paul en disant cela.

Paul sentit le regard de sa femme lui percer le crâne, mais il n'osait pas se retourner de peur de l'affronter en présence de Patrick. Thérèse se réveilla doucement et posa la question.

— De quoi vous parlez?

— Imagine-toi donc que Marcel a entraîné mon père dans un bar de danseuses nues la semaine passée. Étais-tu au courant, Thérèse? Je suppose que ton mari et Serge étaient de la partie. N'est-ce pas, Pat?

— Non, j'étais pas au courant, répondit-elle, mais je commence à comprendre bien des choses, par exemple…

— C'est-à-dire? demanda Monique.

— Quand ils sont revenus de ce bar, Serge et mon mari étaient chauds lapins. Avoue, Pat!

— Bon ! Bon ! C'est pas la fin du monde. On n'a pas de bar comme ça à Granby. On était juste curieux de voir ça… se défendit-il.

— Vous êtes juste une bande de cochons ! Vous vous êtes rincé l'œil à votre goût, au moins ? lança Thérèse.

— Peut-être, mais tu ne t'en es pas plainte quand je t'ai fait l'amour, hein ?

— Tu t'excites à reluquer d'autres femmes et tu viens te vider en me baisant ? Je trouve ça dégueulasse, si tu veux vraiment le savoir.

— Prends pas ça de même, Thérèse ! Tu le sais bien que je te désire… C'est juste que c'est excitant de voir d'autres femmes et de comparer comment j'suis chanceux d'en avoir une belle comme toi.

— Maudit menteur ! Tu vas être un bout de temps sans me toucher, mon écœurant.

— Bon, ça va faire ! Vous réglerez ça chez vous ! En attendant, Pat, concentre-toi sur ta route. Je veux vraiment me rendre chez nous en un seul morceau, lança Paul, exaspéré.

Monique se garda bien de réagir à l'agressivité croissante de Thérèse et à la réaction de Paul. Elle aurait tout le temps de discuter avec lui, calmement, une fois chez elle. Paul, elle n'en doutait pas, s'était rendu à ce bar qui semblait tant exciter les hommes. Elle avait une bonne idée de ce en quoi consistait ce genre de bar et ne voulait pas présumer du fait que son mari en deviendrait un adepte si jamais ce genre d'établissement s'installait à Granby.

\* \* \*

En arrivant à proximité de Granby, Monique éprouva avec bonheur le sentiment d'appartenance qui l'unissait à cette ville qui ne l'avait pas vue naître, mais qu'elle avait faite sienne au fil des ans. Plus de vingt années s'étaient écoulées depuis qu'elle avait quitté Stanbridge East, à la suite de l'incendie de la ferme familiale. La grange et la maison avaient brûlé au cœur de l'hiver 1946. Maintenant âgée de trente-six ans, elle était mariée à un homme qu'elle adorait et qui lui avait donné quatre merveilleux enfants. Elle se rappela le jour de son arrivée à Granby et à quel point elle était désemparée. Fille mère d'un fils qu'elle avait eu d'un autre homme, elle se vit confisquer son enfant par son père, qui l'avait ostracisée en lui faisant sentir tout le poids de sa faute. Malgré son combat pour le garder, elle avait compris que c'était peine perdue. Elle ne s'était jamais pardonné d'avoir abandonné cette lutte, à une époque où elle était trop jeune pour se défendre. Puis Paul était entré dans sa vie, mettant un baume sur cette blessure qui ne s'était jamais totalement guérie. Monique y pensait encore, même après plus de vingt et un ans. Chaque fois qu'elle voyait Jean-Pierre, devenu maintenant un jeune homme ayant une bonne santé mentale et physique, elle ressentait un pincement au cœur. Mais il était trop tard pour réclamer ce fils abandonné qui n'avait plus besoin d'elle, du moins le croyait-elle.

Monique avait eu un quatrième enfant en 1963. Une autre fille, Danièle, était venue compléter la marmaille qu'elle avait eue avec Paul. Deux garçons et deux filles. Dix ans séparaient Maxime de la plus jeune. La naissance de sa cadette aurait été l'occasion pour Monique d'aborder avec Jean-Pierre la possibilité qu'elle le reconnaisse officiellement comme son fils naturel. Plus le temps passait, plus elle en repoussait l'éventualité. En ayant été éduqué par ses grands-parents, il était en quelque sorte devenu son frère. Lui-même avait abandonné l'idée qu'elle le fasse un jour.

De son côté, Jean-Pierre avait décidé de faire sa vie. Il était adulte maintenant et il avait fait l'acquisition d'une Chevrolet Malibu SS de l'année. D'un bleu pastel, elle n'était pas sans rappeler la Buick Dynaflo bleu poudre et blanche d'Émile. Il travaillait à l'imprimerie Leader Mail comme apprenti pressier. Il avait même décidé d'y faire carrière. Parmi ses compagnons de travail, plusieurs jouaient comme lui à la balle-molle. Jean-Pierre était lanceur et excellait dans son équipe, mais ce n'était qu'un loisir. Avec sa nouvelle auto, il allait de stade en stade et de salle de danse en salle de danse avec ses amis, Dalton, Belval et compagnie, pour courtiser les jeunes filles de l'équipe adverse. Son ami Dalton, toujours aussi narquois, avait un malin plaisir à séduire les filles des joueurs avec qui lui et son équipe venaient d'en découdre. À la suite d'échauffourées, ils avaient dû battre en retraite pour éviter la bagarre ou recevoir une vilaine raclée. Bons rieurs, ils étaient animés par la joie de vivre.

La vie était donc belle pour Jean-Pierre, jusqu'au jour où il fut victime d'un accident de travail. À titre d'apprenti pressier, c'était à lui que revenait la tâche de nettoyer la presse. Après l'avoir mise hors tension, il avait commencé à en laver les rouleaux. Ce travail était malpropre à cause de l'encre, mais sécuritaire une fois la machine arrêtée. Jean-Pierre devait glisser son bras entre les rouleaux et les récurer avec un puissant détersif. Malheureusement, ce jour-là, sans qu'on ait su pourquoi, quelqu'un voulut la rallumer pendant qu'il la nettoyait. Les rouleaux s'abaissèrent sur son bras. Jean-Pierre hurla de douleur, et la personne qui avait mis la presse en marche réalisa son erreur en voyant le bras de Jean-Pierre presque broyé jusqu'au coude.

Jean-Pierre avait souffert le martyre des heures. Il fallut sans tarder démonter les rouleaux pour lui éviter l'amputation. Ce traumatisme qu'il avait surmonté avec courage avait attiré l'attention du propriétaire de l'imprimerie, Jacques Francœur. La guérison fut longue, et son bras sauvé. Comme il n'avait pas porté plainte, et en signe de reconnaissance, Jean-Pierre fut muté au département de la photogravure. Il adorait son nouveau poste, y travaillant dans le calme, sans le bruit permanent des presses. C'était un travail plus artistique, particulièrement quand les magazines et les journaux furent imprimés en couleurs. Il pouvait discourir des heures à expliquer comment il avait réussi à faire un montage parfait pour la une d'un grand magazine.

Monique n'avait qu'une hâte maintenant qu'elle se rapprochait de la maison, se réfugier auprès de ses enfants dont personne ne lui contestait la maternité. Elle les aimait de toute son âme malgré leurs défauts, chose qu'elle n'avait pas pu faire avec son aîné. Était-ce l'atmosphère tendue qui l'avait amenée à revivre ce passage de sa jeune vie d'adulte? La moindre querelle la replongeait dans son passé et ce passé était rempli de mélancolie.

* * *

— Je m'excuse, Thérèse, d'avoir haussé le ton plus tôt, mais Pat n'a pas commis de crime en allant à ce bar de danseuses. Marcel l'y a sûrement amené sans le consulter. Pas vrai, Pat? J'y suis allé moi aussi et c'est comme ça que Marcel a procédé, sans m'avertir. C'est malsain! Excuse-moi encore une fois!

— Je n'avais pas de raison de me choquer comme je l'ai fait! J'aurais dû attendre d'être rendue chez moi pour en discuter avec Pat. C'est à moi de m'excuser à toi, Paul, et à toi aussi, Monique. J'espère que vous ne m'en voudrez pas? Je suis un peu trop jalouse… dit Thérèse en essayant de sourire.

— On n'oublie tout ça! C'est normal d'être tracassé devant une situation nouvelle qui sort vraiment de l'ordinaire. mentionna Paul.

— Bonne semaine, alors! C'est le boulot qui recommence demain, laissa tomber Thérèse avec un air contrit.

— Salut, Paul, pis salut, Monique! À la prochaine!

Ils sortirent leurs bagages et Monique se pressa vers ses enfants qui étaient sortis dehors quand ils avaient vu l'auto de l'oncle Patrick. C'était le retour des parents que Martine accueillit avec un grand soulagement. Elle avait trouvé la tâche assez lourde de s'occuper des deux plus jeunes malgré la présence de sa grand-mère qui habitait juste à côté.

— Puis, comment ça s'est passé, Martine?

— Danièle a été très sage, mais je ne peux pas en dire autant de Michel. C'est une vraie tête de mule!

— Michel! On ne peut pas te laisser sans que tu crées des problèmes. Qu'est-ce qui ne marchait pas?

— C'est pas à elle de me dire quand aller me coucher! Elle faisait son p'tit *boss* de bécosse tout le temps.

— Martine a sûrement suivi mes directives à la lettre. Ce n'est pas parce qu'on n'est pas là que tu peux te coucher à l'heure que tu veux.

— Oui, mais, m'man! C'est pas à elle de me dire quoi faire. J'ai onze ans quand même…

— On en reparlera! Je suis bien contente de vous retrouver tous.

— Moi aussi, maman! répondit la plus jeune, Danièle.

— Viens que je t'embrasse, ma chouette!

Monique enlaça son bébé qui avait quatre ans. Le temps passait tellement rapidement. Elle avait l'impression que c'était hier qu'elle avait accouché de sa petite dernière. Michel voulut lui aussi un câlin, mais Martine était une adolescente et, du haut de ses quatorze ans, elle avait passé l'âge des câlins, selon elle. Par contre, elle accepta la caresse de son père qu'elle aimait follement.

Lauretta les avait vus arriver par la fenêtre de sa cuisine. Elle avait hâte de parler à sa fille, mais réfréna son désir en laissant le temps à la famille de se retrouver. Il lui tardait, cependant, d'avoir des nouvelles de Marcel et de Violette. Les insinuations d'Émile avaient semé le doute dans son esprit. Elle ne résisterait pas longtemps à son besoin de savoir.

— Émile! Paul et Monique sont de retour. J'ai vu Patrick les déposer en auto il y a quelques minutes, et il n'a même pas pris la peine de venir saluer sa vieille mère. C'est dimanche pourtant! Ils auraient pu prendre quelques minutes pour prendre de nos nouvelles.

— T'as eu la visite de Nicole et de Daniel aujourd'hui! Ça te suffit pas?

— Une mère s'inquiète tout le temps de ses enfants, tu sauras! Surtout quand on en a eu plusieurs comme moi…

— Y'ont d'autres choses à faire dans la vie! Ma mère habite au bout de la rue pis j'y vas même pas. J'sais même pus quel âge elle a. Elle doit avoir pas loin de quatre-vingt-dix ans puisque j'en ai soixante et onze…

— Ce n'est pas bien fin de ta part, si tu veux mon opinion!

— Mes sœurs y vont! Aimé n'y va pas lui non plus…

— Aimé peut toujours prétexter le fait qu'il habite à Saint-Ignace alors que, pour toi, elle habite à côté…

— J'pense ben qu'elle va aller vivre chez Georgina! répliqua Émile.

— Elle doit s'ennuyer sans bon sens depuis que son mari est mort.

— Peut-être, mais j'sais que Monique va la voir de temps en temps avec ses enfants. Elle garde toujours des *candies* pour les jeunes. J'vas arrêter cette semaine vu que tu m'y fais penser…

— Je suis sûre qu'elle va apprécier ta visite, Émile! J'vais arrêter la semaine prochaine après la messe, ajouta Lauretta.

\* \* \*

Monique avait préparé le souper et en avait profité pour renouer avec sa petite tribu. Maxime était arrivé juste à temps pour le repas. Chaque fois qu'elle le voyait, il lui semblait qu'il vieillissait à une vitesse vertigineuse. Il était devenu très indépendant, ce que son père n'appréciait pas toujours. Monique était peut-être trop tolérante avec lui. Son fils semblait d'ailleurs profiter de la frustration de sa mère qui cherchait à combler, par son intermédiaire, l'absence de Jean-Pierre. Maxime n'en abusait pas consciemment, mais il était toujours le fils gâté de sa mère, au grand dam de Paul.

Après le souper, les enfants étaient retournés à leurs occupations et Monique en avait profité pour discuter de leur bref séjour au lac Noir.

— Dis-moi, Paul! Qu'est-ce que c'est que toute cette agitation autour de ce bar de danseuses nues? Est-ce vraiment différent des *strip-teaseuses* que l'on voyait à l'hôtel à l'époque où l'on fréquentait ces endroits. Tu te rappelles, il y avait des contorsionnistes, des acrobates, des humoristes, des travestis, un chanteur ou une chanteuse-vedette pour clore le spectacle. Je n'ai jamais été offusquée par ces belles danseuses ni même jalouse si ça t'excitait. Je ne comprends pas l'hystérie de Thérèse.

— Écoute, ma chérie, c'est très différent de voir une *strip-teaseuse* qui donne un spectacle sur une scène et ces petites danseuses qui se trémoussent à six pouces de ton nez. Le client qui leur donne cinq dollars salive comme un porc. Pour la plupart, ce sont de jeunes femmes qui s'improvisent danseuses, alors que les *strip-teaseuses* comme Lili St-Cyr, par exemple, ont appris la danse et ont un sens planifié du spectacle. Elles sont jolies, certes, mais elles font un numéro qui n'est pas grossier et portent de beaux costumes de scène.

— Je serais bien curieuse de voir ça ! Le clergé doit être en furie ?

— Le clergé n'a plus grand-chose à dire depuis la désinstitutionalisation des écoles et des hôpitaux. L'Église catholique vit de grands changements depuis la Révolution tranquille et ce n'est pas fini.

— Mais, toi, Paul ! Tu les as vues, ces danseuses ? Est-ce que ça t'a excité ?

— Je vais être très franc avec toi, Monique. J'essayais de comprendre pourquoi Marcel s'était paré des plumes du paon. Je ne saisis pas quel est son intérêt de fréquenter ce bar, à moins d'être frustré sexuellement. La plupart de ces filles sont à la limite de la prostitution, mais je ne veux pas porter de jugement hâtif. Il y aura toujours des exceptions…

— Tu n'as pas répondu à ma question ! Est-ce que ça t'a excité de les voir se pavaner devant toi ?

— C'est difficile à expliquer ! Il y en a qui dansent sur une scène et, à tour de rôle, elles font le service aux tables. Leur jeu est de solliciter le client ou de l'exciter suffisamment pour qu'il lui demande de danser sur un petit banc, moyennant cinq dollars, devant lui. Quand je te dis qu'elles sont à six pouces de ton nez, je ne mens pas.

— Et elles sont complètement nues ?

— Normalement, elles portent une petite culotte pour la première danse et, pour la deuxième, c'est le nu intégral. Certains hommes célibataires ou simplement excités sont prêts à y laisser leur paye. Pour être excité, ça prend un état d'esprit particulier, mais si tu y vas en étudiant le comportement de tes beaux-frères, ce n'est pas pareil. Si elles sont belles, oui, tu peux être excité, mais si tu les regardes avec l'œil du peintre, tu ne vois que l'esthétique.

— Je crois comprendre. Mais, toi, tu es capable de ne pas avoir de pensées lubriques en les regardant?

— Je viens de te le dire, ma chérie! Pourquoi vouloir une Ford quand tu as une Mercedes? Je préfère de beaucoup ma Mercedes…

— Tu me compares à une auto? dit Monique en faisant la moue.

— C'est une métaphore, ma chérie, et je te le prouverai quand on se mettra au lit si tu veux.

— Je crois que les enfants vont se coucher tôt ce soir et, depuis que tu as installé Maxime dans le sous-sol, il est heureux et moi aussi.

Paul la serra dans ses bras en lui caressant doucement les fesses comme une promesse de plaisir à venir. Monique, malgré ses trente-six ans et ses cinq accouchements, avait gardé un corps svelte qui faisait l'envie de beaucoup de femmes. Elle attirait toujours l'œil des hommes et Paul en tirait une certaine fierté.

Martine avait maintenu la maison propre. C'était quand même une assez grande responsabilité pour une jeune fille de quatorze ans, presque quatorze, comme elle se plaisait à le dire. Elle était physiquement très développée pour son âge, à l'instar de sa mère. On lui en aurait donné quinze ou seize. Malgré tout, elle n'était qu'une adolescente. Monique lui donna dix dollars pour avoir pris soin de la maison et des deux plus jeunes, qui furent satisfaits d'elle, même si Michel rechignait tout le temps. C'était peu, par rapport à l'argent qu'elle aurait gagné chez ses clients réguliers, qui l'auraient gratifiée de dix dollars pour une soirée de quatre ou cinq heures, sans qu'elle ait à s'occuper des repas ou du ménage.

\* \* \*

Ne pouvant plus résister à son désir d'en savoir plus sur le compte de Marcel et Violette, Lauretta appela Monique.

— Bonsoir, Monique, c'est ta mère ! Et puis, quelles sont les nouvelles ?

— Écoute, maman, je suis très occupée ! Est-ce que ça pourrait attendre à demain ? Je n'en sais pas beaucoup plus, mais je vais tenter de parler à Paul ce soir.

— Je peux certainement attendre jusqu'à demain. Tu viens travailler demain ?

— Oui, je serai là à huit heures. D'accord ?

— Parfait ! Passe une bonne nuit…

— Merci, maman, et toi aussi !

# Chapitre 7

L'heure était enfin venue de se mettre au lit pour Paul et Monique. Celle-ci avait fait sa toilette et s'était étendue sur le lit en lisant un roman. Quand Paul eut fini de se débarbouiller, il vint la rejoindre et l'embrassa dans une étreinte passionnée. Elle souleva les couvertures et il put constater qu'elle était encore belle et désirable dans sa nudité.

— Est-ce que je fais encore le poids contre ces nymphettes que tu as vues en compagnie de ce satané Marcel ?

— Non, mais tu es beaucoup plus belle que ces petites oies et diablement plus désirable.

— Flatteur, va ! Tu as toujours eu la manière de me charmer, même si je te soupçonne d'être un peu menteur…

— Est-ce que j'ai l'air de mentir ? dit-il en la saisissant.

— Serre-moi fort, parce qu'il me semble que ça fait une éternité que tu ne l'as pas fait.

— Ta mémoire est défaillante, ma chérie ! Je t'ai fait l'amour jeudi dernier, avant qu'on parte pour Saint-Jean-de-Matha.

— Si tu me le dis, tu as sûrement raison, mais j'ai une mémoire sélective et parfois c'est mon appétit qui ne se souvient plus de la dernière fois où je me suis régalée…

Ils firent l'amour avec passion. Paul se demandait si ces jeunes ingénues qu'il avait vues se trémousser sans aucune retenue n'étaient pas un peu la cause de sa fougue au lit. Puis il se rappela qu'il n'avait jamais manqué d'appétit pour le sexe, ni Monique d'ailleurs. Mais si toutefois elles y étaient pour quelque chose, comment réagirait-il ? Il en serait sûrement catastrophé. Il était trop croyant et avait des mœurs trop rigides pour accepter qu'elles agissent sur lui. Il s'endormit en pensant à Marcel qui mettait en péril son mariage pour une jeune femme aux mœurs plus relâchées. Était-ce sa trop forte libido qui le poussait à trouver à l'extérieur le plaisir qu'il ne trouvait pas avec sa femme, ou son manque de maturité ? Paul aimait beaucoup Violette, mais Marcel, lui, l'aimait-il ?

\* \* \*

Marcel adorait la petite dernière de Monique. Cet attachement, cependant, lui rappelait trop son incapacité à procréer. Lui et Violette se querellaient de plus en plus souvent à propos de l'absence d'enfants dans leur vie de couple. Ironiquement, il croyait que cela le solidifierait.

\* \* \*

Lauretta continuait à se morfondre au sujet de Marcel et de Violette. Elle avait espéré que Monique lui en dise davantage à son retour du chalet, mais celle-ci avait repoussé la conversation au lendemain. Ne démordant pas, elle questionna Émile, histoire d'en savoir plus.

— Dis-moi, Émile, tu es revenu tout bouleversé du chalet de Marcel il y a deux semaines. Veux-tu bien me dire, ma foi du bon Dieu, ce qui a bien pu te mettre dans cet état-là ? Je me fais du mauvais sang pour Marcel et Violette. Tu ne pourrais pas m'éclairer un peu ?

— Lauretta ! J'peux pas te parler de c'que j'ai vu, mais j'peux te dire une affaire par exemple, en quarante et un ans de mariage, j't'ai jamais trompée. Même après qu'tu m'as obligé de faire chambre à part !

— Ça veut dire que Marcel trompe sa femme ?

— J'ai jamais dit ça !

— Tu dis que tu ne m'as jamais trompée, ça veut dire que Marcel n'a pas eu cette force-là ? Réponds-moi Émile, pour l'amour du Saint-Ciel…

Émile se sentait coincé. Il avait lui-même vendu la mèche tant il avait voulu montrer qu'il avait résisté à la tentation de la chair en bon chrétien qui craignait Dieu. Ne sachant comment se sortir de ce bourbier, il se réfugia dans le mutisme. Devant l'insistance de Lauretta, il sortit dehors, en se dirigeant vers le garage. Il s'assit dans sa chaise berceuse, décapsula une grosse Molson et la cala en quelques gorgées. Sacrée Lauretta, elle savait comment lui soutirer de l'information malgré lui. Maintenant, il avait l'impression d'avoir trahi son fils. Il espérait que Marcel n'en ait jamais vent.

Émile attendrait que Lauretta soit endormie avant d'aller au lit. Il prit une autre bière en réfléchissant à tout ça.

Le lendemain matin, Monique se présenta, comme de coutume, à l'atelier de couture. Sa mère, déjà à l'œuvre, était installée derrière sa machine à coudre. En entendant les pas de sa fille, Lauretta interrompit son travail et l'accueillit en lui disant :

— Je le sais ce qui ne tourne pas rond entre Marcel et Violette. Il la trompe !

— Comment as-tu su ça, maman ?

— J'ai fait parler ton père !

— Et il t'a dit ça ?

— Il m'a seulement raconté qu'il ne m'avait jamais «trichée». J'en ai déduit que Marcel ne respectait pas son engagement envers Violette. Après avoir parlé sans le vouloir, ton père n'a plus voulu dire un mot de plus. Il s'est même réfugié dans le garage. Je me suis couchée tôt et, ce matin, il travaillait déjà dans son jardin. Tu sais comment il est ton père, il doit s'en vouloir…

— Tu as pas mal le tour d'arracher ses confidences. Je dois te donner ça, maman !

— Peut-être, mais qu'est-ce qu'on fait avec ça, Monique ? Un autre couple qui va se séparer ? Il n'y a plus de moralité de nos jours, et être marié pour la vie ne veut plus dire grand-chose. Ils n'ont pas d'enfant, c'est déjà ça ! Imagine-toi s'ils en avaient eu comme Gérard. Ça ferait d'autres malheureux qui n'ont pas demandé à vivre ça.

— Si ça ne marche plus entre eux, il vaut peut-être mieux que chacun fasse sa route seul plutôt que d'être mal accompagné, ne crois-tu pas ?

— Oui, mais les vœux de mariage, ça ne compte plus ? La société s'en va à sa perdition et j'espère ne pas vivre trop vieille pour voir ça…

— Je te trouve un peu fataliste, maman ! Tu as neuf enfants et il n'y en a qu'un seul qui soit divorcé pour le moment. Ne désespère pas. Il faudrait peut-être se mettre au travail si on veut que ça avance ! Qu'est-ce que t'en penses ?

Lauretta recommença à coudre sans répondre à sa fille. Peut-être qu'elle était fataliste, mais Monique était cynique. C'était le moins qu'elle pouvait dire. Elle aurait aimé que sa fille cherche avec elle une solution pour ressouder ce couple qui semblait aller à vau-l'eau. Lauretta n'abandonnerait pas si facilement la partie. Elle irait au lac Noir s'il le fallait pour constater de ses yeux ce qui n'allait pas dans ce couple, et tenterait de parler à son fils en lui faisant comprendre le bon sens.

Monique, de son côté, avait deviné que l'adultère était la cause du chagrin de Violette, mais cette dernière ne parlait pas. C'était difficile d'aborder le sujet si elle vivait dans le déni. Il fallait crever l'abcès, même si la vérité lui ferait mal. Violette se confiait-elle plus facilement à ses sœurs? Sans doute pas, car elles pourraient prendre Marcel en grippe et envenimer davantage la situation. Pourquoi fallait-il qu'elle se retrouve mêlée à cette affaire? Ça ne la regardait pas, hormis l'affection ou la compassion qu'elle avait pour ces deux malheureux.

Ce que Monique ignorait, c'est que Paul savait que Marcel trompait sa femme et qu'il avait même rencontré sa nouvelle flamme. Il n'en avait soufflé mot à sa femme pour ne pas s'emmêler davantage les pieds, car ça ne le regardait pas lui non plus. Il n'approuvait toutefois pas le choix de Marcel. Paul était convaincu qu'il ne s'agissait que d'une passade et que, si, par malheur, il s'était vraiment amouraché de cette jeune femme, il faisait la plus grande erreur de sa vie. Marcel perdrait au change, il en était certain. Il n'aurait pas le temps de jouir de son chalet, car il le perdrait au profit de Violette s'il se séparait, en plus de se retrouver au cœur d'une bataille juridique. Paul essayait de s'imaginer comment il pourrait vivre dans ce chalet, entouré de la famille Dandenault qui possédait tous les chalets avoisinants. Ce serait comme vivre en état de siège permanent. Ce serait tout simplement invivable.

\* \* \*

À la fin de la journée, après sa journée de travail, Paul rentra chez lui comme d'habitude. Sa petite famille l'attendait pour souper.

— Bonjour, mon chéri, comment s'est déroulée ta journée ?

— Oh, le petit train-train habituel ! Et toi ?

— J'ai appris bien des choses concernant Marcel. Je t'en parlerai après le souper. En attendant, c'est la dernière semaine de classe des enfants. Maxime commence chez Laurin fruits et légumes dès lundi prochain. Il lâche la livraison de journaux demain. Ils lui ont trouvé un remplaçant. Il est bien soulagé, pas vrai Maxime ?

— Tu peux le dire, m'man ! J'ai l'impression que j'ai fait ça toute ma vie… Ça fait presque dix ans, sept jours par semaine. J'étais pas mal tanné !

— Pense pas que ça va être plus drôle chez Laurin ! Ils te payent combien déjà ? lui demanda son père.

— Cinquante cents de l'heure, cinquante heures, ça fait vingt-cinq piastres par semaine, répondit Maxime, tout fier.

— Cinquante cents de l'heure, ce n'est pas trop payé pour le travail que tu vas faire, mon gars. Tu vas te rendre compte qu'une caisse de cantaloups, c'est pesant, et je ne mentionne pas les poches de patates de cinquante livres que tu vas manipuler toute la journée. Tu vas te faire les bras, c'est certain !

— On verra, p'pa!

— Comment tu vas répartir tes cinquante heures dans la semaine?

— Huit heures pendant six jours à l'exception du lundi où j'irai avec monsieur Laurin au Marché central de Montréal. Cette journée-là, je vais travailler dix heures, mais ça ne me fait pas peur.

— Je te souhaite d'endurer cet horaire! Tu vas t'apercevoir que ta livraison de journaux était pas mal plus reposante que le travail que tu t'apprêtes à entreprendre. C'est un vrai travail d'homme. Je sais que tu es courageux, Maxime. Bonne chance, mon gars!

— Merci, p'pa! Ne t'inquiète pas, j'vais finir ma saison sans problème.

— As-tu pensé que tu dois payer une pension à ta mère?

— Comment ça, une pension?

— Normalement, tu donnes vingt-cinq pour cent de ton salaire pour être hébergé. Demande à ta mère combien elle payait à ses parents quand elle a commencé à travailler? Elle gardait seulement dix pour cent de ses revenus, pas vrai Monique?

— Oui, mais c'était un travail permanent, Paul! Maxime, c'est juste un travail d'été. Il pourrait s'abstenir…

— Pourquoi? Qu'il apprenne à travailler, c'est une chose, mais il faut aussi qu'il apprenne qu'il n'y a rien de gratuit dans la vie. Te rappelles-tu les sacrifices que nous avons dû faire pour qu'il puisse aller à l'école privée à l'âge de cinq ans?

— Si j'ai bien compris, p'pa, il faudrait que je donne six piastres et quart par semaine? Je ne trouve pas ça bien encourageant de travailler. C'est encore mieux l'école…

— Je vois que tu es pas mal bon en calcul mental, mon gars! C'est un excellent raisonnement si tu as compris que tu étais mieux à l'école et je t'encourage à poursuivre tes études le plus longtemps possible. Après ça, tu vas sûrement te marier, avoir des enfants comme tout le monde. Tu as intérêt à faire beaucoup d'argent parce que tu vas te rendre compte que ça coûte cher de vivre avec un minimum de confort. Tu ne peux pas te fier à moi pour te faire vivre grassement étant donné que je ne suis pas riche.

— J'ai compris le message! Le plus tôt je partirai d'ici, le mieux ce sera pour vous deux… C'est ça?

— Je n'ai jamais dit ça, Maxime! Si tu poursuis tes études jusqu'à l'université, tu vas devoir travailler pour te rendre là. On va t'aider du mieux qu'on peut, mais il y en a trois autres après toi qui vont peut-être vouloir faire des études. On ne le sait pas, mais il faudra prévoir. Le petit six piastres et quart que tu vas donner à ta mère va être épargné et ce n'est qu'une goutte d'eau comparativement à l'argent que ça va coûter et que ça a déjà coûté.

Maxime quitta la table en furie. Il trouvait injuste le raisonnement de son père, mais, au fond de lui-même, il savait que ce dernier avait raison. Il aurait aimé faire la grosse vie avec son salaire de misère, car, après tout, il allait durement le gagner. Il aurait aimé impressionner une jeune fille qu'il aurait invitée à l'Expo. Il aurait voulu démontrer qu'il n'était pas n'importe qui, mais un gars allumé qui connaissait « Terre des Hommes » comme le fond de sa poche. Il n'avait pas dit son dernier mot.

— Paul ! Tu ne trouves pas que tu as été un peu dur avec Maxime ?

— Pourquoi tu me dis ça ? J'aurais préféré que tu sois un peu plus solidaire avec moi quand j'ai parlé de pension.

— Il a des amis qui n'en payent pas ! Ce n'est plus comme dans le temps, mon chéri.

— S'il a des amis qui sont au-dessus de sa classe sociale, ce n'est pas mon problème. Il est issu d'un milieu ouvrier et il peut se compter chanceux de s'en tirer aussi bien. Regarde le monde autour ! En connais-tu plusieurs qui ne travaillent pas en usine et qui ne mourront pas en usine ? Nomme-z-en un seul qui n'attend pas d'avoir l'âge pour rentrer à l'usine et gagner durement sa pitance.

— On n'embarquera pas dans ce genre de conversation ce soir si tu veux, mais j'aimerais que tu y penses. Je voulais qu'on parle de Marcel et de Violette.

— Ça ne nous concerne pas directement, Monique, alors que notre gars, oui. Il m'inquiète ! Il est tellement rebelle depuis quelque temps. N'as-tu pas remarqué ?

— C'est l'adolescence, Paul ! Il ne faut pas s'en faire outre mesure. Tu peux toujours t'asseoir seul avec lui pour voir ce qui ne va pas. J'ai une certaine expérience avec mes frères et ma sœur. L'important, c'est d'éviter la confrontation devant d'autres personnes, même si ce n'est que Martine, Michel ou moi-même.

— D'accord ! Je veux bien essayer, mais ce ne sera pas facile. Tu veux qu'on parle de ton frère Marcel et de Violette ? Alors, parlons-en !

Cette conversation avec son fils Maxime et sa femme qui le défendait allègrement l'avait rendu plus agressif. Si Monique lui posait les bonnes questions, il lui répondrait franchement. Il lui donnerait son opinion, comme il l'avait fait avec Marcel. Et ce, sans aucun remord, car Marcel éprouvait une grande fierté de tenir une belle danseuse sur ses genoux.

— Mon père a révélé à mots cachés à ma mère que Marcel « trichait » sa femme. Est-ce que c'est vrai ?

— Oui et il ne s'en cache pas du tout. Il en est même fier, l'innocent. Ton frère est un imbécile : il agit comme s'il souhaitait se faire pincer par sa femme. Ce n'est qu'une question de temps. Tu ne peux pas te comporter de la sorte dans un village sans que ça se sache. C'est pour ça que j'en parle franchement. C'est devenu un secret de Polichinelle pour tout le monde, son histoire.

— Eh bien, dis donc ! Tu ne sembles pas l'aimer beaucoup ?

— Comment veux-tu que je l'aime quand il agit aussi bêtement ? Violette n'a pas demandé à vivre ça ! Elle va se retrouver avec un chalet qu'elle ne pourra peut-être même pas payer. Ton frère va le perdre « son chalet » comme il le dit si bien. On voit bien qu'il ne connaît pas la loi. Il est vraiment stupide s'il pense qu'il va pouvoir le garder, entouré de son ancienne belle-famille.

— Tu as sûrement raison ! Il doit être troublé pour agir ainsi.

— Troublé, dis-tu ? Excuse-moi d'être vulgaire, mais il se laisse diriger par sa queue et celle-ci va le mener à la rue avec son baluchon. Écoute bien ce que je te dis là et tu sauras me le dire si je suis loin de la vérité…

— Peut-être qu'il va aller vivre avec sa maîtresse ? J'espère que ce n'est pas une femme mariée ?

— Je ne croirais pas ! C'est une jeune femme qui danse au bar où il se tient.

— Tu l'as rencontrée ?

— Si je l'ai rencontrée ? Elle dansait toute nue à six pouces de mon nez. Déjà, j'ai un problème avec ça ! Marcel va peut-être devenir un *pimp* ?

— Arrête, Paul, tu deviens méchant ! Tu ne connais pas son histoire pour parler d'elle comme ça.

— Elle ne sort sûrement pas d'un couvent pour pratiquer ce métier-là, si on peut appeler ça un métier… Je regrette, mais je n'ai pas beaucoup d'admiration pour elle ni pour lui, d'ailleurs. Pauvre Violette ! Elle n'aurait jamais dû succomber à son charme.

Monique était estomaquée que son mari ait tant de mépris pour son frère et tant de compassion pour Violette. Évidemment, il y avait un tricheur et une personne trompée, mais il devait bien y avoir une explication logique à tout ça. Monique ne pouvait en discuter avec Violette sans lui vendre la mèche. Si, en revanche, sa belle-sœur lui en glissait un mot, elle pourrait la conseiller pour empêcher son mariage de sombrer. Après tout, il n'était peut-être pas trop tard si Violette pouvait pardonner les incartades de son mari et si ce dernier renonçait à sa maîtresse. Marcel devrait alors regretter ses fautes, mais il était trop orgueilleux pour s'excuser. Était-ce possible, par ailleurs, que Violette n'aime pas du tout les relations sexuelles ? Pour Monique, c'était impensable parce qu'elle-même adorait faire l'amour et que Paul le lui rendait bien. Il restait la question des enfants. Elle pourrait aborder ce sujet avec sa belle-sœur sans soulever de polémique. Violette en aurait le cœur net une fois pour toutes en passant un test de fertilité. Si elle était féconde, cela signifiait que son frère était stérile. Marcel ne pourrait plus alors utiliser ce prétexte pour se détacher de sa femme.

* * *

Après leur retour à Pointe-aux-Trembles, la vie n'était pas des plus faciles pour Violette et Marcel. Ils géraient le quotidien en échangeant le minimum de mots. Violette pleurait à chaudes larmes quand elle se retrouvait seule. Elle se questionnait beaucoup sur la nécessité de terminer la construction du chalet. Un soir, après mûre réflexion, elle décida d'en parler à Marcel. Elle l'attendit ce soir-là, contrairement à son habitude, car elle se couchait tôt pour être en forme le lendemain.

Marcel arriva à onze heures ce soir-là. Il sentait la boisson et exhalait un relent de parfum de femme. Ce fut suffisant pour lui donner le courage d'affronter son mari.

— Qu'est-ce que tu fais encore debout à cette heure-là? demanda-t-il.

— Je voulais te parler!

— Il est trop tard, j'travaille demain! Ça peut pas attendre?

— Demain, t'auras une autre raison pour reporter cette conversation… sinon j'arrête le financement du chalet! Je suis très sérieuse. Je n'en peux plus de pleurer en silence pendant que tu fais semblant de rien. La seule chose qui te forcera à discuter avec moi, c'est le chalet… On va se parler, Marcel.

— Bon ! Encore une autre affaire, asteure. Vas-y, je t'écoute !

— Je veux savoir pourquoi tu me «triches»? Je ne suis plus assez belle ? Je ne suis pas assez *sexy* ? Je ne suis pas assez salope ?

— Calme-toé, Violette! Qui t'a mis ces idées-là dans la tête ?

— Je n'ai eu besoin de personne pour m'ouvrir les yeux. J'ai juste à te regarder et à te sentir pour savoir qu'il y a une autre femme qui porte du parfum *cheap*. Tu devrais te laver avant de revenir à la maison, ce serait moins choquant. Tout le monde t'a vu au lac Noir. Tu ne prends même plus la peine de te cacher !

— C'est pas vrai !

— Arrête de mentir, Marcel ! Tu ne m'as pas touchée depuis des mois alors qu'avant c'était presque à tous les jours. Qu'est-ce qui ne va plus ? T'es-tu laissé envoûter par une femme plus jeune, plus belle, plus *sexy* ? Tu le sais que le terrain sur lequel on bâtit le chalet vient de ma mère. C'est un cadeau qu'elle m'a fait à moi, c'est mon héritage !

— Elle nous l'a donné à tous les deux !

— Tu n'as jamais rien compris aux questions juridiques, Marcel ! Tu devrais consulter ton frère Yvan pour qu'il te tienne au courant.

Marcel bouillait intérieurement. Il l'aurait engueulée, peut-être même frappée s'il ne s'était pas retenu. Il ne connaissait pas les règles juridiques entourant les droits de propriété, mais son beau-frère avait sûrement renseigné sa femme. Il se sentait coincé. S'il lui avouait la vérité, elle serait en furie. Le résultat serait le même. S'il faisait preuve de contrition, peut-être que son château de cartes tiendrait le coup. Sa pression était au maximum.

— J'ai eu une faiblesse, Violette !

— Tu veux dire que tu m'as trompée ?

— Oui, mais j'sais pas c'qui m'a pris d'agir comme ça. Je le regrette !

— C'est tout ce que tu as à dire pour ta défense. Désolée !

— J'sus coupable ! Qu'est-ce que tu veux que j'te dise ? Je t'aime, Violette, même si j'ai eu un penchant pour une jeune femme, c'était purement physique…

Violette éclata en sanglots, et Marcel ne savait pas comment réagir. D'instinct, il voulut la prendre dans ses bras pour la réconforter, mais il avait peur qu'elle le frappe.

— J'te promets que je recommencerai pus, Violette ! C'était un moment d'égarement, rien de plus.

— Tu veux me faire avaler ça, Marcel Robichaud ? Je ne te crois plus ! Je ne te croirai jamais plus !

Devant sa réaction, Marcel tenta sa chance et l'enlaça dans ses bras. Elle se contenta de pleurer sur son épaule. Il lui caressa le dos pour la consoler, mais aussi dans l'espoir qu'elle se calme. La scène dura une quinzaine de minutes, puis Violette se sentit rassérénée. Elle reprit la parole.

— Écoute, Marcel, tu m'as crevé le cœur! Je t'ai toujours fait confiance et tu m'as trahie! Je ne sais pas si je pourrai te faire confiance à nouveau. Pour l'instant, je vais réfléchir à tout ce qui concerne le chalet. Je ne suis pas certaine de vouloir le garder…

— J'sus extrêmement désolé pour tout le mal que j't'ai fait! J'comprends que tu veuilles réfléchir. J'en ferais autant à ta place. J'peux décommander l'équipe qui devait monter la fin de semaine prochaine, si tu veux?

— Je t'ai dit que je devais réfléchir avant de prendre une décision… Laisse-moi le temps!

Marcel sentit un vent d'encouragement en entendant ces paroles. Tout n'était pas fini! Il l'aurait peut-être malgré tout son chalet. Par ailleurs, il savait qu'à l'avenir il devrait être doublement prudent avec Sonia. Mais il n'avait aucunement l'intention de renoncer à elle. Il fallait qu'il fasse croire à Violette qu'il était revenu à de meilleurs sentiments à son égard. Il lui ferait l'amour une fois de temps à autre, mais surtout il faudrait qu'il se montre plus affectueux. Et s'il essayait de lui faire l'amour sur-le-champ? Peut-être réagirait-elle positivement s'il y allait lentement, doucement? Il avait tout à gagner à essayer, pensait-il. Elle était vulnérable…

# Chapitre 8

Marcel tenta d'amadouer Violette en la caressant tout doucement, mais elle se rebiffa. Son visage n'exprimait que du dégout. Elle se recula spontanément pour être hors de sa portée.

— Ne me touche pas! Tu sens la putain et tu empestes l'alcool à plein nez…

— Ne dis pas ça, Violette! Tu vois pas que j'fais un effort pour faire la paix, tandis que tu me repousses.

— Je vois très bien ton jeu d'hypocrite, Marcel! Tu viens de baiser avec une putain et tu voudrais que je m'ouvre à toi maintenant? Tu voudrais me refiler une maladie vénérienne, c'est ça ton effort de paix? Si tu veux qu'on fasse l'amour, il faudra que tu passes des tests me prouvant que tu n'as aucune maladie. Tu devras aussi passer un test de fertilité. Quand tu auras tout ça en main, on pourra reprendre la conversation. À partir de maintenant, tu couches sur le divan.

Marcel était abasourdi du changement qui s'était produit chez Violette. Il l'avait toujours manipulée à sa guise et, maintenant, elle se transformait en bourreau. Oscillant entre la colère et la surprise, il ne savait plus trop sur quel pied danser. Il voulait continuer à la maintenir sous son joug, mais ne dit-on pas qu'«un chat échaudé craint l'eau froide»? Ce vieil adage lui allait comme un gant, à Violette. Elle ne serait plus si facile à berner, même s'il montrait patte blanche. Est-ce que le jeu en valait la chandelle? Ce n'était qu'un chalet, après tout, qui le retenait auprès de sa femme, avec laquelle il avait l'impression de mener une vie morne, alors qu'avec Sonia, c'était un monde d'aventures qui l'attendait s'il décidait à faire le saut. Ça demandait réflexion. Pour le moment, il devait contrôler sa nature fougueuse. Lui qui était habitué à ne rencontrer aucune résistance, ce ne serait pas une sinécure.

* * *

Yvan et Juliette étaient les grands absents au lac Noir. Au contraire de tous les membres du clan Robichaud, Yvan ne s'était pas offert pour aider Marcel. Il faut dire que le Montréalais, comme il l'appelait, n'était pas son préféré. Il se rappelait encore l'époque où Marcel se moquait de lui. Ce dernier n'était que d'un an son aîné, mais il ne s'était jamais vraiment bien entendu avec lui, d'aussi loin qu'il se souvienne. Devenus adultes, ils se toléraient l'un l'autre, mais sans plus. Marcel avait trop de faconde pour qu'Yvan ne se sente pas menacé par tant d'exubérance. Celui qui avait le plus de finesse était sans contredit Yvan, mais Marcel réussissait toujours à lui créer de l'ombrage. Yvan avait toujours été conscient de cet état de choses, mais son statut social lui donnait maintenant une avance sur lui. Un dimanche où cette crise se profilait, il était allé rendre visite à sa mère avec sa femme Juliette.

— Bonjour, maman ! Comment vas-tu ?

— Bonjour, Yvan ! Bonjour, Juliette ! C'est de la belle visite, même s'il a plu à boire debout ce matin. Je vais très bien et ton père aussi. Et vous deux ?

— On a profité de la pluie pour venir vous rendre visite ainsi qu'aux parents de Juliette. Il tombe vraiment des cordes, alors que j'avais des petits travaux à faire au chalet. Curieusement, il ne pleut plus ici et ça sèche vite.

— J'espère qu'il ne pleut pas au lac Noir. Patrick et Daniel sont montés là-bas pour donner un coup de main à Marcel. Vous n'y êtes pas allés encore ?

— Il faut que je m'occupe de mon chalet. Il n'y a presque plus personne qui y vient. Ça fait beaucoup de travail pour un seul homme. Je pense à le vendre.

— Tu ne devrais pas faire ça ! Cet été, c'est certain que tout le monde va aider Marcel, mais, l'été prochain, ils seront tous de retour parce que le lac Noir, c'est beaucoup trop loin.

— Mon idée est faite, maman ! Si je trouve preneur à mon prix, je le vends. Avis aux intéressés !

— On a eu tellement de bon temps toute la famille au lac Selby. Ça me fait de la peine ! dit Lauretta.

— Peut-être qu'il y en a un autre dans la famille qui le voudrait ? Passe le mot, maman ! Ils pourraient se mettre en gang pour l'acheter et je pourrais garder une part si tout le monde embarque.

En vérité, Yvan se sentait léser, après avoir été le centre d'attraction presque cinq ans. Tout le monde occupait son chalet à tour de rôle ou simultanément. Sa chambre, toutefois, lui était toujours réservée. Il se sentait important, pour ne pas dire magnanime, d'accueillir ainsi sa famille. Il avait l'impression d'être le chef de cette tribu. C'était par contre bien illusoire de croire qu'il y avait un chef dans cette famille dysfonctionnelle. Chaque membre avait mis la main à la pâte pour la construction, mais personne ne voulait investir d'argent ni même payer les frais récurrents.

— Sois certain que je vais passer le mot à tous les membres de la famille sans exception. Tu veux combien pour ton chalet ?

— Si c'est un membre de la famille qui a participé à sa construction, je le laisserais partir pour douze mille dollars. À un étranger, j'en demande seize mille.

— Je ne connais rien à la valeur des chalets ou des maisons, mais je vais faire circuler l'information. J'espère qu'il y aura quelqu'un de la famille qui sera intéressé.

— Quoi de neuf à part de ça, maman ?

— Tout le monde travaille, et ton père s'habitue à sa vie de retraité. Maxime a décroché son premier emploi d'été chez Laurin fruits et légumes, sur la rue Principale.

— Ah, oui! Je connais l'endroit. C'est entre le restaurant Belval et la biscuiterie Maurice. Il y a une ruelle qui mène au stationnement municipal. C'est juste en face de la rue Centre où se trouve le terminus, pour te situer.

— C'est en plein centre-ville?

— C'est ça!

— À part de ça, il y a la construction du chalet de Marcel qui mobilise pas mal tout le monde. Je crois que ça fait des pressions sur le couple.

— Pourquoi tu dis ça, maman?

— Apparemment que ça ne va pas très bien entre Marcel et Violette. Il semblerait que Marcel la «triche». C'est du moins ce que pense ton père…

— Où est-ce que papa a pris cette information?

— Il l'a vu de ses yeux et il est bien scandalisé que Marcel fasse ça à Violette.

— Moi, ça ne me surprend pas! Marcel a toujours été un gars volage depuis qu'il est allé à Goose Bay. C'est un p'tit jars lâché lousse dans une basse-cour. C'est grand Montréal, maman, et la tentation doit être trop forte pour lui.

— Ce n'est pas à Montréal! Semble-t-il que c'est à Saint-Jean-de-Matha puisque ton père l'a vu.

— C'est bien lui! Incapable d'être discret même quand il fait des mauvais coups. Quel innocent!

— Bien oui! Qu'est-ce que tu veux, Yvan? C'en est un qui pourrait mal tourner, sans compter qu'il va briser le cœur de la pauvre Violette… Ça me fait bien de la peine.

— À quoi t'attendais-tu de Marcel? Il avait treize ou quatorze ans que déjà il vivait du fruit de la criminalité. On ne peut pas s'attendre à le voir se transformer en saint. Compte-toi chanceuse qu'il ne se soit pas retrouvé en prison!

— Ne me fais pas peur comme ça, Yvan, je vais faire une syncope!

— S'il réussit à garder son emploi, ce sera déjà bien! C'est une bonne compagnie, mais attends-toi à ce qu'il change de femme régulièrement. C'est un gars émotivement instable.

— Arrête, Yvan! Tu me fais trop de peine. Veux-tu voir ton père? Il doit être dans son jardin.

— Je vais aller le saluer avant de partir. Juliette! Veux-tu tenir compagnie à ma mère pendant ce temps-là? Après, on ira voir tes parents.

— Ça va me faire plaisir de jaser avec ta mère de sujets plus gais. Je suis certaine que ça va vous faire du bien vous aussi, pas vrai madame Robichaud? On pourrait parler mode si vous voulez…

— Tu as raison, Juliette! Quelque chose de plus léger me fera le plus grand bien.

Yvan disparut et se dirigea vers le jardin, où il avait vu son père, courbé, en train de désherber. Il voulait en savoir plus concernant Marcel et sa prétendue maîtresse.

— Bonjour, papa! Comment vas-tu? Ça semble bien pousser dans ton jardin. C'est plus facile de sarcler après une pluie?

— Salut, Yvan! Ça fait plus de soixante ans que je fais des jardins. J'ai pas peur d'le dire, mais y'a pas grand monde qui en fait des plus beaux que moé!

— Maman me disait que tu étais monté au chalet de Marcel pour travailler, est-ce vrai?

— J'ai fait la même chose pour toé, si tu t'en souviens!

— Il semblerait que Marcel fait des folies?

— Tu parles-tu des histoires de femmes?

— Justement! Maman me disait qu'apparemment il «trichait» sa femme.

— As-tu déjà été dans ce qu'on appelle un bar de danseuses?

— Non! Il n'y en pas dans le coin, mais aussi à cause de ma position à la banque. Je ne peux pas me permettre d'y aller, même si ça me tenterait.

— Moé, j'y ai été avec Marcel, Pat pis Serge ! C'est pas croyable c'qu'elles font ! Elles se promènent toutes nues pis elles viennent même danser devant n'importe qui, pour cinq piastres, à six pouces du nez. Marcel a l'air ben chum avec une de ces p'tites guidounes. Y devrait pas faire ça !

— Penses-tu qu'il a une liaison avec elle ?

— Y lui pognait les fesses devant moé ! En quarante ans de mariage, j'ai jamais trompé ta mère. J'ai pas peur d'le dire !

— Ce n'est pas très intelligent de sa part de faire ça devant son père. Qu'en dis-tu ?

— En tout cas, c'est pas catholique !

— Qu'est-ce que tu veux ; moi, ça ne me surprend pas beaucoup ! Il a toujours été un courailleux... Je suis bien désolé pour la pauvre Violette, elle ne méritait pas ça !

— Moé aussi, ça me fait ben d'la peine pour elle ! J'ai ben des défauts, mais j'ai jamais eu celui-là, même si j'ai fait ma vie de garçon !

— Ok, papa, je te laisse là-dessus ! Il faut qu'on arrête chez les parents de Juliette avant de retourner à Sutton.

Émile retourna à son désherbage. Il finissait le rang qu'il avait entrepris et s'arrêterait pour déguster une bonne bière, à l'abri dans son garage. Yvan retourna à l'intérieur de la maison familiale, satisfait des révélations de son père concernant les batifolages de son frère Marcel. Il laissa sa mère et sa femme à leur discussion pendant qu'il pensait à son frère. Il n'en croyait pas ses oreilles. Fut-il aussi stupide au point d'exposer son jeu devant son propre père? À quoi jouait-il, exactement? Ça ressemblait à un suicide émotif ou à un je-m'en-foutisme extrême. Quel but poursuivait-il? Marcel avait tout le temps d'y penser, à moins que sa bulle n'éclate subitement ou que son château de cartes ne s'écroule tragiquement. Yvan, au contraire de lui, n'aurait jamais entrepris un chantier avec autant d'imprévisibilité dans l'air…

— Est-ce qu'on y va, Juliette, si tu veux arrêter saluer tes parents? L'heure passe…

— Juste un instant, mon chéri! Nous avons presque terminé, ta mère et moi. Nous nous sommes entendues pour un bel ensemble. C'est un beau tailleur très à la mode que j'ai vu dans un magasin et que ta mère peut me confectionner pour une fraction du prix qu'il coûterait en boutique.

— Tu es incapable de résister aux vêtements à la mode! Ta garde-robe est pleine à craquer et tu continues à en acheter malgré tout. Je ne comprendrai jamais…

— Nous, les femmes, si nous aimons les beaux vêtements, les belles chaussures, les beaux sacs à main, les belles coiffures, le maquillage et tout ça, c'est pour vous plaire, à vous, les hommes!

— Tu me plairais pareil si tu coûtais moins cher, Juliette!

— Vous voyez, madame Robichaud, comme il est radin quand il est question de moi. Mais quand c'est pour lui et qu'il s'agit de ses habits, ses chemises, ses cravates, ses bas et ses chaussures, il n'y a pas de limite…

— Ne te sers pas de ma mère pour m'attaquer! Moi, c'est mon *standing* qui m'oblige à être bien mis tout le temps.

— Je ne gagnerai pas, madame Robichaud, et c'est toujours comme ça! Allons-nous-en et on pourra se chicaner dans l'auto jusqu'à ce qu'on arrive chez mes parents, et là on fera semblant que tout va bien. Je le veux quand même ce tailleur, madame Robichaud!

Lauretta les écouta et se rendit compte que, en apparence, tout allait bien entre eux, mais qu'elle n'avait pas à gratter bien loin le vernis pour constater la discorde qui régnait dans le couple. Où s'en allait le monde? Ou était-ce toujours la même réalité qui se répétait? Elle savait bien que son couple n'avait tenu le coup que par un brin ténu qui s'appelait la foi et que ce fil avait failli se briser à maintes reprises. Aujourd'hui, quand elle passait en revue ses enfants, y en avait-il parmi eux qui se rendaient encore à l'église tous les dimanches sans rater une messe ou sans manquer une seule fête chrétienne? Elle n'en connaissait qu'un, son gendre Paul, et peut-être aussi Violette…

\* \* \*

Violette avait imposé à Marcel un couvre-feu et l'avait installé sur le divan du salon. C'était humiliant pour lui, mais il n'avait pas d'autre choix s'il tenait à «son chalet». Il appelait Sonia à partir du bureau de l'usine et essayait de maintenir la flamme aussi vive que possible. Il savait que, s'il ne trouvait pas une solution à cette impasse, elle le délaisserait pour un autre qui se montrerait plus présent.

— Allô, Sonia! C'est Marcel! Comment vas-tu?

— Qu'est-ce que tu fais? Je n'ai plus de nouvelles de toi et je ne te vois plus. Tu avais l'habitude de venir me voir la semaine et nous faisions l'amour. Plus rien maintenant? Ta femme t'a attaché ou quoi? Je ne tiendrai pas longtemps à ce régime-là. Je ne sais pas si tu me comprends…

— Écoute, Sonia, c'est temporaire! Ma femme a appris que je te fréquentais, elle m'a lancé un ultimatum. Je couche sur le divan, ce qui fait ben mon affaire, mais le pire, c'est que je dois rentrer à la maison en finissant mon *shift*. J'peux pus y faire croire que j'fais de l'*over time* parce qu'elle vérifie mon talon de paye. Sois patiente! J'te jure que j'vas trouver une façon de me libérer.

— J'veux bien te croire, Marcel, parce que tu baises bien et que tu me fais rire. Mais y'en a d'autres qui baisent aussi bien que toi et qui sont plus libres que toi. Tu comprends-tu?

— J'vas trouver une solution! Donne-moé jusqu'en fin de semaine, OK? J'te promets que j'vas trouver une solution…

— OK, j'vais t'attendre jusqu'en fin de semaine, mais, après ça, j'te promets rien. C'est *fair* comme ça?

— OK! En attendant, j't'embrasse partout pis passe une bonne semaine. J't'aime!

— Moi aussi! Ciao! lança-t-elle.

Marcel détestait se sentir vulnérable à ce point. Ça lui rappelait l'époque où il avait dû s'enfuir à Goose Bay, avec l'aide des connaissances de son beau-frère Paul et les pièces d'identité de son frère Gérard. Tout ça à cause d'une histoire de machines à sous! Son associé s'était retrouvé en prison et il avait eu la frousse. Il avait de plus perdu son premier amour parce qu'elle avait refusé de s'enfuir avec lui. Il avait eu peur pour rien puisqu'il n'y avait jamais eu de mandat d'arrêt de délivrer à son nom. Il s'était fait pincer à utiliser les pièces d'identité de son frère, qui avait commencé à recevoir du chômage. Vu son jeune âge, le juge avait été clément: il n'avait eu qu'à rembourser les prestations que Gérard avait touchées. La situation aurait pu être pire si Gérard l'avait dénoncé, car ce dernier ignorait que Marcel utilisait son identité. Mais c'étaient des choses du passé… Aujourd'hui, il baignait dans une histoire d'adultère, où il avait plus à perdre que le montant d'une simple amende. C'était son chalet auquel il rêvait depuis qu'Yvan avait eu le sien. La vie était injuste à son égard, puisqu'Yvan était plus jeune que lui et qu'il avait mieux réussi avec juste son salaire, alors que lui et Violette travaillaient sans même parvenir à économiser.

Mais comparer Yvan à Marcel équivalait à comparer une cigale avec une fourmi. Marcel était sans conteste une cigale qui dépensait sans compter, alors qu'Yvan était une fourmi laborieuse qui équilibrait son budget, avait des placements et vivait une vie sans excès.

Après son travail, Marcel rentra à la maison, la mort dans l'âme. Il n'allait même plus à la salle de billard, où il gagnait tout le temps et où ses gageures payaient sa consommation et même un peu plus. Il devait jouer chaque jour s'il voulait rester au sommet de son art. Vraiment, rien n'allait plus pour lui.

Violette venait de finir de travailler. Sur la rue Chabanel, elle attendait l'autobus pour retourner à Pointe-aux-Trembles. Jamais elle ne se plaignait du long trajet qu'elle devait parcourir soir et matin. Elle s'était attachée à son quartier, car, quand elle vivait des moments difficiles, elle pouvait toujours compter sur sa famille. Violette était malheureuse, ce soir-là, de voir sa vie de couple partir à la dérive. Elle pleurait tout le temps et elle avait même sangloté dans l'autobus qui la ramenait chez elle. Tous les passagers s'étaient interrogés sur ce qui la rendait si triste au point de ne pouvoir retenir ses larmes.

En entrant chez elle, elle avait retrouvé Marcel, désabusé, regardant la télévision. Il buvait de la bière, et les bouteilles vides jonchaient la petite table du salon. Le souper n'était pas prêt, car il n'avait jamais enfilé un tablier. Violette l'avait gâté de sorte qu'il n'avait rien appris de l'art culinaire. Il pouvait tout juste se faire des rôties et un café instantané.

— Bonjour, Marcel! Alors, ta journée?

— C'est toujours la même chose : emmerdant!

— Eh bien, moi, j'ai beaucoup pleuré et je ne peux plus vivre cette vie-là. J'étais faite pour une vie heureuse et, au lieu de cela, je suis malheureuse comme les pierres. Plus personne ne me reconnaît à l'usine. Où est passé ton entrain? me demandent-ils. Je ne veux pas leur raconter ma vie, mais ils devinent que c'est le chaos. J'ai même pleuré dans l'autobus! J'avais tellement honte.

— Penses-tu que c'est plus drôle pour moi! Obligé de rentrer à la maison en finissant de travailler. Tu me donnes même pas le droit d'aller à la salle de billard, alors que c'est toute ma vie…

— Écoute, Marcel! On ne peut plus continuer comme ça. On devrait se séparer! Je vais probablement pleurer toutes les larmes de mon corps, mais, un bon jour, elles vont se tarir et je pourrai recommencer à vivre ma vie telle que je l'ai toujours imaginée. Je retrouverai ma joie de vivre et, qui sait, peut-être que je rencontrerai quelqu'un qui tiendra ses promesses. Je serai de nouveau heureuse…

Marcel était abasourdi par les paroles de Violette. Elle était prête à se débarrasser de lui. Ce n'était pas du tout le scénario qu'il avait imaginé. Il avait cru que, en étant froid avec elle, en la boudant ou en ayant l'air piteux, elle aurait craqué et tout serait redevenu comme avant. Il lui avait bel et bien promis mer et monde quand il l'avait connue, mais pour lui cela remontait à il y a si longtemps qu'il avait l'impression que ça faisait un siècle...

— Tu peux pas être sérieuse, mon amour! J't'aime et j'veux pas te perdre. J'serais complètement perdu sans toi. Il faut que tu me donnes une autre chance, j't'en prie!

— Tu m'aimes? lui demanda-t-elle.

— Puisque je te le dis, ma chérie! J'peux pas vivre sans toi sinon ce serait ma mort. J'sombrerais comme un vieux rafiot et j'finirais comme un clochard du centre-ville: sur un banc de parc. Tu peux pas me faire ça, Violette, j't'en prie...

Violette était bouleversée par l'aveu de son mari. Était-il sincère quand il disait qu'il l'aimait? Pourquoi alors l'avoir trompée s'il savait qu'il lui faisait mal? Intérieurement, c'est ce qu'elle désirait entendre, mais pouvait-elle le croire? Tant d'interrogations et si peu de certitudes. Elle se sentit envahie par une vague de tendresse qui la submergea complètement. Elle lui ouvrit les bras et Marcel en profita pour la serrer fortement, l'embrassant partout où ses lèvres pouvaient se poser pour rallumer la flamme. Ses mains la caressèrent avec frénésie. Il n'avait jamais exprimé autant d'ardeur pour la conquérir. Il arracha plus qu'il ne les défit les boutons de sa blouse. Il souleva son soutien-gorge, trop pressé pour le défaire. Violette était prise dans ce tourbillon de délices qui ne semblait pas avoir de fin.

— Arrête, Marcel ! Tu me fais perdre la tête.

— J't'aime, Violette ! J'veux te faire l'amour.

— C'est trop bon, continue !

Violette était au bord de l'orgasme tellement elle désirait cette réconciliation. Au diable ses intentions, ses principes et surtout sa détermination. Elle n'était plus qu'une chiffe molle entre les mains de Marcel qui la rendaient folle de désir. Son rêve d'amour et sa libido renaissaient. Elle avait tellement envie de lui que rien d'autre ne comptait. Elle lui pardonnait tout, ses écarts de conduite, sa cruauté, son mépris. Elle ne voulait qu'une chose : avoir du plaisir comme elle n'en avait jamais eu.

Marcel avait gagné. Il n'attendait que ce moment pour la reconquérir. Il avait eu la frousse, mais sa réaction était plus crédible aux yeux de Violette. Pourquoi leur union n'était-elle pas toujours aussi intense ? Si tel était le cas, Sonia cesserait d'exister pour Marcel. Il n'aurait plus besoin de succédanés pour combler son besoin de puissance. Il avait besoin de ressentir la vigueur, la force de l'amour qu'on lui portait, et Violette avait réussi à lui faire sentir, dans sa frénésie sexuelle, qu'elle l'aimait.

Une fois le plaisir atteint, Marcel était revenu sur terre alors qu'elle s'accrochait à la félicité à laquelle elle voulait croire. Violette, si pudique, se promenait nue sans complexe dans l'appartement.

— As-tu faim, mon chéri ? Je peux nous préparer quelque chose de vite fait et délicieux.

— Si tu pouvais toujours être comme tu es en ce moment, jamais j'aurais eu la moindre attention pour une autre…

— Je vais essayer d'être telle que tu me veux, même si je dois me faire violence en mettant de côté mes scrupules. Je te promets de mettre tous mes efforts pour te reconquérir, mon chéri.

— J'aimerais juste retrouver un peu de liberté pour aller jouer au billard une fois de temps en temps, en finissant de travailler.

— Tout ce que tu désires si tu me promets de te tenir loin des autres femmes. En échange, je serai un peu plus délurée, mais il faut que tu comprennes que mon éducation ne m'a pas amenée à être très frivole. Je ferai tout mon possible, je te le promets. Embrasse-moi pour sceller ce nouveau pacte.

Marcel ne se fit pas prier et il l'étreignit avec fougue. Après mûre réflexion, il n'avait pas aimé le ton de Sonia hier. Il n'était pas prêt à l'écarter de sa vie, mais il avait une autre option au cas où elle lui ferait faux bond. Il lui montrerait qui était le maître de la situation. S'il décidait de s'en débarrasser, il voulait que cette garce souffre à son tour. Sa misogynie gonflée à bloc, il se sentait le roi de son petit monde, et son esprit tordu était soudainement rempli de soleil.

Violette prépara un succulent souper pendant qu'il éclusait une autre bière, étendu nu sur le divan, tel un pacha. Il retrouverait son lit ce soir et il la caresserait à nouveau pour effacer les derniers soupçons qui pouvaient subsister dans l'esprit de son épouse. Ils mangèrent rapidement et s'empressèrent de se glisser sous les draps. Marcel s'appliqua à être doux pour mieux la posséder. Il se disait qu'il n'y avait rien de pire qu'une personne qui veut croire à l'amour. Son approche serait tout autre avec Sonia, qui aimait la rudesse. Il irait jusqu'à la violence pour lui faire payer les menaces à son égard, au moment où il était particulièrement vulnérable.

* * *

Le lendemain matin, Violette était transportée au septième ciel et un sourire permanent était accroché à ses lèvres. Elle était redevenue jolie et presque belle. Ses compagnes de travail ne purent s'empêcher de constater le changement radical qui s'était produit chez elle. Même son patron lui en fit la remarque.

— Dis donc, Violette, qu'est-ce qui s'est passé pour que tu deviennes si rayonnante subitement? Tu t'es réconciliée avec ton mari? Ah, l'amour! Ça peut faire des miracles, parfois! N'est-ce pas?

— Vous avez bien raison, patron! On ne devrait jamais se chicaner avec son amoureux…

La journée passa comme un rayon de soleil. Tout le monde était beau, tout le monde était gentil à son égard. Violette avait retrouvé sa vitalité et son entrain. Sa productivité était montée en flèche, pour le plus grand plaisir de son patron.

Marcel, lui, avait retrouvé son arrogance quand il eut Sonia au bout du fil. Elle sentit dans la voix de son amant que les choses avaient changé.

— Bonjour, Sonia! Comment vas-tu aujourd'hui?

— Moi, ça va, mais je crois remarquer dans ta voix que tu vas beaucoup mieux!

— Je te l'avais dit que j'avais des choses à régler et que j'avais besoin d'un peu de temps! Eh bien, c'est chose faite et je serai au lac Noir vendredi soir.

— Viendras-tu me voir?

— Certainement pàs vendredi, parce que deux de mes frères vont arriver eux aussi ce jour-là. C'est quoi ton horaire de travail en fin de semaine? J'aimerais ça te voir ailleurs qu'au bar si t'en as le goût, évidemment?

— J'en ai toujours le goût si t'as des intentions malhonnêtes… Samedi, je travaille de cinq heures jusqu'à la fermeture, et dimanche aussi. Si tu m'appelles samedi et que je ne suis pas au motel, je suis à la *pool room*.

— Parfait! Tu vas sûrement me voir arriver samedi en début d'après-midi. Prépare-toé à quelque chose de spécial!

— C'est-tu une promesse ou des paroles en l'air?

— Tu verras bien! À samedi, Sonia!

Marcel était satisfait du ton qu'il avait utilisé. Elle l'avait quelque peu raillé pour se donner contenance, mais il avait détecté dans son timbre une certaine incertitude, mais aussi une envie de le revoir. Elle le reverrait, c'était certain, et il avait hâte de lui faire subir le châtiment qu'elle méritait. Il avait compris qu'elle avait besoin d'être dominée pour aimer. De fait, elle n'était pas tellement différente de Violette. L'approche différait, mais le résultat était le même au bout du compte. Il avait ce besoin de dominer et il croyait que toutes deux pouvaient répondre à son désir.

Cette fin de semaine, c'était Daniel qui accompagnerait Patrick au lac Noir. Micheline, l'épouse de Daniel, et Thérèse seraient du voyage. C'était la première fois que Micheline et Daniel allaient dans cette région. En vérité, ils n'avaient jamais entendu parler de Lanaudière et n'auraient pu localiser ce coin de pays sur une carte routière. Il n'y avait pas d'accès direct pour s'y rendre. Que de petites routes qui traversaient de petits villages, à l'exception de Joliette. En revanche, l'arrière-pays des Laurentides était plus touristique. Comme tous ceux qui s'y étaient rendus à partir de Granby, le lac Noir paraissait au bout du monde. Ce n'était pas si loin à vol d'oiseau, mais interminable par les routes, d'autant plus qu'il fallait traverser le fleuve à Sorel pour arriver à Berthier.

— Eille, Pat! Là, je comprends l'expression qui dit: «Vieux comme le chemin de Sorel». Es-tu sûr qu'il n'y a pas d'autres chemins que le traversier?

— Moi, j'prends celui que Marcel m'a montré, sacrament! J'trouve ça long en calvaire, moi aussi!

— Choque-toi pas! J'disais ça comme ça. Tu peux être quasiment sûr qu'ils n'auront pas trop de visites de Granby une fois que leur chalet va être fini, rétorqua Daniel.

— C'est sa belle-mère qui lui a donné le terrain! C'est beau, mais c'est creux en sacrament. Remarque que pour un Montréalais, c'est pas plus loin que nous autres quand on descend au lac Selby.

— Ouais, tant qu'à ça! Marcel est devenu un Montréalais, répondit Daniel.

— On arrive bientôt? demanda Thérèse.

— Y'est à peu près temps, j'ai envie! dit Micheline.

— Encore dix minutes et on est rendus!

— J'vais être capable d'attendre, fit Micheline.

Ils arrivèrent enfin, après trois heures de route. Marcel et Violette les attendaient. Violette était rayonnante et Marcel tendit une bière aux deux gars. Ils commencèrent à sortir leurs bagages et à les mettre dans la tente française que Serge leur avait prêtée.

— Belle place, mon Marcel! L'eau est-tu bonne?

— J'en boirais pas, mais, pour se baigner, elle est parfaite, Daniel!

— J'pense que j'vais me saucer tout de suite pour voir si t'es pas un menteur!

Daniel enleva son pantalon, sa chemise et ses *loafers* et plongea dans le lac. Il en ressortit après avoir fait cinq ou six brasses.

— L'eau est encore assez fraîche, mais baignable! Parfaite pour se réveiller le matin après avoir pris un coup solide la veille.

— T'es plus courageux que moi! répliqua Patrick.

— Je l'ai toujours su! Bon bien, c'est le temps de donner des becs à ma belle-sœur préférée. Approche, Violette, j'te mangerai pas. J'comprends pas que t'aies choisi un gars comme mon frère.

Avant même de s'assécher, Daniel s'approcha de Violette et la serra dans ses bras en l'embrassant sur les deux joues. Violette était mouillée au point qu'on pouvait voir son soutien-gorge à travers sa robe de coton, mais elle riait aux éclats. La soirée s'annonçait joyeuse.

# Chapitre 9

Daniel fut le boute-en-train de la soirée et celle-ci fut bien arrosée. Tout le monde chantait, racontait des histoires drôles ou grivoises devant un feu de camp alimenté par des chutes de bois qui ne serviraient plus. Quand le bois vint à manquer, Daniel organisa une expédition dans la forêt. Ils en revinrent avec des arbres morts ou des branches séchées. Violette, l'alcool aidant, n'avait jamais tant rigolé de sa vie, disait-elle. Elle était ivre et se collait contre Marcel à la moindre occasion.

— Dis-moi, Marcel, tu me fais l'amour ce soir ? J'ai tellement envie de toi que je le ferais devant tout le monde !

— Calme-toi, Violette ! Veux-tu que ça vire en camp de nudistes ? lui dit Daniel. Remarque que, si Micheline est volontaire, je suis partant ! Ça fait longtemps que je rêve de voir mes belles-sœurs toutes nues…

— Toi, mon sacrament, tu verras jamais ma femme toute nue sauf dans tes rêves érotiques ! lança Patrick.

— Voyons, Pat, j'ai jamais dit que je la toucherais ! Juste regarder si tout ce qu'il faut est à la bonne place. Tu comprends ?

— Es-tu en train de suggérer que je n'ai pas tout ce qu'il faut, Daniel Robichaud ?

— Moi, tant que je n'ai pas vu, je doute! Mes chums m'appellent saint Thomas, Thérèse. Ton mari, qui est aussi mon frère, m'appelle «mon sacrament». On voit bien qui connaît pas sa religion!

— Veux-tu que j'te le montre que j'ai tout ce qu'il faut pour satisfaire un homme? dit Thérèse qui était passablement ivre en déboutonnant sa blouse.

— Arrête, Thérèse! Ma femme est ben jalouse et je ne voudrais qu'elle m'arrache un œil. J'vais en avoir besoin pour travailler demain pis dimanche! dit Daniel.

— Ça, mon Daniel, c'est sans compter la volée que j'vais te donner si tu regardes ma femme.

— Tu vois, Thérèse! Ton mari aussi est jaloux. On est peut-être mieux d'oublier nos projets…

— Calme-toi, Thérèse, sacrament! Si t'écoutes Daniel, tu vas te ramasser tout nue devant ce calvaire-là…

— Vois-tu, je suis devenu un calvaire asteure! Avant que tous les blasphèmes me tombent dessus, je préférerais que tu reboutonnes ta blouse. J'ai déjà commencé à loucher…

Violette riait à chaque répartie et se collait au bras de Marcel en espérant que son mari lui fasse l'amour ce soir-là. Il était déjà assez tard et, comme ils voulaient commencer tôt le lendemain matin, la meilleure solution était d'aller se coucher. Ils se saluèrent en se souhaitant beaucoup de péchés durant la nuit. Violette avait perdu toutes inhibitions et sauta sur Marcel dans l'intention d'en abuser sexuellement. Ce dernier ne pouvait pas la repousser s'il espérait s'évader demain pour rejoindre Sonia sans créer de tumulte. Violette commença son attaque en déshabillant Marcel, puis elle se déshabilla à son tour et entreprit de le séduire, mais, l'alcool agissant, elle s'endormit durant ses manœuvres. Le lendemain matin, elle avait un vague souvenir de la fin de soirée.

— Dis-moi, Marcel, avons-nous fait l'amour hier soir ?

— Tu ne te rappelles pas ? Tu m'as presque violé, mais c'était tellement bon. J'aime beaucoup quand tu prends l'initiative.

— Je me rappelle juste de t'avoir enlevé tes vêtements et, ce matin, j'ai un violent mal de tête, mentionna Violette.

— Je te conseille une petite sieste cet après-midi. Ça te fera le plus grand bien, je t'assure !

— Je crois que je suivrai ton conseil ! Je n'ai pas l'habitude de boire autant.

— On appelle ça un mal de bloc, ma chérie !

Tout le monde déjeuna, sauf Violette qui se limita à un café parce qu'elle avait définitivement trop bu la veille. Les hommes se mirent au travail. L'objectif était de monter les murs et de les fixer pour recevoir les chevrons du toit. Patrick avait planifié de monter les pans de mur au sol en prévoyant à l'avance les ouvertures, comme les portes et les fenêtres, tel que stipulé sur le plan. Il expliqua que c'était plus facile de monter la structure au sol et de les relever quitte à les maintenir en place avec des attaches temporaires.

Ils appliquèrent cette méthode de travail qui s'avéra être la façon la plus facile. La structure avançait très rapidement et Patrick était confiant et avait bon espoir de terminer, tel que prévu, selon ses plans. Marcel n'avait qu'une idée en tête, trouver le bon prétexte pour aller retrouver Sonia. Comme son imagination n'avait pas de limite, il trouva l'excuse parfaite en peu de temps. Il prétendrait devoir se rendre au village pour s'assurer que les chevrons seraient bel et bien livrés le vendredi suivant.

Violette s'était étendue après le dîner. Encore indisposée, elle avait été incapable d'absorber quoi que ce soit. Marcel pensait que c'était le moment idéal pour échapper à la surveillance de sa femme. Il avisa Patrick de son intention.

— Écoute, Pat, je dois aller rencontrer le fabricant de chevrons. J'ai un chèque à lui remettre si on les veut pour vendredi prochain. Ça ne devrait pas être long !

— T'aurais pas pu le payer en passant hier ? Tu vas nous retarder, sacrament !

— J't'ai dit que ça serait pas long ! Pogne pas les nerfs, calvaire !

— Vas-y, mais fais ça vite ! J'ai pas l'intention de finir à huit heures ce soir, câlisse…

— J'vas faire mon possible !

Marcel sauta dans son auto pendant que Patrick faisait la moue. Une fois parti, Marcel n'avait qu'une idée en tête, se retrouver dans le lit de Sonia et lui faire l'amour sauvagement. Il se rendit à la salle de billard, elle n'y était pas. Il se dirigea vers le motel où elle logeait. Son véhicule était garé devant sa porte. Comme il avait la clé de sa chambre, il en profita pour y entrer. Il entendit la douche couler. Il s'allongea sur le lit, les bras croisés derrière la tête, tout en surveillant la porte de la salle de bain. Sonia serait surprise de l'y trouver.

— Mon Dieu, Marcel ! Tu m'as fait peur. J'avais oublié que t'avais la clé. Le dernier client est sorti à trois heures et demie. Ça n'a plus d'allure, les heures de fermeture. Avant, c'était à une heure du matin, puis ils ont changé ça pour deux heures. Cette année, à cause de l'Expo, c'est rendu à trois heures du matin…

— T'es belle avec juste une serviette pour te couvrir et une autre pour retenir tes cheveux.

— La maudite boucane de cigarettes, j'suis obligée de me laver les cheveux à tous les jours !

— T'as l'air à pic, à matin ? T'es pas contente de m'voir ?

— J'viens de me réveiller, laisse-moi une chance !

— Moé, j'ai pas toute la journée! J'ai des hommes qui travaillent sur mon chantier. J'sus supposé d'être en train de payer mes chevrons. J'peux m'en aller, si tu veux?

— C'est pas ça! Ça t'arrive pas de te réveiller de mauvaise humeur, toi?

— Pas quand j'ai le goût de baiser!

— Moi, j'ai pas le goût à matin!

— On est pas le matin, il est presque deux heures de l'après-midi, sacrament!

— Je t'ai dit que j'avais pas le goût! C'est pas assez clair ou tu veux que je te fasse un dessin?

Marcel reçut sa réponse comme une claque en plein visage. Il vit un changement radical dans l'attitude de Sonia et il se demandait pourquoi. Son sang commençait à bouillir en même temps que sa colère montait. Il soupçonna d'emblée la présence d'un autre amant dans sa vie.

— T'es une belle salope! J'me fends en quatre pour venir te voir, quand tu sais très bien que c'est risqué pour moi en ce moment, et tout ce que tu trouves à me dire, c'est que ça ne te tente pas! Je n'accepte pas cette réponse. Si tu veux que je m'efface de ta vie, t'as qu'à m'le dire pis j'vas disparaître. C'est pas plus compliqué que ça!

Devant sa réaction aussi virulente que sa riposte, Sonia mit un temps avant de lui répondre.

— Ce n'est pas ça, Marcel! Je dois être sur le point d'être menstruée. Excuse-moi! J'peux te faire une caresse pareil si tu veux, mais ça sera pas la grande affaire…

— Laisse faire! J'sus pas si en manque que ça. Salut, on se reverra!

— T'es donc bien bête? Je me suis excusée, Marcel, puis là tu m'en veux, c'est ça?

— J't'en veux pas, mais j'pensais que tu tenais à moé plus que ça. C'est pas grave! Y'en a d'autres Sonia, comme y doit y avoir d'autres Marcel qui tournent autour de toé…

— Fais-moi pas une crise de jalousie par-dessus le marché, Marcel! C'est la dernière chose dont j'ai besoin…

Puis elle éclata en sanglots. Marcel était désarçonné. Il ne s'attendait pas à la voir pleurer. Il avait touché une corde sensible et changea d'attitude.

— Prends pas ça de même, Sonia! J'sus un peu énervé, ces temps-ci. J'sus pas sur le bord d'être menstrué, mais c'est tout comme… J'voulais pas crier après toé, mais comprends-moé, j'ai ben de la pression à la maison pis le chantier me laisse pas grand temps…

— Je m'excuse, moi aussi! J'avais pas à être bête avec toi. Serre-moi dans tes bras et j'suis sûre que ça va aller mieux.

Marcel l'étreignit, et la serviette de bain qu'elle avait nouée autour de ses hanches glissa par terre. Il put la caresser et la regarder dans toute sa splendeur. Elle était au début de la vingtaine et son corps était sans contredit d'une beauté athlétique sans pareille, alors que Violette avait une tendance naturelle à l'embonpoint. De plus, celle-ci avait atteint l'âge de trente-six ans. Bientôt, elle ne pourrait plus enfanter sans mettre en péril sa santé et celle de son bébé.

— Si tu veux, Marcel, on peut faire ça vite ! Ça va te soulager et moi me faire sentir moins coupable. Qu'est-ce que t'en dis ?

— Tu me laisserais faire ?

— Si tu veux ! Ça va sûrement me faire perdre mon air bête…

Devant cette invitation, Marcel était désarmé. Déjà, il la caressait. Ses mains parcouraient tout son corps, suivies sans tarder de sa bouche. Il sentait la fièvre montée à chacun de ses gémissements. Il était carrément fou d'elle. Elle avait cette saveur de fruit défendu auquel il ne pouvait résister. En un rien de temps, son pantalon se retrouva dans un coin de la chambre ainsi que ses chaussures, sans qu'il ait pris soin de les détacher. Une frénésie s'empara de lui. Sonia ouvrit la chemise de Marcel en en faisant sauter les boutons et fit glisser son nez sur son torse velu. L'acte fut très bref. Elle émit un cri soit de douleur soit de plaisir, mais, vraisemblablement, elle atteignit une vague déferlante d'extase.

— Ça valait le coup ! dit-elle en éclatant de rire.

— Tu le dis! Je te voulais tellement.

— Ma journée sera plus ensoleillée, j'en suis certaine!

— J'aime mieux te quitter en bons termes qu'en chicane!

— Tu me quittes pour revenir, n'est-ce pas?

— Bien sûr! Je ne consomme pas de drogue. C'est toi ma drogue, ma belle…

— J'aime mieux ça! Passe une bonne fin de journée et essaye de te tenir loin de ta femme, sexuellement j'veux dire…

— Inquiète-toé pas avec ça! C'est pas comparable. Embrasse-moi vite, il faut que j'me sauve!

Sonia l'enlaça. Elle avait retrouvé sa bonne humeur habituelle et elle savait que sa journée serait plus lumineuse.

Marcel retourna vite sur le chantier. Voilà plus d'une heure qu'il était parti. Il se demandait ce qu'il pourrait bien leur inventer comme histoire. Il était hors de question de faire allusion à Sonia, car il avait eu sa leçon. Leur relation devait demeurer leur secret. Il savait que, malgré tout, il serait soupçonné de l'avoir revue. Surtout Patrick, puisqu'il était le maître d'œuvre du chantier et qu'il était au courant de son absence. Il saurait sûrement tenir sa langue, lui qui avait déjà vécu une passade et qui avait subi une crise de la part de sa femme Thérèse. Quand Marcel coupa le moteur, il entendit résonner les coups de marteau de Daniel et de Patrick. Les gars n'avaient pas perdu de temps.

— Te v'là, mon sacrament! lui lança Patrick.

Marcel ne savait pas si son frère avait lancé cela à la blague ou s'il était en colère. Patrick avait toujours l'air fâché de sorte qu'on ne savait jamais sur quel pied danser.

— Ben oui! Mon gars de chevrons était occupé avec un autre client, j'ai donc dû attendre. Les chevrons seront ici vendredi matin, sans faute.

— J'pensais que t'étais reparti voir les guidounes!

— Ben non! J'sus plus sérieux que ça...

— J'serais bien curieux d'aller voir ça, moi! lança Daniel.

— Compte pas sur moé! On a eu assez de troubles de même... parle-z-en à Pat! J'sus pas sûr que ta femme aimerait ça. En tout cas, la mienne veut plus me voir là pantoute, dit Marcel.

— On pourrait y aller en cachette? suggéra Daniel.

— Même pas! Vas-y avec Pat s'il veut.

— Alors, Pat?

— Oublie-moi, mais tu peux prendre mon char si tu veux vraiment y aller.

— Ouais! On peut pas dire que vous brillez par votre courage, les gars. Allez-vous passer la veillée à tricoter?

— Toi, mon sacrament! Je retire mon offre de te prêter mon char. Tu tricoteras avec nous autres, mon gros crisse… répondit Patrick, toujours aussi mal embouché.

— Bon, assez de niaisage! On a une *job* à finir si vous êtes prêts, dit Marcel.

Les gars se mirent à l'ouvrage dans l'espoir de monter le carré avant la fin de la journée. Dimanche, ils pourraient commencer à poser les feuilles de contreplaqué. Le chalet prendrait ainsi forme. À leur grand bonheur, ils atteignirent l'objectif qu'ils s'étaient fixé. À six heures, ils déposèrent tabliers et marteaux.

— Voulez-vous une bière, les gars? leur demanda Thérèse, en criant du balcon du chalet de madame Dandenault.

— Ça ne serait pas de refus! On a le gosier pas mal sec… répondit Daniel.

Pendant qu'ils rangeaient les outils, Thérèse vint vers eux avec trois bières. La météo annonçait de la pluie pour la nuit. Quand ils eurent fini, ils admirèrent le résultat de leur labeur. Les trois femmes se joignirent à eux en transportant leurs chaises de parterre. Violette semblait s'être remise de sa mauvaise cuite. Elle sirotait un Seven-Up, tandis que Thérèse et Micheline buvaient une bière.

— Que diriez-vous d'un *charcoal* ce soir?

— Du steak?

— Oui, si vous voulez!

— D'accord! fit Daniel.

— Je vais allumer les briquettes! proposa Marcel.

Patrick se contenta de boire sa bière et d'observer le travail accompli. Il planifiait la suite des travaux en s'assurant de ne pas trop charger les journées, car les autres travaillaient bénévolement. Il était le seul à avoir droit à une rémunération, même si elle était en deçà de ce qu'il touchait comme menuisier-compagnon dans la construction. Marcel avait cru bon de conclure ce marché avec lui pour qu'il mène le projet à terme. Patrick se sentait valorisé d'être le maître d'œuvre, mais son été tout entier y passerait, y compris ses vacances.

— On va manquer de bières! fit remarquer Daniel.

— Ouvre-toi les yeux, Daniel! J'ai encore trois caisses de vingt-quatre en réserve. On va s'entendre sur un point, si vous prenez une bière dans le frigidaire de la remise, vous la remplacez par une autre, sinon vous allez boire de la bière tablette comme mon père, répliqua Marcel.

— Est-ce que je peux mettre les patates sur le grill? demanda Micheline. Je les ai toutes enveloppées de papier aluminium et j'ai fait aussi une papillote de légumes?

— Vas-y, moi, j'vais m'occuper des steaks! C'est moi le roi du steak… s'écria Daniel.

— Et toi, Violette! Comment tu te sens? s'enquit Thérèse.

— Je peux te dire que je vais être un sacré bout de temps avant de retoucher à de la boisson. C'est bien agréable sur le coup, mais, le lendemain, mal de tête, nausée, pas d'appétit. Non, merci! Ce n'est vraiment pas fait pour moi… dit-elle.

Quand tout fut prêt, ils s'installèrent autour de la table à piquenique pour déguster un excellent repas, dans un esprit festif. Daniel donnait le ton en étant le joyeux luron habituel. Violette semblait retrouver un peu de vigueur et termina la soirée en chantant à l'unisson avec les autres convives.

Marcel était content que sa fugue soit passée inaperçue aux yeux de sa femme. Il ne pouvait plus se passer de Sonia. Cela, il l'avait compris quand elle l'avait repoussé. Il s'était fâché en lui faisant du chantage affectif et Sonia avait changé d'idée en répondant à son désir. Sa joie avait été à son comble en constatant qu'elle tenait à lui. Marcel ne savait pas encore comment il pourrait gérer cette aventure, mais il devrait concocter un plan pour duper Violette et la maintenir dans l'ignorance. C'était vital, pour la poursuite de son plan, de garder sa femme et sa maîtresse, la chèvre et le chou, le beurre et l'argent du beurre.

Marcel était fourbe et cela ne lui causait aucun problème de conscience. Son unique crainte était de perdre son chalet, la seule chose qu'il avait vraiment désirée dans sa vie. Même si la propriété appartenait à Violette, il y mettait beaucoup d'énergie. Ce chalet était une utopie, un rêve inaccessible si lui et Violette ne faisaient pas équipe. Et tout ça pour se mesurer, apparemment, à son frère Yvan. C'était ridicule, pour ne pas dire grotesque. Sa femme ne pesait pas lourd dans la balance. Il en avait uniquement besoin pour la possession de ce chalet. Un jour, il avait fait un cauchemar. Il s'était vu y vivre avec Sonia, entouré d'ennemis composés de la famille Dandenault. On avait empoisonné son puits, crevé ses pneus, mis du sucre dans son réservoir à essence et bien d'autres choses encore. Il s'était réveillé en criant et en injuriant son beau-frère. Violette était sortie de son sommeil en l'entendant crier.

— Qu'est-ce qui se passe, mon chéri ? Un cauchemar ?

— Aucune idée ! avait-il menti.

— Tu es tout en sueur !

— Je saute dans la douche ! avait-il dit pour toute réponse.

— Tu dois me laisser y aller avant toi, sinon je manquerai mon autobus.

Marcel était resté allongé pendant que sa femme avait disparu sous la douche. Il avait eu de la difficulté à se débarrasser de ce cauchemar qui serait très près de la réalité advenant une union avec Sonia. Il avait essayé de chasser ces images qui lui renvoyaient sa culpabilité, mais en vain.

Violette était sortie de la douche en vitesse, elle s'était habillée, avait ramassé une pomme, embrassé Marcel et filé vers l'arrêt d'autobus. Marcel était à son tour parti sous la douche. Il était moins pressé que Violette, car il travaillait près de chez lui, à Pointe-aux-Trembles, ce qui ne l'empêchait pas de profiter de la voiture pour se rendre à l'usine.

\* \* \*

Émile savait que plusieurs s'étaient rendus à Saint-Jean-de-Matha au cours de la fin de semaine. Il était inquiet au sujet de Marcel, lui qui ne s'était jamais fait de souci pour qui que ce soit. Il cherchait une façon discrète de se renseigner. Seule Lauretta pouvait avoir de nouvelles fraîches. Émile n'avait jamais fait dans la dentelle, aussi décida-t-il d'y aller directement.

— Dis-moi donc, Lauretta! Aurais-tu des nouvelles de Marcel?

— Justement, j'en ai eu par Micheline. Le chalet avance bien! Il paraîtrait qu'ils ont fait la fête vendredi soir et que Violette avait la gueule de bois le lendemain. Elle ne supporte pas la boisson, la pauvre. Elle ne devrait pas y toucher! Pour le reste, il semblerait que la paix soit revenue dans le couple. Je leur souhaite bien ce bonheur!

Émile s'en alla dans son jardin, sa curiosité satisfaite. Et les nouvelles étaient bonnes. Tout comme Lauretta, il ne voulait pas qu'un autre de ses fils se sépare. Il adorait ses enfants, mais ne savait pas comment leur exprimer sa tendresse. Il aimait la plupart de ses brus et ne voulait pas qu'elles soient abandonnées. Ces rapports étaient différents avec ses gendres. Il avait eu d'innombrables querelles avec Paul Tremblay, mais ce dernier, trop indépendant, refusait de plier l'échine. Il remettait toujours en doute ses affirmations et particulièrement quand elles étaient erronées. Émile détestait se faire rabrouer, surtout par Paul. Même son fils Yvan, qui était sûrement plus intelligent que son gendre, n'osait pas l'affronter… Quant à Serge Gosselin, il le tutoyait en l'appelant «le beau-père» et cela l'irritait au plus haut point. Malgré leurs disputes épiques, Paul le vouvoyait, au contraire de ce jeune blanc-bec. Il ne le prenait pas.

Émile doutait qu'une paix durable se soit installée entre Marcel et Violette, à moins que son fils ait pris la décision de quitter sa maîtresse. Cette Sonia avait du chien et était sûrement capable de le manipuler, lui qui n'était qu'un faible quand il était question de résister à la tentation de la chair. Émile acceptait les défauts de Marcel, parce qu'il avait les mêmes. Tout comme lui, Marcel était un ivrogne, un être arrogant, mais aussi un homme courageux. Il ne reculait pas devant l'adversité, ça le stimulait même. Émile considérait ces défauts comme des qualités. Ce qu'il ne tolérait pas, c'était son adultère. Ce qu'il reprochait aussi à son fils, c'était d'avoir escroqué de l'argent à sa mère. Mais lui, n'avait-il pas fait la même chose à sa femme, pour un montant beaucoup plus substantiel? Marcel avait encaissé le chèque d'allocation familiale de Lauretta, tandis qu'Émile lui avait subtilisé cinq mille dollars. C'était une fortune, à l'époque. Il chassa ce souvenir trop douloureux et revint à l'adultère de Marcel.

Émile ferait tout pour retourner au lac Noir afin de vérifier la sincérité de son fils. Au dîner, il en parlerait à sa femme pour s'assurer d'une place lors du prochain voyage.

Il rentra à la maison, heureux de sa récolte.

— Regarde ce que j'ai déjà cueilli dans le jardin ! De la salade, des radis, les premières petites fèves, des échalotes, pis y'a des tomates qui sont presque prêtes. Y'a rien de mieux que le fumier de lapins pour le jardin. Les fraises sont finies, mais les framboises et les groseilles s'en viennent.

— As-tu des fines herbes parmi toute cette manne ?

— Y'en a tout plein ! Lesquelles tu veux ? J'peux retourner en chercher…

— Non, Émile ! J'irai moi-même y faire un tour cet après-midi.

— C'est comme tu veux, Lauretta ! Ça me dérangerait pas pantoute d'y retourner.

— T'es ben fin, Émile, mais ça va me faire du bien d'aller voir le fruit de ton travail. Il faut que je te donne ça, tu as toujours eu le pouce vert !

— J'sus venu au monde dans un jardin ! J'ai pas grand mérite.

— Ne te rabaisse pas quand je te fais un compliment, Émile. Celui-là est très mérité. Ce n'est pas tout le monde qui a ce don-là, même quand on est né dans un jardin.

— Merci ben, Lauretta, mais, dis-moé donc, sais-tu qui monte chez Marcel en fin de semaine ?

— Je pense que c'est encore Nicole et Serge. Ils démontent leur tente parce qu'ils s'en vont à Old Orchard pendant leurs vacances. Marcel a trouvé une petite roulotte à la place. Thérèse ne sera pas du voyage en fin de semaine. Après, c'est Monique et Paul qui vont être là pour deux semaines. J'ai tout noté ça sur le calendrier. Oh, excuse-moi, Émile, je n'ai pas réfléchi avant de dire ça !

— C'est pas grave, Lauretta ! Ça fait longtemps que tu sais que j'ai pas appris à lire. J'm'en fais pus avec ça...

— Excuse-moi pareil !

— J'pourrais peut-être y aller ? J'serais utile, c'est certain ! Peux-tu demander à Pat si y me prendrait ?

— Bien sûr ! Je suis certain qu'il va vouloir t'amener.

* * *

Émile était content et attendrait la réponse avec impatience. Il mangea avec appétit et, après une courte sieste, il partit faire sa balade quotidienne. Tout en marchant, il réfléchissait. Il se rendait compte que la retraite, ce n'était pas si mal après tout. C'était comme des vacances perpétuelles et il avait plaisir à accomplir ce qu'il avait négligé de faire les soixante et onze premières années de sa vie. Il était convaincu qu'il lui en restait encore beaucoup d'autres à vivre. Il devait, cependant, passer à travers un hiver pour s'assurer que la retraite, c'était une chose formidable.

Émile était mal à l'aise de donner des conseils à ses enfants, car il n'avait jamais été un exemple dans son couple. Il connaissait ses défauts et se savait incapable de s'en débarrasser. Mais il aurait pu être de bon conseil, justement, en tablant sur ceux-ci et en mentionnant à Marcel que, s'il ne voulait pas finir comme lui, il devait agir autrement. Émile espérait pouvoir l'aider à prendre les bonnes décisions.

Il marchait des heures en solitaire, tout en faisant des arrêts, pour se désaltérer mais aussi pour socialiser, dans des débits de boisson ou dans des épiceries où il achetait sa grosse bière, qu'il buvait dans des refuges naturels qu'il découvrait au hasard de ses promenades.

Émile retirait beaucoup de satisfaction de ses longues escapades. Il ne réduisait pas sa consommation d'alcool pour autant, car il avait l'impression de l'éliminer tout en marchant. Ses pas pouvaient le conduire sur une distance de quinze ou vingt milles. Des gens rapportaient qu'ils l'avaient aperçu aux quatre coins de la ville. Jacques, un de ses fils qui était plutôt philosophe, l'aurait comparé à Jean-Jacques Rousseau, dans ses rêveries du promeneur solitaire, même si Émile n'avait pas la stature ni la verve dudit personnage. Il partageait avec lui ce côté vagabond et ce sentiment de bien-être devant la beauté de la nature. Il pouvait tout oublier. À son retour, il était toujours de bonne humeur, pour le plus grand plaisir de Lauretta.

— Tiens, te revoilà, Émile ! Je vois à ton air que ta promenade a été des plus agréables.

— Si tu voyais les trésors de beauté qu'il y a à Granby, tu serais étonnée !

— Profites-en, c'est bon pour la santé ! Serge m'a conté qu'il t'avait croisé près de la fontaine, sur le boulevard Leclerc, en haut de la rue Dufferin. Veux-tu bien me dire ce qui t'a amené dans ce coin-là de la ville ?

— C'est le hasard ! Je marche et je décide de tourner à droite ou à gauche pis j'me retrouve devant des monuments et des beaux parcs. J'aime ben ça me laisser mener par le hasard. J'pense qu'une bonne fois j'vas aller au zoo. Ça te tenterait pas d'y aller ?

— Je n'ai pas tes jambes pour marcher comme toi. Je paye le prix pour avoir toujours travaillé assise derrière ma machine à coudre. C'est rendu que j'ai de la misère à me rendre à l'église et ce n'est pas si loin que ça. En passant, j'ai eu des nouvelles de Patrick, et il veut bien t'amener au lac Noir.

— C'est des bonnes nouvelles ! J'vas être paré quand y va passer me chercher, crains pas…

— Dis-moi donc, Émile ! Aurais-tu une idée derrière la tête pour tant vouloir aller au chalet de Marcel ?

— Ouais! J'veux qu'on se parle entre hommes si j'ai une chance. Y'a des affaires avec lesquelles j'sus pas d'accord pis j'veux y dire!

— J'espère que tu vas pas mettre le trouble dans son couple?

— C'est le contraire, j'veux l'aider!

# Chapitre 10

Patrick passa prendre son père en voiture, avec à son bord Nicole et Serge. Il avait avisé sa mère qu'il ne voulait plus voir son père cracher par la vitre de son auto. Il l'obligeait à apporter un crachoir. Émile s'était plié de bonne grâce à cette demande, parce que, lorsqu'il avait encore sa voiture, il aimait qu'elle soit impeccable.

Émile avait récupéré une boîte de conserve en guise de crachoir jetable. Il était assis à l'arrière, aux côtés de Nicole. Cette dernière avait un haut-le-cœur chaque fois qu'il crachait. Elle détestait l'odeur de salive mêlée à la senteur de la chique et trouvait épouvantable que les hommes mastiquent cette mixture de tabac qui leur donnait une haleine putride. Émile appelait cela une *plug*. Il s'agissait de feuilles compressées en bouchon qui avaient un relent de tabac, et celui-ci était haché finement, mélangé à de la mélasse. Avec ses dents, il en arrachait un morceau et le mâchait ou le plaçait à l'intérieur de sa joue. Quand il ouvrait la bouche pour parler, Nicole voyait ses dents brunies par la chique. Quand il la jetait, elle trouvait cela dégoûtant.

— Dis-moé donc, Pat, vous êtes rendus où dans vos travaux ?

— On va poser les chevrons puis le *plywood* pour pouvoir travailler même s'il pleut ! La semaine prochaine, c'est les vacances. Paul va être là avec sa famille sauf Maxime, qui travaille à plein temps. J'pense que c'est m'man qui va lui faire à manger. Paul va s'occuper de l'électricité, après ça on va poser la laine minérale et finalement le préfini. Ça va commencer à ressembler à un chalet, cette affaire-là.

— T'es rendu pas mal bon dans la construction, mon gars!

— Ça n'a plus grand secret pour moi, p'pa! J'ai fait du chemin depuis le temps que je t'aidais à bâtir la maison en 46. Eille! Ça fait plus de vingt ans. Il me semble que c'était hier…

— À qui le dis-tu! La vie passe comme un coup de vent pis la première affaire que tu sais, c'est que t'es rendu vieux comme moé…

— J'espère que la famille Dandenault va nous aider! Y sont toujours supposés d'être là, mais je n'en ai pas vu un crisse depuis le début du chantier. Y sont pas fiables pantoute!

— J'pensais qu'y étaient chums avec Marcel?

— Ah, c'est une gang de calvaires! Y ont toujours d'autres choses à faire qui est plus pressant que d'aider leur beau-frère. J'aimerais bien ça que ça soit mes beaux-frères, je leur dirais en sacrament!

— Y'est ben chanceux de t'avoir pis de pouvoir compter sur la famille Robichaud!

— Y'a Gérard qu'on verra pas, mais c'est normal! Y'est toujours parti en Floride ou en Californie. Yvan, j'y ai pas vu la face non plus, mais Jacques va venir avec sa blonde pendant les vacances et Jean-Pierre aussi. Je te le dis, p'pa ! À la fin des vacances de juillet, on devrait être dans la finition intérieure si on a l'aide des Dandenault.

— Vous allez en venir à bout pareil, j'sus sûr de ça ! Vous êtes tous des gars capables pis pas manchots en plus de ça ! J'sus pas mal fier de vous autres, les gars.

Nicole avait trouvé la route très longue, constamment agressée par la vue et l'odeur du crachoir improvisé par son père. Elle ferait le voyage de retour à l'avant et Serge à l'arrière. De plus, son père sentait le vieux. Elle n'aurait pu définir cette odeur, mais cela avait un lien avec l'hygiène corporelle. La plupart des gens de l'âge de son père prenaient tout au plus un bain par semaine, alors que les gens de sa génération se douchaient chaque jour.

Violette les vit arriver et se dirigea vers eux pour les accueillir. Elle était souriante, tout semblait bien aller pour elle.

— Bonjour, tout le monde ! Avez-vous fait bon voyage ?

— Allô, Violette, c'était un peu long, mais bon ! Nous nous sommes rendus et c'est ce qui compte, répondit Nicole.

— C'est vrai que c'est un peu loin de Granby. Ma mère est restée à Montréal cette fin de semaine. Il y a trois chambres de disponibles dans son chalet et un divan.

— Serge et moi, on va coucher dans la tente. Pat pourra prendre une chambre et papa l'autre, déclara Nicole.

— C'est comme vous voulez! Et vous, monsieur Robichaud, vous avez l'air en pleine forme? J'aimerais tellement ça être comme vous à votre âge si je me rends là, évidemment.

— Moé, ça va! J'ai un secret. Je marche à tous les jours pendant plusieurs heures et ça garde la forme… J'te souhaite de vivre vieille toé aussi, ma belle Violette.

— Vous prendrez la même chambre que la dernière fois si vous voulez, monsieur Robichaud.

— Ça serait parfait! Le matelas était ben confortable.

— Il reste la chambre de ma mère pour toi, Pat! Est-ce que ça fait ton affaire?

— Pas de problème, Violette! Un lit, c'est un lit… où est-ce qu'il est, Marcel? Est-ce lui qui a posé les chevrons et le *plywood* sur la couverture? demanda Patrick.

— C'est mon frère Gilles et mon beau-frère Richard. Ils sont pas mal habiles eux aussi. Ils ne pouvaient pas venir en fin de semaine, mais ils ont eu du temps de libre durant la semaine. Marcel était bien surpris quand on est arrivés. Il n'a pas pu s'empêcher de monter sur le toit et il m'a dit que c'était parfait. Tu peux aller vérifier, Pat, si tu doutes. Pour ce qui est de Marcel, il est parti faire des petits achats chez le quincaillier Rivest, à Saint-Jean-de-Matha. Il peut y passer des heures… Pendant que j'y pense, viendrais-tu avec moi chez le boucher, Nicole ? J'ai oublié de donner ma liste à Marcel.

— Bien sûr ! Est-ce que tu me donnes les clés, Patrick ? On ne sera pas longtemps parties.

Nicole sauta dans la voiture de Patrick, suivie de Violette, le temps qu'elle empoigne son sac à main. Elles roulèrent en direction du village et Violette était la copilote. Tout à coup, elle remarqua le véhicule de Marcel dans la cour du motel de Saint-Jean-de-Matha.

— Eille, Nicole ! C'est l'auto de Marcel. Il m'avait dit que c'était fini avec sa guidoune… Tourne ici, je veux le confronter, le salaud !

Nicole était prise entre sa belle-sœur et son frère. Elle ne pouvait refuser de suivre les ordres de Violette. Elle avait reconnu la voiture de son frère. Elle se gara donc à côté. Violette cogna à l'une des portes, puis elle se mit à crier en cognant aux deux portes.

— Marcel ! Je sais que tu es là ! Ouvre la porte ! Marcel !

Violette continua à frapper sans obtenir de réponse de sa part. Elle devint de plus en plus hystérique, martelant la porte à grands coups de poing. Son mari était en train de baiser Sonia quand il entendit qu'on frappait à la porte. Puis il reconnut la voix de sa femme, qui était presque en délire. Il fit signe à Sonia de ne pas ouvrir la bouche. Violette finirait bien par s'épuiser. Ils se rhabillèrent sans faire de bruit, car elle pouvait aussi bien se rendre à la réception et se renseigner sur la locataire de la chambre 112.

Violette pleurait de rage en criant le nom de Marcel.

— Marcel! Tu m'avais promis que c'était fini! Ouvre la porte pour que je puisse connaître cette briseuse de ménage. Marcel, je t'en supplie, ouvre!

Cette scène traumatisa Nicole. Elle était chagrinée de voir sa belle-sœur, d'habitude si digne, s'abaisser jusqu'à l'hystérie, le cœur brisé par son mari. Nicole ne pouvait s'empêcher de partager la douleur de Violette et de ressentir du mépris pour son frère. Elle ne pouvait non plus s'empêcher de le trouver stupide. Il aurait dû être plus vigilant et aux aguets, dans un village aussi petit que Saint-Jean-de-Matha.

— Viens-t'en, Violette! Ça ne sert à rien de t'acharner parce que tu sais bien qu'il n'ouvrira jamais. Viens!

Nicole entoura les épaules de Violette. Inconsolable, sa belle-sœur s'étouffait dans ses sanglots. Elle avait cru aux paroles de son mari, à son repentir, et il l'avait de nouveau trahie. Nicole ne savait pas comment il pourrait s'en sortir cette fois-ci. Surtout devant tant de membres de sa famille. Quel imbécile!

Marcel se sentit soulagé quand il entendit l'auto s'éloigner. Il était accroupi derrière le rideau. La peur l'avait envahi. Il se tenait la tête à deux mains, cherchant quel mensonge il pourrait encore une fois inventer. Il aurait sûrement droit à une crise dès qu'il mettrait les pieds chez lui. Heureusement que sa belle-mère était restée à Montréal, car il la craignait plus que tout.

— J'pense que t'as un problème, mon beau Marcel! lui dit Sonia avec un sourire ironique.

— Rajoute-z-en pas, sacrament! Un problème, tu dis? J'sus vraiment dans la marde, avec ma sœur comme témoin en plus… Essaye donc de trouver une solution plutôt que de te foutre de ma gueule!

— Moi, j'ai pas de problème dans tout ça! J'suis libre comme l'air. On appelle ça courir deux lapins en même temps et j'ai hâte de voir comment tu vas t'en tirer, cette fois-ci. Le pire qui puisse t'arriver, c'est de perdre les deux lapins, mais j'suis quasiment certaine que tu vas t'en sortir encore une fois… dit Sonia.

— Dis-moé donc comment j'vas faire ça, sacrament? Pis enlève donc ce crisse de sourire baveux de ta face! Moé, j'la trouve pas drôle pantoute, tu sauras… répondit Marcel.

— Tu peux quitter ta femme, prendre un appartement en ville et oublier ton chalet. Moi, j'peux me trouver une *job* n'importe où! Des belles femmes avec de l'expérience, ça court pas les rues, mais ça serait mieux en banlieue, comme à Repentigny ou Laval. Je partirais avec toi parce que t'es une bonne baise, mon chéri.

— Arrête de dire des niaiseries, Sonia! J'veux pas perdre mon chalet, sacrament. C'est la première fois que j'ai quelque chose à moé.

— Y'est pas à toi ce chalet-là, puis, en plus, y'est loin d'être fini, si je me fie à ce que tu me dis. Et ça, c'est sans compter qu'y est sur le terrain de ta belle-mère… ça «regarde» pas bien, mon Marcel.

— Fais-tu exprès pour me faire pogner les nerfs? J'pense que j'ai trouvé ce que j'vas dire!

— Tu vois! J'le savais que t'étais assez tordu pour trouver une solution. C'est pas facile de pogner une couleuvre… Raconte-moi ton histoire, puis j'vais te dire si ça a une chance de passer.

— J'vas débrancher un câble de mon distributeur pis j'vas m'en aller à pied à la salle de billard. De là, j'vas appeler chez ma belle-mère pour leur dire que j'sus en panne dans la cour du motel, mais que j'me trouve en ce moment dans la salle de billard. D'après moé, ça peut passer…

— Si elle est assez épaisse pour avaler ça! Chapeau et lâche-la jamais.

— Je l'essaye comme ça! Mais, avant, j'vas prendre une douche parce qu'à risque d'avoir le nez fin après ça…

— T'es un vrai crosseur, Marcel! Tu penses à tout!

— J'veux pas tout perdre! Comprends-tu ça?

— Tu vas peut-être réussir à t'en tirer encore une fois, mais tu pourras pas gagner tout le temps. C'est écrit dans le ciel ! répliqua Sonia, impressionnée malgré elle.

Marcel se déshabilla et se glissa sous la douche sans utiliser de savon, mais il se frotta avec vigueur pour effacer l'odeur du coït qu'il sentait jusque dans son nez. Il répétait en boucle son histoire tout en s'assurant qu'elle était plausible. Comment expliquer que son auto se trouvait si loin, dans la cour du motel ? C'était un détail gênant, mais il avait encore un peu de temps pour trouver une solution. Il se rhabilla et sortit sans un mot. Il ouvrit le capot de son auto et déconnecta deux câbles de son distributeur, puis les remit en place sans les enfoncer. Il rabaissa le capot et se dirigea vers la réception du motel dans l'intention de soudoyer la réceptionniste.

— Bonjour, mademoiselle, j'aurais besoin d'un petit service ! dit-il tout en lui tendant vingt dollars.

— En quoi puis-je vous être utile ? demanda-t-elle en acceptant son billet.

— C'est rien de bien compliqué ! J'sus en panne devant l'unité 112. Je vas faire remorquer le véhicule avant la fin de la journée. Si quelqu'un appelle ou vient se renseigner pour savoir qui loge au 112, vous n'avez qu'à dire que la chambre est inoccupée. Ce serait grandement apprécié.

— Si je résume, Sonia n'habite pas ici ! C'est bien ça ?

— Vous avez tout compris, mademoiselle !

— Je vous conseillerais de vous stationner dans la cour chez Rivest à l'avenir. Vous éviterez ainsi à devoir donner des gros pourboires...

Marcel ne put faire autrement que de sourire bêtement. De toute évidence, cette jeune femme était consciente de son aventure avec Sonia ; de plus, elle la connaissait bien. Il quitta les lieux pour se rendre à la salle de billard et, une fois là, il appela au chalet de sa belle-mère. C'est Nicole qui répondit et il se sentit soulagé. Il affronterait sa femme plus tard.

— Allô, Nicole ! J'sus en panne et j'sus actuellement à la salle de billard. Penses-tu que Serge pourrait venir voir c'est quoi le problème ?

— Je ne sais pas si tu es au courant, mais ta femme a vu ton auto dans la cour du motel. Elle pleure comme une Madeleine depuis ce temps-là. Je peux te dire que l'ambiance ici est sinistre.

— Ben voyons donc ! J'peux tout expliquer. Mon char a arrêté de marcher quand j'étais presque rendu chez Rivest. J'me suis rendu dans la cour du motel en profitant de son erre d'aller. J'voulais pas le laisser sur le chemin. J'ai essayé de le faire repartir, sans succès. Là, j'sus à la salle de billard. Demande à Serge ou à Pat s'il pourrait pas venir me chercher ou essayer d'arranger le problème...

— J'vais y aller avec Serge, mais j'te crois pas! Comment peux-tu faire ça à ta femme? T'es vraiment un écœurant, Marcel Robichaud, de lui faire de la peine de même…

— Viens et tu vas ben voir que c'est vrai! Le crisse de char, y part pas! Si c'est toute la confiance qu'elle a en moi, qu'elle pleure! Qu'est-ce que tu veux que j'fasse? Que j'me mette à brailler moé aussi? J'ai assez le feu au cul de même, rajoutez-en pas en plus!

En parlant avec sa sœur, Marcel avait compris que la meilleure défense, c'était l'attaque. Jouer l'offusqué, le blessé dans sa dignité, marcherait. Il pouvait même prétendre être en colère pour donner encore plus de crédibilité à sa défense. Il savait qu'il avait semé le doute dans l'esprit de Nicole, qui pourrait à son tour le faire germer dans la conscience de Violette. Il pourrait même en sortir plus fort s'il réussissait à instiller la culpabilité dans le cœur de sa femme pour avoir douté de lui…

— Violette! Marcel vient d'appeler et il prétend qu'il a eu une panne. Je vais y aller avec Serge et je te jure qu'il ne m'embarquera pas dans ses sornettes! C'est mieux d'être vrai ce qu'il dit et tu peux te fier à moi. Je connais mon frère et je suis assez perspicace pour reconnaître le mensonge si c'en est un! Il est mieux d'effiler ses patins parce que je suis de ton bord, crois-moi!

— Je ne sais plus, Nicole! Je ne sais pas! Je suis incapable de lui faire confiance, parvint à dire Violette entre deux sanglots.

Il va finir par me détruire! Tu as vu ma réaction quand j'ai vu son auto dans le stationnement du motel? C'est comme si on m'avait planté un couteau dans le cœur, j'aurais voulu mourir. Je suis devenue hystérique et, si j'avais pu entrer dans le motel, c'est elle que j'aurais tuée.

— Calme-toi, Violette! Tu te fais du mal pour rien. Il n'était peut-être pas là. Je vais vérifier qui loge à l'unité 112. On en aura le cœur net une fois pour toutes. Sais-tu comment elle s'appelle?

— Je ne l'ai jamais vue, cette catin, ni su son nom et c'est mieux comme ça pour ma santé mentale, parce que je sens que je pourrais faire les pires bêtises, jusqu'à tuer…

— Arrête, Violette, tu me fais peur! Ça n'en vaut pas la peine. Il n'y a rien qui vaille la peine de se rendre malade ou de se retrouver en prison. As-tu des calmants?

— Non! Je n'ai jamais eu besoin de ça, mais je crois que, lundi, j'irai voir mon docteur pour m'en faire prescrire.

— Ça va te faire du bien! Quand j'ai perdu mon bébé, j'en ai pris pendant plusieurs mois et la vie était moins difficile. Je dormais mieux et je ne faisais plus de cauchemars. Écoute, Violette, je vais te laisser et aller chercher ton mari. Je te jure que je te dirai la vérité sur tout ce que je pourrai voir ou ressentir à propos de cette affaire. Essaye de te calmer si tu peux, d'accord?

— Merci, Nicole! Une chance que tu es là parce que je ne sais pas ce que je ferais sans toi. Je vais tenter de m'apaiser, je te le promets.

— D'accord! Je vais chercher ton mari avec Serge et on écoutera ce qu'il a à dire pour sa défense.

Nicole avait la ferme intention de clarifier la situation. Elle appela son mari et tous deux prirent l'auto de Patrick. Ce dernier resta sur le terrain avec Émile parce qu'il ne voulait pas s'immiscer dans cette affaire et parce qu'il ne voulait pas non plus croiser Violette, de peur qu'elle le questionne.

— Pis toé, Pat! Qu'est-ce que tu penses de tout ça? lui demanda Émile.

— Moi, p'pa! J'veux pas m'en mêler, mais Marcel aurait pu s'organiser pour ne pas nous mêler à ses crisses de niaiseries. Qu'est-ce que tu penses, toi, de cette histoire?

— Moé, j'sus sûr qu'y'est coupable de ce que Violette l'accuse. Tu l'as vu comme moé dans le bar où y faisait noir comme chez l'diable. Y'avait l'air d'être ben chum avec la danseuse! J'ai pas peur d'le dire: trop chum, que j'trouvais... C'est sûr qu'y se passe quelque chose entre ces deux-là. Une guidoune qui me passait ses tétons dans la face, en plus. Y'a perdu la tête pis y va tout perdre si y continue comme ça.

— Veux-tu une bière, p'pa? J'suis pas sûr qu'on va travailler en fin de semaine si ça continue comme ça. J'veux pas travailler dans une ambiance de même, sacrement!

— Une bonne bière, ça va faire du bien, mais c'est sûr qu'y faut que j'y parle même si y veut pas m'entendre. J'peux pas le laisser gaspiller sa vie comme ça sans essayer de lui faire comprendre le bon sens.

— Tu peux pas le forcer, p'pa, s'il veut pas !

— J'le sais ben, Pat, mais y faut au moins que j'essaye de faire quelque chose avant qu'y fasse la plus grosse erreur de sa vie. Quitter une bonne femme comme Violette pour une pitoune qui montre ses fesses à tout le monde et qui va le sacrer là la minute qu'elle va en trouver un plus beau ou un plus riche… Ç'a pas d'allure !

— Tu peux tenter ta chance, p'pa, mais j'suis pas sûr que ça va marcher ! Mais ça coûte rien d'essayer…

Entre-temps, Nicole discutait avec son mari de cette drôle de situation dans laquelle ils se trouvaient impliqués malgré eux. Elle aurait préféré, tout comme Serge, retourner à Granby plutôt que d'avoir à résoudre cet imbroglio.

— Veux-tu bien me dire pourquoi on est empêtrés dans les saloperies de ton frère ? demanda Serge à sa femme.

— Tu es certain que c'est une saloperie ?

— Que veux-tu que ce soit d'autre ? Son histoire ne tient pas debout pantoute. Voyons donc si son char est tombé en panne dans la cour d'un motel ! Il aurait pu le laisser sur le bord de la route tout simplement. Il nous prend pour des dindes qu'il veut farcir de menteries. Tant mieux si sa femme est assez naïve pour croire ça, mais, moi, c'est certain qu'il ne m'embarquera pas dans ses conneries.

— Tu as raison, Serge! C'est trop gros pour être vrai, mais as-tu pensé à Violette dans tout ça? La vérité va lui faire très mal.

— Écoute, Nicole! Tout ce qu'on aura à dire, c'est ce qu'on aura vu sur place. Que l'auto ne fonctionnait pas, que j'ai pu réparer le problème et que, effectivement, on a retrouvé Marcel à la salle de billard. C'est tout! Pas de menteries et Violette n'aura qu'à croire ce qu'elle veut bien croire…

— Je lui ai promis que je me renseignerais sur la personne qui habite à l'unité 112 et je dois le faire pour me sentir honnête envers elle. Pour le reste, je crois que tu as raison. On n'a pas à présumer qu'il est coupable ou non. On dira les choses telles qu'on les voit.

Serge entra dans la cour de la salle de billard et alla chercher Marcel pendant que Nicole attendait dans l'auto. Marcel jouait une partie comme si de rien n'était. Il avait toujours sa gueule de frondeur, comme s'il mettait au défi quiconque douterait de sa version des faits.

— Salut, Serge! Me laisses-tu le temps de finir ma partie? Ça ne prendra pas plus que quelques minutes.

— Nicole attend dans l'auto, fais ça vite! Je m'en vais dehors.

— Deux minutes !

Serge sortit et alla s'installer au volant de sa voiture.

— Ou bien il est innocent ou bien il se crisse de tout ce qui se brasse en ce moment…

— Tu le connais ! Il est bien capable de s'abriter derrière un alibi forgé de toutes pièces et à toute épreuve, et tout ça en gardant sa gueule de baveux.

— Ça ressemble à ça ! répliqua Serge.

Marcel sortit en souriant. Il semblait content.

— Je viens de lui arracher cinquante piastres ! Il voulait toujours se reprendre, mais il était pas de taille. J'pense qu'il va se rappeler de moé en crisse, lança Marcel.

— On va aller voir si on peut faire quelque chose avec ton char, dit Serge.

— Ouais ! J'comprends pas toute cette hystérie autour du fait que mon char est tombé en panne. C'est comme si j'avais tué quelqu'un. Pis toé, ma sœur ! Tu me traites d'écœurant, alors que tu devrais être de mon bord. J'ai avoué à Violette que je l'avais « trichée », mais c'est du passé. Elle semble pas capable de passer par-dessus.

— Avoue que ça « regarde » très mal, ton affaire ! lui lança Nicole. Si tu es pour la torturer sans cesse comme ça, laisse-la donc ! Elle va souffrir un certain temps, mais au moins elle pourra refaire sa vie, à moins qu'elle soit complètement dégoûtée des hommes…

— Tu en fais toute une montagne, Nicole. Je l'ai pas «trichée» sacrament, c'est-tu clair? s'emporta Marcel, qui était devenu rouge comme un coq.

— J'ai promis à Violette de vérifier qui habite à l'unité 112 et je vais le faire et tu ne pourras pas m'en empêcher, Marcel Robichaud.

— Vérifie! Qu'est-ce que tu veux que ça me fasse? Demande donc à visiter la chambre, tant qu'à y être. Tu vas passer pour une malade mentale! Envoye, vas-y! J'm'attendais à n'importe quoi, mais sûrement pas à être trahi par ma propre sœur. C'est le bout de la marde!

— Joue pas les vierges offensées, Marcel! Je te connais trop pour ça. Serge va examiner ton char pendant que je vais parler au commis du motel, que tu le veuilles ou non.

Marcel savait que Sonia se trouvait au bar de danseuses et que les vingt dollars tendus à la réceptionniste étaient un bon investissement. Quelle malchance! L'ambiance allait être pourrie toute la fin de semaine. Il serait obligé de menacer Violette de la quitter si elle continuait à le soupçonner pour rien. Saint-Jean-de-Matha n'était pas un gros village et il ne pourrait plus y poursuivre une aventure amoureuse illicite, mais il tenait trop à Sonia.

Serge ouvrit le capot de la voiture de Marcel. Il inspecta les bougies et s'assura que le fil de contact était bien enfoncé sur chacune d'elles. C'était une huit cylindres. Il demanda à Marcel de tenter de la démarrer à son signal, mais ce fut sans succès. Il vérifia le cap du distributeur, il n'était pas fissuré. Il le remit en place et se rendit compte que deux fils d'allumage étaient mal enfoncés. Était-ce vraiment accidentel? Serge n'aurait su le dire, mais il demanda à Marcel de la démarrer de nouveau. Elle partit aussitôt. Serge ferma le capot.

— C'était juste deux fils de bougies qui étaient mal enfoncés, mais je dirai rien à Nicole. Elle pourrait penser que t'as fait exprès, dit Serge.

— J'te jure que c'est pas moé!

Marcel était certain que son beau-frère avait compris son manège.

— Je t'ai dit que j'le dirais pas à Nicole. Mais, sacrament, fais donc plus attention quand tu sais qu'on vient te donner un coup de main. Ta femme seule au lac aurait jamais pu te prendre sur le fait. Avec Nicole, elle a eu juste à sauter dans le char pour venir au village.

Serge dut se taire car sa femme revenait de la réception du motel avec un air perplexe. De toute évidence, un doute subsistait dans son esprit.

— L'auto fonctionne, à ce que je peux voir! Ça devait être juste une niaiserie, je suppose...

— J'ai vérifié toutes les bougies puis le cap du distributeur et elle est repartie. Des fois, ça prend pas grand-chose pour que ça ne démarre plus. Marcel devra changer sa tête d'allumage. D'après moi, il est fendu. Ça prend pas une grosse fissure pour que ça ne fonctionne plus, dit Serge, cherchant à protéger Marcel.

— J'ai demandé à la réceptionniste qui occupait l'unité 112 et elle m'a répondu qu'elle était inoccupée. Quand j'ai voulu la louer, elle m'a déclaré que la toilette avait besoin d'être réparée avant de pouvoir relouer la chambre. J'ai trouvé qu'elle avait un drôle d'air.

— Arrête, Nicole! T'es en train d'imaginer une conspiration. Tu regardes trop de films, sacrament! Tu veux-tu ma perte? Dis-moé-le pis j'vas mettre ma tête sur le billot. Toé pis Violette, vous aurez droit à un coup de hache...

— Non! Non! Mais je te connais comme si je t'avais tricoté. Disons qu'il subsiste un doute dont je ne ferai pas part à Violette, mais prends-moi pas pour une cruche.

Marcel se sentit rasséréné par ces dernières paroles. Son plan pouvait encore fonctionner. Il lui suffirait de se retrouver isolé des autres pour dévoiler ses fausses cartes à Violette. Il devait réussir à la faire se sentir coupable d'avoir douté de lui. Comme un parfait salaud, il en abuserait s'il parvenait à ses fins.

DES NOUVELLES D'UNE P'TITE VILLE

Marcel repartit avec son auto en mentionnant qu'il s'arrêterait au garage pour s'assurer que tout était en ordre. Serge et
Nicole le suivirent jusqu'au lac Noir. Comme promis, Marcel
fit un arrêt au garage du coin, tandis qu'eux poursuivaient
leur route jusqu'au chalet.

— Ah, le chameau! Je crois qu'il nous a bien eus. Je ne
crois rien de son histoire, mais, faute de preuves, on est bien
obligés de gober toutes ses menteries. Je me demande ce que
je vais raconter à Violette. Elle fait pitié, la pauvre. Ça me fait
penser à ma mère qui était obligée de continuer à vivre avec
mon père parce que la religion l'empêchait d'agir à sa guise.

— C'est pas pareil, Nicole! Violette, c'est l'amour qui
l'empêche d'agir, non?

— Tu as tout à fait raison! L'amour rend stupide et aveugle.
Violette désire tellement Marcel qu'elle n'a pas fini de
souffrir. J'haïs mon frère d'être aussi cruel avec elle. Violette
est beaucoup trop tendre pour lui. Il aurait peut-être besoin
d'une salope pour souffrir à son tour.

— Alors, qu'est-ce qu'on va lui dire? demanda Serge.

— Que tout semble vrai! Avons-nous le choix? On doit
essayer de ménager Violette du mieux qu'on peut en espérant
que ça serve de leçon à Marcel.

# Chapitre 11

Dès qu'ils furent de retour au chalet, Nicole s'empressa d'aller retrouver Violette qui était étendue sur son lit, les yeux toujours aussi embués. Nicole entreprit de la sortir de sa léthargie en l'obligeant à se lever.

— Écoute, Violette! Serge et moi sommes allés rejoindre Marcel à la salle de billard. Serge a dû fixer temporairement des fils et Marcel est actuellement au garage. De mon côté, j'ai vérifié auprès de la réceptionniste et l'unité 112 est inhabitable pour le moment, à cause d'un problème de toilette. Marcel est en furie qu'on l'ait soupçonné de tricherie.

— Tu crois qu'il n'était pas au motel?

— Tout semble indiquer qu'il n'y était pas! Tu devrais t'éponger le visage pour sécher tes pleurs. Il va sûrement te sermonner. Ne te laisse pas faire! Réagis en disant qu'une femme trahie garde toujours un doute. Essaye de ne pas trop paraître affectée, ça devrait le calmer un peu.

— Tu crois que je me suis monté un scénario?

— Je ne dis pas ça, Violette, mais tu dois demeurer vigilante avec mon frère. C'est ton mari, tu dois le connaître, mais c'est aussi mon frère et je le connais depuis plus longtemps que toi. Je sais de quoi il est capable.

— Écoute, Nicole ! Tu me dis de rester vigilante. C'est donc que tu ne lui fais pas confiance !

— Tu es trop douce avec lui. Il va sûrement t'attaquer verbalement quand il rentrera. Ne te laisse pas faire. Tu n'es coupable de rien et dis-lui que toutes les apparences jouaient contre lui. Tu peux même rajouter que tu le soupçonnes toujours. Il devrait se tenir tranquille. Au lieu d'être l'agresseuse, tu seras la victime et il devra te reconquérir.

— C'est vrai que je suis faible avec lui, mais je ne peux pas faire autrement. J'aime que la vie soit simple et harmonieuse. Quand il est de mauvaise humeur, ce qui est fréquent, j'essaye toujours de ramener la situation en le gâtant, en lui passant ses petits caprices.

— Secoue-toi les puces et arrange-toi pour être présentable devant les autres et évite de te retrouver seule avec lui, tant que tu ne te sentiras pas prête à l'affronter. Dis-toi que tu n'es coupable de rien et souris devant Pat et mon père, comme si de rien n'était.

— Merci, Nicole ! Je vais essayer du mieux que je peux. Je dois terminer de préparer le souper. Ça me donnera une certaine contenance.

— Excellente idée et je vais t'aider !

Quand Marcel arriva du garage, avec son plan d'attaque bien ficelé, il fut neutralisé par l'ambiance sereine qui régnait sur place. Émile échangeait des banalités avec Violette et celle-ci riait de bon cœur. Nicole achevait de dresser la table et il était grand temps de souper, car tout le monde était affamé. Marcel fut donc réduit à parler de la malchance qu'il avait eue avec son auto et de la perte de temps que ça lui avait occasionnée. Violette le regardait avec des yeux qu'il ne pouvait analyser. Il était désarçonné. Son plan s'écroulait et il ne savait plus comment réagir. Violette était inaccessible, trop occupée à échanger avec son beau-père ou un autre membre du groupe. Elle semblait le fuir. Elle se coucha finalement avant lui, le laissant avec sa famille, qui n'était pas pressée d'aller au lit.

Quand tout le monde se fut retiré pour la nuit, Marcel alla rejoindre Violette, qui dormait depuis plus d'une heure.

— Violette! Violette! Il faut que je te parle.

— Je dormais! Qu'est-ce qu'il y a de si pressant pour me réveiller en pleine nuit?

— Je me suis fait sermonner par Nicole et Serge, et je soupçonne que tu y sois pour quelque chose…

— Laisse-moi dormir! Ça peut attendre à demain. Couche-toi et on verra au déjeuner si c'est si important. Bonne nuit! répondit Violette.

Marcel était estomaqué par l'indifférence de sa femme. Peut-être qu'elle n'était pas complètement réveillée, compte tenu de son comportement de la veille, car elle n'aurait pas réagi ainsi. Que s'était-il passé pour qu'elle soit à ce point flegmatique? Où était passée sa Violette qui était toujours aux aguets pour répondre à ses moindres désirs? Il avait ressenti de la froideur de sa part. Il tenta de coller son corps contre le sien, mais elle le repoussa. Marcel fut longtemps éveillé à essayer de comprendre la situation. Il était prêt à avoir Sonia comme maîtresse, mais pas si sa femme devenait indifférente à son infidélité. Violette se devait de continuer à être douce et tendre, à craindre la rupture et à souffrir au moindre chantage. Il sentait que le cœur de Violette se durcissait. N'avait-il pas été témoin du même scénario entre son père et sa mère? Lauretta s'était fermée à toute tendresse venant de son mari. Il ne voulait pas vivre ce qu'elle avait imposé à celui-ci. Marcel finit par s'endormir un peu avant l'aube.

Violette s'était levée la première et Marcel semblait dormir d'un sommeil agité. Pour la première fois de sa vie, elle eut pitié de lui. La donne avait changé. Elle s'apitoyait sur le sort de son mari, plutôt que sur le sien. Il avait choisi une voie difficile, car être un tricheur n'était pas de tout repos. En le regardant étendu sur le lit, elle le trouva vulnérable. Elle ne savait plus si elle ressentait de la pitié ou de l'amour pour lui.

Violette se rendit à la salle de bain et se doucha rapidement. En s'essuyant, elle vit dans le miroir une femme reposée et plus déterminée. Elle ne s'était jamais vue ainsi, mais elle aimait l'image de cette battante qui ne s'en laisserait plus imposer. Elle savait qu'elle avait des alliés, de la famille qui la seconderait dans son nouveau choix de vie. Elle prépara le café, et l'odeur fit apparaître son beau-père.

— Bonjour, monsieur Robichaud, vous avez bien dormi?

— Tu sais, Violette, je rêve beaucoup à ma vie passée. Des fois, c'est agréable, d'autres fois, ça l'est pas pantoute, mais, cette nuit, c'était très bien. J'ai rêvé à Lauretta quand je l'ai connue. Elle avait dix-neuf ans et c'était une belle jeune femme ben à sa place. Elle était ben croyante pendant que, moé, j'avais délaissé un peu la religion. Elle m'a ramené dans le droit chemin. Je l'ai aimée la première fois que je l'ai vue. J'étais sûr que c'était la mienne, même si sa famille m'aimait pas ben ben.

— Vous avez su la conquérir?

— J'étais ben tenace. Même si elle avait ben d'autres prétendants, c'est moé qui ai gagné son cœur. En moins d'un an, on était mariés. Mais j'ai pas toujours été fin avec elle. On a eu de la misère pis on a passé au feu, et c'est à partir de là que ç'a mal viré. J'ai recommencé à prendre un coup…

— Pourtant, je vous ai toujours trouvé bien gentil!

— C'est parce que tu me fais penser à ma femme quand elle était jeune. C'était une femme douce et aimante comme toé, sans malice. Il fallait que je fasse des grosses bêtises pour qu'elle se fâche après moé.

— C'était quoi, vos grosses bêtises?

— C'était pas grand-chose au début! Si je blasphémais, elle se choquait en me disant que c'était donné le mauvais exemple aux enfants. Ce qu'elle haïssait le plus, c'était quand je prenais un coup. J'ai jamais su me contrôler, mais je l'ai jamais «trichée». Pour moé, c'était la plus belle pis la seule. Elle m'a donné une belle famille.

— On vit tous nos problèmes, pas vrai monsieur Robichaud?

— T'as ben raison là-dessus, ma belle Violette, mais j'aimerais don' ça que mon garçon t'en fasse pas…

— Je vais m'armer du mieux que je peux pour ne pas trop souffrir et peut-être accepter mon mari comme il est, déclara Violette.

— C'est de valeur à dire, mais j'pense pas qu'y te mérite!

Elle détourna la conversation en lui offrant de lui concocter un succulent déjeuner.

— Voulez-vous que je vous prépare un bon gros déjeuner, avec du bacon ou des saucisses? J'ai aussi fait des fèves au lard cette semaine, elles sont très bonnes.

— J'ai ben confiance en tes talents de cuisinière, ma belle Violette! Comment t'appelle ça, déjà? Cordon…

— Cordon-bleu, monsieur Robichaud!

— C'est ça que j'voulais dire, cordon-bleu…

— Un œuf ou deux?

— Deux œufs avec des *toasts*, ça serait parfait! J'essayerais tes «bines», aussi.

— Voulez-vous un autre café?

— J'vas me servir, merci!

Violette noua son tablier avec plaisir. Elle aimait ce vieil homme un peu rustre, mais qui disait beaucoup de vérités dans son jargon d'illettré. Ils se comprenaient très bien et s'aimaient à leur façon. Elle repensait à ses paroles quand il avait dit que son fils ne la méritait pas et elle les avait ressenties comme un baume sur son cœur blessé. Quand les autres se levèrent, Violette était souriante et Émile finissait son déjeuner.

— J'aurais dormi encore! mentionna Nicole.

— Moi aussi! dit Patrick.

Marcel sortit de la chambre, la peau fripée par le manque de sommeil. Violette ressentit un certain plaisir à voir son mari avec une tête d'enterrement. Pour la première fois, il lui parut quelconque, voire laid. Et, lorsqu'il la regarda avec son œil glauque, elle fut plus dégoûtée que séduite. Jamais la laideur de cet homme qu'elle avait épousé il y a si longtemps ne lui avait jamais autant crevé les yeux. Pourquoi? Quelque chose s'était brisé. Cela était loin de lui déplaire, car la réalité lui apparaissait sous un nouveau jour. Une certaine tristesse assombrissait cette prise de conscience, sans qu'elle en ressente toutefois de la douleur. Elle regrettait plutôt d'avoir perdu autant d'années à servir quelqu'un qui ne le méritait pas. Et pourquoi cette servilité ? Avait-elle besoin de continuer à vivre dans la soumission ? Elle valait bien plus que ça et méritait mieux qu'un homme comme Marcel qui manquait de profondeur. Violette ne voulait pas le détester, car elle risquait de s'abaisser à son niveau. En revanche, elle n'aurait plus jamais peur de l'affronter. Elle savait que ses paroles n'auraient plus de prise sur elle.

— Violette ! Tu sembles bien loin, dit Nicole.

— Excuse-moi, j'étais dans la lune ! Qu'est-ce que tu disais ?

— J'ai ma réponse. Est-ce que ça va ?

— Merveilleusement bien ! Je suis en forme parce que j'ai bien dormi. Et toi ?

— Il me manque une petite heure de sommeil, Serge a trop ronflé.

— On devrait tous dormir dans des chambres séparées et se retrouver seulement pour les chatouilles. Qu'est-ce que t'en dis, Nicole ?

— J'suis pas sûre que ça ferait l'affaire de Serge…

— Pourquoi on ne pourrait pas décider par nous-mêmes ce qui nous convient ou pas ? C'est assez cette soumission face aux hommes !

Nicole était vraiment surprise par les propos de Violette. Marcel écoutait, engourdi par la fatigue, la conversation que tenaient Nicole et sa femme. Il était subjugué par l'audace de sa femme, mais se contenta d'écouter. Finalement, tout se déroulait à l'inverse de ce qu'il avait prévu. Violette était loin d'être écrasée par la peur de le perdre ou de subir ses foudres. Au contraire, elle était devenue une lionne qui n'avait aucunement l'intention de se laisser contrôler. Elle semblait même prête à le sortir de sa vie s'il n'agissait pas selon ses désirs. Il se croyait maître et allait être traité en esclave s'il ne changeait pas rapidement. Marcel se secouait en pensant que ce n'était qu'un mauvais rêve. Il engloutit deux rôties et avala son café. Pour sortir de sa torpeur, il décida d'aller se baigner.

Émile attendait patiemment que tout le monde soit prêt pour s'atteler à la tâche. Il avait l'impression qu'il y avait un certain laisser-aller, comme si Serge et Patrick attendaient un signal qui ne venait pas. Puis ce signal vint de Violette.

— Qu'est-ce que vous attendez pour commencer, les hommes ? Si vous voulez atteindre vos objectifs avant la noirceur, vous êtes mieux d'y voir…

— T'as bien raison, Violette ! Il faut se secouer les puces. Serge ! P'pa ! Marcel ! Êtes-vous prêts ? Y'est huit heures passé, sacrament, puis on n'a même pas touché à nos marteaux ! Envoyez, on se grouille le cul ! Il ne se finira pas tout seul ce chalet-là, câlisse ! lança Pat pour motiver les troupes.

— J'suis prêt ! répondit Serge.

— Moé aussi! dit Émile.

— Ça sera pas long! rétorqua Marcel.

— Fais ça vite! Vu que tes beaux-frères ont posé les chevrons puis le *plywood* cette semaine, j'veux que les fenêtres soient installées ce soir, tonna Patrick.

Marcel n'était pas d'humeur à se faire brasser par son frère, même s'il était le chef de chantier. Il marmonna des mots que Patrick ignora complètement. Il était même prêt à se passer de ses services. Ce ne serait plus le chalet de Marcel, mais celui de Violette. Serge, Pat et Émile avaient tenu un petit conciliabule la veille au soir. Ils en étaient venus à la conclusion que, peu importe si Violette et Marcel formaient en ce moment un couple bancal, ils allaient finir le chalet.

L'installation des fenêtres était la spécialité de Patrick et celui-ci donnait allègrement ses directives. Émile et Marcel les transporteraient à l'endroit où elles seraient posées. Patrick et Serge, eux, se chargeraient de les fixer. Par la suite, Marcel et Émile les calfeutreraient avec de la laine minérale. Prétextant y être allergique, Marcel voulut travailler avec Patrick.

— D'accord, Marcel! Tu vas percer les deux-par-quatre pour passer le filage électrique. Je vais d'abord marquer les endroits où tu dois faire les trous. Toi, p'pa, est-ce que ça te dérange de calfeutrer tout seul?

— Y'a pas de problème, Pat!

— Marcel, tu vas devoir te brancher chez ta belle-mère. As-tu assez long de rallonges pour te rendre jusqu'ici? J'vais te préparer la *drill* avec la mèche qu'il te faut.

— Ouais, j'en ai sûrement assez long!

Ils avançaient à bon rythme, dans le silence. Émile aurait bien aimé parler à Marcel, mais ce dernier était plutôt morose. Il continua donc son travail, tout en réfléchissant à ce qu'il lui dirait quand il en aurait la chance. Émile avait l'impression, à regret, que Marcel avait déjà perdu sa femme. Selon lui, il n'était jamais trop tard pour bien faire. Il pouvait certes reconquérir sa femme, mais pas en étant bourru et renfrogné comme en ce moment. Émile en savait long sur le sujet puisqu'il avait vécu pareille situation avec Lauretta. Il fallait faire des compromis quand on se savait coupable, même s'il n'avait pas toujours su comment y parvenir. Sa faute à lui, pensait-il, était moins grande. Sa consommation d'alcool était bénigne comparée à l'adultère, mais le résultat était aussi dévastateur.

Émile avait accepté d'entrer dans une ligue de tempérance, à la demande de Lauretta. Était-ce en 1946 ou en 1947? Il ne s'en souvenait plus. Mais il savait qu'il aurait eu une meilleure vie avec sa femme s'il avait accepté les compromis qu'elle exigeait de lui. Il aurait pu ainsi continuer à partager le même lit qu'elle. En se butant, il s'était privé des caresses de sa belle et douce épouse. Aujourd'hui, il le regrettait amèrement. S'il était trop tard pour lui, ce ne l'était pas pour son fils, qui pouvait toujours s'amender.

Marcel était sur le point de commettre une erreur et Émile voulait le sauver, lui éviter de vivre le même enfer que lui et se retrouver désemparé à l'aube de la vieillesse. Émile souffrait pour son fils. Et, chaque fois qu'il souffrait, sa dive bouteille lui allégeait sa douleur, quand elle ne l'effaçait pas complètement. Il pensait à tout ça en calfeutrant les fenêtres. Puis vint l'heure du dîner.

— À table ! cria Nicole.

Le bruit ambiant qui régnait sur le chantier cessa immédiatement. Les gars calèrent une bonne bière pour s'ouvrir l'appétit. Tout le monde était de bonne humeur, sauf Marcel évidemment.

— Qu'est-ce t'as, ça marche pas bien, aujourd'hui ? lui demanda Patrick.

— Je file pas ben, mais c'est pas grave ! Ça doit être la laine minérale.

— Méchante allergie, mon Marcel ! À six heures, j'pense que les fenêtres et les deux portes vont être installées. Peut-être ! Si c'est fait, on fera tous les trous pour les prises de courant puis les interrupteurs pour que Paul n'ait qu'à y passer ses fils. Ça a l'air de rien, mais y'a un ostie de paquet de trous à faire, déclara Patrick.

— Y'aurait-tu moyen d'avoir de la musique pendant qu'on travaille? Il me semble que ce serait moins «plate», suggéra Serge, encore perturbé par l'atmosphère du matin.

— J'ai une radio portative si tu veux! dit Violette.

— Ça serait parfait! Merci, Violette.

Ils mangèrent sandwichs et salades, assis à la table de pique-nique, sur la galerie. Violette et Nicole n'avaient rien oublié. Violette affichait toujours son magnifique sourire qui agaçait Marcel, mais qui semblait beaucoup plaire à Émile.

— Comme ça, vous avez bien travaillé ce matin? Je ne vous remercierai jamais assez pour toute l'aide que vous nous apportez. Ça n'a pas de prix cette générosité dont vous nous faites profiter, déclara Violette.

— Reviens-en Violette, sacrament! C'est normal que la famille donne un coup de pouce! dit Marcel d'un ton courroucé.

— Tu peux prendre ça pour acquis, Marcel, mais pas moi. Personne ne nous doit rien. C'est de l'amour à l'état pur! On appelle ça de la générosité quand on n'attend rien en retour et je tiens à exprimer ma gratitude! déclara Violette avec beaucoup d'emphase.

Marcel avait l'impression de s'être fait rabrouer devant sa famille. Il fulminait. Décidément, sa femme avait changé. Elle n'aurait jamais osé le défier auparavant. Et ce sourire frondeur qui ne la quittait plus, comme si sa crise d'hystérie de la veille était chose du passé. Soit qu'elle jouait la comédie, soit qu'elle était tout simplement détraquée. La vérité était entre les deux.

Violette avait compris la fourberie de son mari. Elle savait qu'il se trouvait derrière la porte de la chambre du motel avec sa maîtresse et que quelque chose s'était brisé en elle. C'était fini la confiance aveugle et le pardon facile qu'elle lui avait toujours voués. C'était fini cette naïveté qui frisait l'idiotie. Marcel ne représentait plus le Dieu qu'elle vénérait parce qu'elle avait aperçu le démon qui se cachait derrière l'icône. Elle le voyait dans sa vraie dimension humaine et il ne la faisait plus vibrer. Elle ne savait pas si elle pourrait lui pardonner un jour, mais, pour l'instant, elle ne ressentait que du dégoût.

Pour faire tomber la tension, mais aussi parce qu'il était le seul à être payé, Patrick proposa :

— On retourne travailler, les gars ? Merci pour le bon *lunch*, Violette ! Tu devrais peut-être donner des cours de cuisine à Thérèse la prochaine fois. C'est toujours un peu spécial avec toi, même si c'est juste des sandwichs, dit-il maladroitement.

— On a tout fait ensemble, moi et Nicole, et ta femme peut faire aussi bien que moi. Il suffit de lui en donner le goût !

Patrick ne répondit rien, de peur de dire une autre bêtise. À l'évidence, sa belle-sœur ne laisserait plus rien passer maintenant. Il se dirigea vers le chantier en incitant les autres à le suivre.

— Prêts pour le dernier droit, les gars !

Ils suivirent Patrick tout en remerciant Nicole et Violette pour ce repas, à l'exception de Marcel, qui avait des yeux assassins. Serge alluma le transistor pour égayer l'atmosphère. Il pensait au voyage à Old Orchard qu'ils feraient, lui et Nicole, durant deux longues semaines, dès la semaine suivante. Il doutait que le chalet soit un jour terminé, Marcel et Violette auraient le temps de se quitter entre-temps.

— Dis donc, Violette, tu n'y es pas allée avec le dos de la cuillère ! T'es vraiment à prendre avec des pincettes…, fit Nicole.

— J'ai décidé que je me ferais respecter à partir de maintenant ! Est-ce que j'ai l'air d'une gourde qu'on peut remplir à volonté ?

— J'aime beaucoup ta nouvelle attitude. « Tout le monde il est beau, tout le monde il est gentil » est une maxime qui a fait son temps ! Qu'est-ce que t'en penses ?

— Je pense que je ne suis pas un chien ! Marcel devra apprendre à me respecter. Ce n'est pas vrai que je vais continuer à me laisser écraser. Je ne serai plus la reine du foyer, en plus de travailler comme une folle !

— À écouter mon frère, il travaille comme un fou, lui aussi…

— Il rentre souvent très tard, mais je ne suis pas sûre que c'est en raison des heures supplémentaires qu'il prétend avoir faites. Il y a quelque chose qui s'est brisé en moi et c'est la confiance.

— C'est vrai qu'une fois la confiance perdue, ça peut prendre des années avant de la retrouver....

— Quand tu perds confiance, tu sens l'amour s'effriter et s'installer l'indifférence. À bien y penser, je n'en veux même pas à sa maîtresse. Elle me rend peut-être service parce que je suis presque certaine qu'elle va lui faire plus de mal que jamais je n'aurais osé en faire moi-même. Je garderai ma dignité en devenant de glace.

— Si tu agis comme ça, Violette, c'est sûr que tu vas provoquer la fin de votre mariage.

— Que vaut un mariage quand tu es trahie? Je n'ai rien fait pour mériter ça. Le mensonge, la trahison, l'hypocrisie. C'est un faux jeton quand il dit qu'il m'aime! On va terminer le chalet et après on verra. Je n'ai pas l'intention de me ruiner en laissant le chalet à moitié terminé. Mon nom endosse le prêt conjointement et j'ai mis plus d'argent que lui dans ce projet, sans compter le terrain que ma mère m'a donné.

— Tu vois peut-être que je n'ai pas beaucoup de pitié pour mon frère. Sachant ce qu'il te fait, je suis obligée d'être solidaire avec toi.

— On n'est jamais à l'abri d'une trahison, Nicole! Je pense que c'est plus fort qu'eux, les hommes. Ils doivent se prouver à eux-mêmes qu'ils peuvent séduire et leurs épouses ne leur suffisent pas. Ils choisissent des jeunes femmes, naïves ou pas, qu'ils embobinent ou qui se font embobiner…

— Penses-tu vraiment qu'ils sont tous pareils, Violette ? Serge n'est pas comme ça, j'en suis sûr !

— Je ne veux pas condamner Serge, mais quand ça ne tourne pas rond, il vaut mieux les avoir à l'œil. Je suis peut-être trop négative, mais je ne fais plus confiance à aucun homme.

— J'espère que tu as tort parce que je ne veux pas vivre ça !

Les hommes travaillaient sans relâche et sans discuter, car ils voyaient bien que Marcel n'avait pas le cœur à la rigolade. Ses gestes trahissaient toute la hargne qui l'habitait. Il était impatient lorsqu'il perçait les trous. Au lieu de laisser l'outil s'enfoncer doucement dans le bois, il le malmenait comme s'il cherchait à labourer le deux-par-quatre. Il maugréait et jurait presque sans arrêt.

Patrick n'en pouvait plus de l'entendre ronchonner et s'apprêtait à intervenir, mais Émile le devança.

— Écoute, mon gars ! On vient icitte pour t'aider, c'est pas pour t'entendre grogner tout l'temps. Si t'es pas ben, va donc faire des commissions, ça va peut-être te changer l'air !

— C'est une crisse de bonne idée ! J'en ai plein le cul pis une bonne bière va me faire du bien. Si vous me cherchez, j'vas être à la salle de billard.

Marcel laissa tomber sa perceuse par terre, sauta dans son auto et roula jusqu'au motel. Il s'en alla rejoindre Sonia. Comme il avait appris la leçon, il prit soin de se garer dans la cour de la salle de billard. Il cogna à la porte 112. Vu qu'il n'était que dix heures du matin, elle avait sûrement fermé le bar la veille au soir. Aussi souhaitait-il qu'elle soit de bonne humeur pour lui donner un peu de réconfort. L'attitude de sa femme l'avait déstabilisé. Il n'était pas habitué de la voir s'affirmer de la sorte, ce qui l'avait fragilisé.

Sonia ouvrit en frottant ses yeux ensommeillés. Elle fit d'abord une moue, puis un sourire et laissa entrer Marcel en se jetant dans ses bras.

— Quelle heure est-il? demanda-t-elle tout en s'accrochant à lui.

— Il est trop tôt, recouche-toi; je te rejoins dans un instant.

Marcel se déshabilla en un tour de main et se retrouva aux côtés de Sonia, câline comme jamais.

— Comment ça s'est terminé hier? demanda Sonia.

— Chut! On parlera plus tard, dit-il, en commençant à la caresser.

Elle était comme une marionnette désarticulée entre ses mains. Marcel la tournait selon son bon vouloir dans l'espoir de lui faire perdre la tête. Curieusement, il prenait ainsi sa vengeance sur Violette.

Après une étreinte passionnée, les amants ruisselant de sueur se laissèrent choir sur le lit en désordre.

— Quelle belle façon de se réveiller le matin! Tu peux recommencer quand tu veux, Marcel...

— J'ai crissé mon camp du chantier parce que je bouillais de rage. Ça ne s'est pas très bien passé hier soir! Ma femme était dans tous ses états. Elle m'a fait une crise de nerfs devant ma famille. J'étais certain qu'elle essayerait de me tuer!

— Elle est si agressive que ça, ta bourgeoise?

— Tu l'as entendue hier! Elle aurait arraché la porte si elle en avait été capable. Une vraie folle, j'te dis!

— Pourquoi n'abandonnes-tu pas tout ça? Le chalet, ta femme... C'est juste bon pour t'empêcher d'être libre une fois pour toutes! Tu n'es pas bien avec moi?

— T'as peut-être raison, Sonia, mais j'ai toujours rêvé d'avoir une maison à moé! J'pense à ça depuis que j'sus tout p'tit. J'avais peut-être douze, treize ans quand on a passé au feu et que j'ai vu mon père rebâtir une autre maison de ses mains, à Granby.

— Ça veut pas dire que tu pourrais en avoir une autre plus tard. J'ai pas de bonnes vibrations quand j'pense à ton chalet. Tu vas te faire fourrer dans cette affaire-là, Marcel. Si tu l'aimes plus ta femme, laisse-la!

— J'me sens un peu coupable dans cette affaire-là, comme tu dis. Si j't'avais pas rencontrée, j'serais avec elle sans savoir ce que je manquerais. J'pense que j'sus en train de tomber en amour avec toé. C'est ben la pire affaire qui pouvait m'arriver...

— Bien non, Marcel, c'est tout le contraire. Tu vas voir à quel point j'vais prendre soin de toi! Tu manqueras plus jamais de sexe, je t'le jure. J'aimerais bien ça rentrer le soir et trouver un homme dans mon lit. On pourrait se rapprocher de ton ouvrage, si tu veux...

— Tu continuerais à faire le même métier?

— Es-tu jaloux? Y'a pas une *job* plus payante que ça. Penses-y? Que je travaille toute nue ne me dérange pas pantoute. Je te gage que j'fais trois ou quatre fois le salaire de ta femme... As-tu pensé à quelle vitesse on pourrait ramasser de l'argent? On pourrait s'acheter une maison à Repentigny dans le temps de le dire.

— C'est une proposition que tu me fais?

— Ça peut être vu comme ça, si tu veux!

— C'est un pensez-y ben! J'vas finir le chalet parce que ma famille m'aide beaucoup pis y seraient tous en crisse si j'abandonnais avant de l'avoir fini.

— Toi puis ta famille! Tu vas avoir trente-cinq ans, sacrement, Marcel! Tu trouves pas qu'il est temps de décrocher?

— C'est pas parce que t'en as pas que c'est pas bon, Sonia.

— Mon frère a abusé de moi de huit à seize ans, puis ma mère était tellement gelée qu'elle en avait même pas conscience ! La dernière fois qu'il a essayé de me toucher, je lui ai dit que je lui couperais les couilles et que je les lui ferais manger. Y'a eu assez peur qu'il n'a plus jamais remis ses sales mains sur moi, le porc. C'est à ce moment que j'ai pris mon envol puis je les ai jamais revus.

— Moé, c'est ben différent ! Le seul problème qu'on a eu, c'est que mon père prenait un coup, mais y'a jamais levé la main sur personne…

— T'es ben chanceux !

— Ouais, si tu veux ! En attendant, il faut que j'retourne sur le chantier.

— Je travaille pas mardi puis mercredi ! As-tu le goût de venir me voir ?

— J'vas regarder lequel des soirs que j'peux venir ! J'te donne un coup de fil.

Marcel l'embrassa et franchit le seuil de la porte. Il se moquait éperdument de ce qu'on pouvait penser de lui. Si sa femme voulait le questionner, il la rabrouerait sèchement. Il avait fini de la ménager, il resterait de marbre.

Il était presque midi quand il quitta le motel. L'offre de Sonia lui faisait grandement envie. Il avait le sentiment qu'il pouvait être heureux avec elle. Elle était peut-être trop libérée pour la majorité de sa famille, mais qu'est-ce que celle-ci avait à voir avec sa vie privée ?

En arrivant au chalet, il vit que tout le monde était attablé à l'extérieur pour l'heure du *lunch*. Il alla se chercher une bière au cabanon.

— Eille, Marcel ! M'en apporterais-tu une en même temps ? lui demanda Serge.

— Y'en a-tu d'autres qui en veulent pendant que j'sus là ?

Patrick et son père lui firent signe de la main. Il apporta à chacun une bouteille de bière. En prenant place à la table de piquenique, il jeta un regard circulaire pour voir ce qu'il restait à manger. Il avait faim ! Faire l'amour à Sonia lui avait soutiré beaucoup d'énergie et ouvert l'appétit.

# Chapitre 12

Émile observait Violette et Marcel, assis tous les deux loin l'un de l'autre. Marcel avait sciemment choisi un endroit à l'écart de sa femme. Il évitait de croiser son regard, par crainte d'y lire un reproche ou une interrogation. Violette agissait sensiblement de la même manière, tout en feignant une sorte d'entrain. Elle se comportait avec les membres de la famille Robichaud comme si tout était normal.

Émile suivait le déroulement de cette guerre larvée que se livrait le couple. L'hypocrisie de son fils l'attristait, et sa bru encaissait les coups sans sourciller, niant qu'elle vivait un traumatisme. Elle nourrissait du mépris pour Marcel et pour tous ceux qui le protégeaient, autant dire les hommes. Son sourire et sa gaieté de façade cachaient à quel point elle était profondément meurtrie. Elle refuserait à l'avenir tout contact physique avec Marcel, lui qu'elle avait tant adoré.

Quand les hommes retournèrent au travail, Patrick questionna Marcel sur son absence prolongée.

— Coudonc, sacrament! Veux-tu bien me dire où t'étais passé?

— Tant qu'à faire de la marde, j'étais mieux d'aller me calmer les nerfs à la salle de billard.

— J'te crois pas pantoute ! T'étais avec ta… danseuse, dit Émile.

— En quoi ça te regarde, toé ? T'as assez fait chier m'man toute ta vie, t'as pas de leçon à me donner.

— T'as peut-être raison, mais j'l'ai jamais « trichée », moé !

— T'aurais été mieux d'la tromper que d'y faire vivre la misère qu'elle a endurée ! tempêta Marcel.

— Tu peux crier tant que tu veux, mais tu m'fais pas peur ! J'ai peut-être ben des défauts, mon gars, mais, toé, t'es as toutes ! riposta Émile.

— Si t'es venu icitte pour me faire chier, retourne-toi-z-en chez vous. J'ai pas le goût pantoute de me faire écœurer. C'est-tu clair, calvaire ?

— Quand j'partirai avec les autres demain, c'est ben certain que tu me reverras pas la face icitte. Prends-en ma parole !

— Bon, au moins une affaire de réglée ! J'aurai pus le vieux sacrament dans les pattes, à prendre pour sa bru plutôt que pour son gars, lança Marcel, exaspéré.

— Calme-toi, Marcel ! Tu trouves pas que tu manques de respect à ton père ? intervint Serge.

— Eille toé, le têteux, mêle-toé pas de ça ! C'est entre moé pis mon père, hurla Marcel.

— Tu me fais pas peur, toi non plus ? J'peux te montrer c'est qui le téteux, mon p'tit crisse ! dit Serge, qui dominait Marcel d'une tête.

— *Whoa* ! Ça va faire, calvaire ! C'est pas de même qu'on va le finir, cet ostie de chalet-là ! Moi, j'arrête ça là tout de suite si vous continuez à vous chicaner comme des chats de ruelle, trancha Patrick, qui voyait la situation dégénérée.

Le ton de Patrick eut l'effet d'une douche froide sur les trois autres. S'il disparaissait du chantier, c'était la fin des travaux pour la fin de semaine. Serge avait envie de plier bagage et de s'en retourner à Granby. Comme il était venu avec Patrick, il devait attendre que ce dernier prenne une décision. Marcel était prêt à jeter les gants tellement il était en colère. Émile regretta quelque peu d'avoir apostrophé aussi durement Marcel devant les autres. Il aurait préféré le prendre à part pour lui faire comprendre le bon sens. Au lieu de cela, son fils lui avait manqué de respect et avait réagi exactement comme lui à son âge. Tout à coup, Marcel réalisa que, si le chantier se désertait, il se retrouverait seul avec sa femme et c'était la dernière chose au monde qu'il désirait.

La vie serait belle s'il n'y avait pas l'ombre d'une séparation entre lui et Violette. Le chalet n'était pas encore terminé qu'elle l'affrontait ouvertement. En réaction, il ne prenait même plus la peine d'être gentil avec elle. En fin calculateur, il sentait qu'il perdrait la guerre s'il continuait ainsi. Même s'il avait du mal à accepter la nouvelle attitude de Violette, il fallait qu'il désamorce la bombe qu'il venait de lancer et qui risquait d'exploser.

— Écoutez, tout le monde, j'sus désolé! J'sais pas ce qui se passe avec moé. J'sais que vous faites beaucoup d'efforts pour m'aider pis, moé, j'sus pas là pour vous accueillir comme du monde et pour vous remercier. Excuse-moé, Serge, j'pensais pas c'que j'disais. C'est la même chose pour toé, p'pa, excuse-moé! Si vous retournez à Granby, le chalet va rester en plan. J'ai besoin de vous autres!

Marcel avait presque les larmes aux yeux. Ce n'était pas du tout dans sa nature de s'excuser et de reconnaître qu'il avait besoin des autres pour terminer des travaux qui le dépassaient. Il se sentait humilié d'avoir à quémander quoi que ce soit à sa famille. Il n'était plus le grand seigneur qu'il croyait être, mais le quêteux qui avait besoin d'eux. Il allait devoir en faire autant avec Violette: s'humilier pour sauvegarder le chalet, tout en sachant qu'il ne serait jamais à lui seul. Il était dans une position insoutenable et il aurait mieux fait de lâcher prise.

— J'suis prêt à rester, Marcel, si on arrête de se chicaner comme des enfants, dit son beau-frère Serge.

— Moé aussi! répondit son père.

— Dans ces conditions-là, tout le monde au boulot! Si vous avez fini votre besogne, venez me voir, c'est pas l'ouvrage qui manque! rétorqua Patrick, content que les choses se règlent.

— Merci ben! répondit Marcel d'un air contrit.

Ils se remirent au travail sans que Nicole ni Violette n'aient conscience du drame qui se déroulait sur le chantier qui avait failli fermer. Les deux femmes terminèrent de ramasser les reliefs du dîner et lavèrent la vaisselle tout en bavardant.

— As-tu eu de la misère à rester calme quand Marcel est arrivé? demanda Nicole à sa belle-sœur.

— Pantoute! Ma faiblesse se transforme en acier trempé. J'peux te dire qu'il va avoir de la misère à me manipuler comme il le faisait auparavant. Je vois tellement son jeu que c'est est presque drôle si ce n'était que je suis une de ses principales cibles, répliqua Violette.

— Je suis tellement fière de toi, Violette! J'espère que si je devais vivre une pareille aventure, je réagirai comme toi en me tenant debout.

— Ce n'est pas nécessairement facile à vivre, Nicole! J'ai besoin d'amour comme tout le monde, mais je n'en sens plus de la part de Marcel. Je ne ressens que de la manipulation et je n'ai pas l'intention de me laisser endormir par ses manœuvres. Je sais qu'il va essayer de me reconquérir par tous les moyens, mais quelque chose est mort en moi. Je crois que c'est ma naïveté, ma dépendance à lui.

— Je te trouve très forte d'analyser aussi froidement la situation que tu vis. Je ne suis pas certaine que je pourrais… dit Nicole.

— Tu as raison de dire froidement parce que j'ai l'impression que mon cœur est un bloc de glace. Ça fait moins mal comme ça et je suis capable de prévoir les pièges qu'il me tend. Il est tellement bon pour embobiner le monde et je l'ai tellement vu faire que ça m'aide à voir ce qui s'en vient.

— Ça fait drôle de prendre pour toi plutôt que pour mon frère, mais la solidarité féminine, c'est plus important que tout le reste. C'est surtout que je sais que tu as raison d'agir comme tu le fais. Je t'admire Violette !

— Je n'ai pas de mérite, Nicole ! Si jamais ça t'arrive, tu comprendras. J'ai épuisé ma réserve de larmes. Il ne reste que le vide et la peur de l'avenir, mais il faut que je sois forte pour résister jusqu'au bout.

— De la manière que tu parles, Violette, tu n'as plus d'espoir pour votre couple ?

— Je n'y crois plus, Nicole ! J'aimerais plus que tout y croire encore, mais ça m'apparaît impossible.

— Oh, mon Dieu ! Je n'aimerais pas me retrouver comme toi. Qu'est-ce que tu vas faire ? demanda Nicole.

— Je vais faire comme beaucoup de femmes l'ont fait avant moi. Je vais tenter de cohabiter pacifiquement pour des raisons financières. Il n'est plus question qu'il me touche et il faut que je me réorganise et me prépare au pire. Il faut que je réfléchisse à ce que je vais faire. Notre couple, comme tu dis, est voué à l'échec. Je pense que je l'aime plus, répliqua Violette.

— Tu as toujours ta famille pour t'épauler, Violette ! Tu es chanceuse parce qu'elle vit tout près de toi. Peut-être que tu pourrais aller vivre avec ta mère qui est veuve ? Ce serait avantageux pour les deux…

— Je n'en suis pas rendue là ! On verra, mais changeons de sujet pour quelque chose de plus léger, si tu veux bien.

— Tu as raison, Violette ! Allons dehors, il fait un soleil magnifique. Pourquoi on n'irait pas se baigner et se faire bronzer ?

Violette savait que, financièrement, elle aurait des choix difficiles à faire. Elle ne pourrait à la fois garder le logis et le chalet. Cela était même impensable. Elle aurait besoin d'aide. La vente du chalet pourrait s'avérer une possibilité si jamais ils le terminaient, mais ce serait une décision terrible.

De son côté, Marcel n'avait pas le cœur à chanter. Il avait fait momentanément la paix avec son père et son beau-frère, mais il était de nature rancunière. De fait, il les détestait pour l'avoir obligé à s'humilier devant eux. En revanche, il n'en voulait pas à Patrick. Celui-ci était resté neutre parce qu'il voulait terminer le chalet à tout prix. Marcel arborait un sourire forcé quand il devait s'adresser à eux. Il avait aussi pris la décision de rompre son mariage, qui devenait impossible à endurer. Toutefois, il se voyait mal vivre au quotidien avec Sonia. Il aimait son corps, parce qu'elle était belle et jeune. Il aimait le sexe avec elle, parce qu'elle lui avait fait découvrir des sensations méconnues jusque-là.

Après s'être baignées et s'être fait bronzer tout l'après-midi, Violette et Nicole s'affairèrent à préparer le repas du soir. Elles n'y mirent qu'une vingtaine de minutes, car Violette avait un réel talent pour faire d'un simple *lunch* un repas appétissant. Elles ouvrirent quelques bouteilles de bière, après quoi Nicole cria aux ouvriers que le souper était prêt. Les hommes étaient ravis de lâcher leurs outils. Malgré toute la bonne volonté du groupe, l'atmosphère était restée tendue. La bière leur ferait oublier la journée qui leur avait semblé interminable.

— Maudit que la bière est bonne à soir! lança Serge.

— T'as ben raison, mon Serge! Elle est bonne en baptême! dit Émile.

— C'était une grosse journée en calvaire! Câbler toute la maison puis poser les boîtes électriques, il faut le faire en sacrament! répondit Patrick avec beaucoup d'emphase.

— Veux-tu bien me dire pourquoi t'es si mal engueulé, Pat? mentionna Nicole. Tu es celui qui sacre le plus dans toute la famille!

— Qu'est-ce que ça peut bien te faire, ciboire, si j'suis mal engueulé, sacrament? répliqua-t-il.

— Tu ne dis pas deux mots sans lâcher un sacre. Nous autres, on est habitués, mais les autres… lui dit Nicole.

— Les autres, je m'en crisse! Si y sont pas contents, y'ont juste à ne pas m'écouter, câlisse!

— Ça ne sert à rien de te choquer et d'en rajouter, mais tu sais très bien ce que je veux dire… termina Nicole.

Nicole aurait dû se taire plutôt que d'apostropher Patrick. Le reste du repas se passa en silence. Émile prit deux grosses bières tablettes, comme il les aimait, avant le souper, puis picora dans les assiettes mises à leur disposition. Il prit quelques morceaux de fromage, puis un peu de viandes froides. Il était un peu déçu, car il était accoutumé d'avaler un repas chaud à l'heure du souper. Il compensa en éclusant quelques bières de plus que le nombre qu'il s'était alloué. Après tout, son fils l'avait insulté. Émile y était habitué lorsqu'il travaillait à la Miner Rubber à cause de son caractère irascible. Il s'ennuyait de son chez-lui, mais aussi de Lauretta, et ça il fallait bien qu'il se l'avoue. Il aurait bien aimé aider davantage Violette, mais il n'avait pas les mots pour la réconforter.

Émile se retira sur la plage pour siroter sa bière. Le ciel était noir et quelques lumières qui lui parurent lointaines scintillaient de l'autre côté du lac. Il perçut du mouvement tout près de lui. Dans l'obscurité de la nuit, il vit Violette se profiler à ses côtés. Celle-ci vint s'asseoir sur la grève, tout près de lui.

— Comment allez-vous, monsieur Robichaud? Vous n'avez presque pas mangé! Ce n'était pas à votre goût?

— Non! Non! C'était parfait, mais j'avais plus soif que faim! Ça va pas très fort entre toi et Marcel? Tu peux m'le dire, j'sus pas aveugle…

— C'est vrai, mais je n'y peux pas grand-chose! Il me «triche», comme vous le savez peut-être.

— J'ai ben des défauts, Violette, mais j'ai jamais trompé ma femme en plus de quarante ans de mariage! J'ai pas été fin avec elle, mais j'ai toujours été fidèle.

— Aujourd'hui, vous savez, la fidélité ne pèse plus bien lourd dans un mariage. Moi, je suis incapable d'accepter l'infidélité.

— J'te comprends, ma fille! Mais j'comprends pas que Marcel fasse pas la différence entre une bonne fille et une catin. Ça me dépasse! Y faut vraiment qu'y soit aveugle ou aveuglé par ses clins-clins.

— Qu'est-ce que vous voulez dire par ses clins-clins?

— J'veux dire qu'à se promène toute nue devant tout l'monde pis c'est vraiment gênant d'voir ça. J'accepterais jamais que ma femme se montre nue devant d'autres que moé.

— Vous êtes en train de me dire que la maîtresse de Marcel est une danseuse? Je l'ignorais, mais j'avais deviné qu'elle travaillait dans un bar. Je pensais qu'elle était *barmaid*… Votre fils est un parfait salaud, non? C'est très humiliant de le voir préférer une danseuse à moi. J'ai le sang qui bouille dans les veines. Il est mieux de ne plus jamais me toucher.

— J't'ai pas aidée beaucoup en te disant tout ça, pas vrai?

— La vérité n'est jamais facile à accepter dans des situations comme celle que je vis. Je crois que je vais aller me coucher. Bonne nuit, monsieur Robichaud !

— Bonne nuit, Violette ! J'ai ben d'la peine pour toé…

Émile s'était efforcé de consoler Violette du mieux qu'il le pouvait. Il était maladroit en voulant aider ce couple qui était sur le point d'éclater. Il aurait mieux fait de ne pas s'en mêler. Violette passa devant son mari, Serge et Patrick sans leur adresser la parole. Nicole lisait dans le salon. Violette fit sa toilette et alla se coucher, en prenant soin de verrouiller la porte. Marcel n'avait qu'à se débrouiller pour se trouver une place où dormir. Il pouvait toujours aller retrouver sa danseuse, pensa Violette, le cœur en pièces. Si telle était son intention, elle annoncerait la rupture officielle de leur couple.

Elle mit du temps à s'endormir et eut le plaisir d'entendre Marcel tenter de tourner la poignée de la porte. Comme rien n'indiquait qu'il était sorti de la maison, elle supposa qu'il s'était allongé sur le divan. Tant pis pour lui, pensa-t-elle, sa chambre lui était interdite à tout jamais. Rassurée, elle put s'assoupir. Violette rêva à cette femme qui avait un corps splendide et qui se trémoussait sans gêne devant Marcel, jusqu'à l'exciter au point de lui faire perdre la tête. Elle était encore gênée de se dénuder devant son mari, parce qu'elle trouvait son corps imparfait. Même dans ses songes les plus intimes, elle lui cherchait des excuses en se dépréciant. Elle oubliait sa beauté intérieure, qui aurait dû le retenir malgré la beauté plastique de sa jeune maîtresse. Cependant, cette beauté intérieure était ternie par la rancœur et la jalousie ainsi que par toutes sortes de sentiments négatifs.

Violette fut réveillée par l'activité matinale, l'odeur du café et des rôties. Elle était bien dans son lit et décida de rester couchée. Elle savait que Nicole était à l'œuvre et qu'elle pouvait préparer le déjeuner pour quatre hommes. Elle s'assoupit à nouveau et se réveilla dans le silence le plus complet. Tout le monde était au travail. Elle se demanda toutefois où était passée Nicole. Elle décida finalement de se lever et conclut qu'elle avait assez dormi. Un soleil magnifique inondait la maison, et un reste de café embauma la cuisine. Elle s'en versa une tasse, toujours en jaquette, puis sortit sur le balcon. Elle vit Nicole qui défaisait la grande tente française. Elle marcha pieds nus jusqu'à la tente, maintenant complètement démontée.

— Tu aurais pu m'attendre, Nicole, j'aurais pu t'aider !

— Si tu savais comme c'est facile, Violette. Tout est numéroté et clairement identifié. Tous les numéros B vont dans le sac numéro B et ainsi de suite. Les Européens ont un meilleur sens de l'organisation que les Nord-Américains. Les instructions sont lisibles et faciles à comprendre. En réalité, il y a deux tentes et une grande toile qui recouvre le tout.

— Comment était l'humeur de Marcel ce matin ?

— Il avait sa face de carême, comme hier soir. Il n'a sûrement pas apprécié être obligé de dormir sur le divan. Je l'ai même vu essayer de se trouver une position confortable. De toute évidence, il était en rogne.

— Grand bien lui fasse ! Si tu savais le plaisir que j'en retire. Je sais que c'est ton frère, mais il n'en demeure pas moins un parfait salaud ! Avoue-le ?

— Je ne peux pas le nier, mais c'est triste quand même de vous voir sur le pied de guerre…

— Ai-je le choix, Nicole ?

— Pas vraiment, je te l'accorde ! C'est lui le coupable, en dépit de tous les arguments machos qu'il peut faire valoir. Si les rôles étaient inversés et que c'est toi qui avais un amant, il crierait au meurtre, il deviendrait fou de rage.

— Tu n'as pas à t'inquiéter, ça n'arrivera pas ! Je ne mange pas de ce pain-là, moi.

— C'est tout à ton honneur, mais on ferait mieux de se taire, car le voilà qui arrive.

— Vous avez l'air d'être en grande discussion ! C'est tout ce que vous avez à faire pendant qu'on se fend le cul à l'ouvrage ? vociféra Marcel, hors de lui.

— Respire profondément et ça passera ! J'ai fini de me mettre à quatre pattes quand tu aboies, Marcel. Je viens de me lever et je bois mon premier café. J'ai tellement bien dormi, seule dans mon grand lit. À en juger par ta colère, tu as sûrement passé une mauvaise nuit. Calme-toi, Marcel, parce que tu deviens écarlate et ce n'est pas bon pour ta pression…

Si Marcel avait été seul avec elle, il l'aurait giflée. Elle le narguait devant sa sœur et jamais personne n'avait osé le provoquer ainsi sans avoir reçu deux ou trois taloches. Sans la présence de sa belle-sœur, Violette ne l'aurait jamais poussé dans ses derniers retranchements. Marcel lança son marteau en direction du chantier et celui-ci rebondit sur la feuille de contreplaqué.

— Eille le malade, calme-toi sacrament! jura Patrick.

— Y'en a une qui a le don de me faire pogner les nerfs ces temps-icitte, répliqua Marcel, qui tranquillement se calmait, puis il se mit à rire tout seul de plus en plus fortement comme pris de folie soudaine.

Nicole et Violette l'entendirent rire et s'inquiétèrent. Ce n'était pas de bon augure. Le rire de Marcel frisait l'hystérie, mais il parvint à pénétrer dans le chalet en se tenant les côtes et après avoir récupéré son marteau.

— Veux-tu ben m'dire c'qui t'prends à rire de même, câlisse?

— Excuse-moé, Pat, mais Violette joue à un jeu qu'elle ne peut pas gagner! Elle croit qu'elle peut m'avoir à l'usure en me faisant la vie dure. J'peux déjà te dire qu'elle va en baver un coup quand ça fera deux, trois jours que j'suis pas rentré.

— Arrête de faire ton hystérique, tu m'fais peur calvaire !

— J'y ferai pas mal physiquement, juste dans son p'tit cœur ! ricana Marcel.

— T'es un vrai malade ! intervint Serge.

— Toé, le beau-frère, tu t'mêles de tes affaires ! J'te dis-tu comment gérer ton ménage ? Ça fait que, étouffe !

— J'te l'ai dit hier, Marcel, parce que si tu te continues, j'vais faire juste une bouchée de toé pis ta crisse de folie ! lui répondit Serge de plus en plus en colère.

— Là, j'ai pas peur d'le dire, mais vous commencez à me mettre en beau baptême ! C'est quoi toute cette maudite chicane entre vous-autres pour une catin ? Tu l'sais, Marcel, que j'pourrai pas cacher ça à ta mère ben longtemps ? Tu veux-tu la faire mourir ?

— Embarque pas dans gang, p'pa ! Si, toé, t'as pas réussi à la faire mourir de chagrin, j'vois pas comment, moé, je pourrais réussir. J'suis juste ton gars après toute !

Émile encaissa le coup en quittant le chantier. Il se dirigea lentement vers le cabanon où il gardait sa bière en détachant son ceinturon qui tenait son sac à clous et son marteau. En passant devant la boîte à clous, il vida le contenu de son sac. Il venait de signer la fin du chantier pour lui. Il ouvrit une grosse bière, en cala une grande lampée et elle était tellement bonne qu'il ne put résister à la tentation de se la vider dans le gosier. Il en décapsula une autre puis descendit sur le bord du lac et regarda l'eau. Il la trouvait plus claire que la réalité de Marcel. Il ressentait les effets pervers de son caractère qui se répercutaient sur chacun des autres membres présents.

Quel héritage laissait-il à sa famille, à ses enfants? Émile avait honte de lui, de Marcel. Ils étaient deux parfaits salauds. Marcel avait raison de ne pas considérer son père comme son égal. Comment pourrait-il amener son fils à ne pas vivre une vie aussi misérable que la sienne? Il regardait l'eau, et le fond du lac était noir. C'était de la terre d'un ancien marécage créé par les castors, il y avait bien longtemps de cela, plus longtemps que lui, en somme. Quand soufflait le vent de la folie, le lac devenait trouble comme lui. Il ne fallait pas qu'il continue à réfléchir, car cela éveillait davantage son besoin de boire et il retournait à Granby avant la fin de la journée.

— P'pa a démissionné! mentionna Patrick.

— Il est parti se soûler comme il fait tout le temps! répliqua Marcel.

— Il a bien raison d'en avoir assez! Moi, j'arrête à midi, lança Serge.

— Il ne reste qu'une heure avant le dîner. Aussi bien commencer à serrer le matériel et les outils. Il vaut mieux les ranger dans la remise, c'est plus sécuritaire, dit Patrick.

— Tout le monde abandonne? Oublie-tu que j'te paye, Pat, mon ostie?

— Tu me parleras pas de même, mon sacrament! J'perds de l'argent à toutes les journées que je travaille pour toi, puis tu me fais chier en plus. J'vais faire ce que ta femme aurait dû faire bien avant ça : te crisser là !

Marcel s'élança et frappa Patrick directement à l'œil gauche. Étourdi par le coup, il saignait de l'arcade sourcilière. Il tenta de cogner Marcel à son tour, mais Serge s'interposa entre les deux frères. Il reçut un coup lui aussi, mais sur l'oreille. Dans sa colère, Serge jeta Patrick par terre et saisit Marcel par le collet, tout en exerçant une pression sur sa gorge.

— Regarde-moi bien, Marcel Robichaud, c'est la dernière fois que tu vas me voir la face icitte! As-tu bien compris? dit-il, en le secouant. Je prends mes clics et mes claques puis j'm'en vais! Qu'est-ce que tu fais toi, Pat? Tu vois bien que c'est un malade !

Émile entendait la dispute de loin. Il continua à examiner l'eau. Il y enfonça même sa bottine pour observer le résultat…

En entendant tout ce raffut qui venait du côté du chantier, les femmes sortirent sur la terrasse. Elles virent soudainement apparaître Serge, suivi de Patrick.

— Qu'est-ce qui se passe? demanda Violette.

— C'est ton malade! On est bien tannés puis on a décidé de partir tout de suite! répondit Serge.

— Qu'est-ce qu'il a fait pour vous mettre dans cet état?

— Tu lui demanderas, sacrament! grogna Patrick.

Marcel sauta dans son auto et partit à toute vitesse. Tous avaient une bonne idée de l'endroit où il allait. Violette insista pour qu'ils avalent une bouchée avant de partir. Patrick alla ranger les outils dans la remise et mit les siens dans sa voiture. Émile avait vu Marcel prendre la clé des champs, fou de colère comme cela lui était arrivé quand il était plus jeune et encore aujourd'hui, il devait bien se l'avouer. Marcel était certainement celui qui lui ressemblait le plus et il en était visiblement désolé. Ils mangèrent sans appétit, entassèrent leurs bagages dans le véhicule de Patrick. Ils filèrent après avoir offert de reconduire à Pointe-aux-Trembles Violette, qui refusa de les suivre, même si c'était la voix de la sagesse. Elle connaissait d'autres gens autour du lac Noir qui habitaient à Montréal. Elle s'assurerait que quelqu'un l'y amène si Marcel ne revenait pas.

Comme prévu, Marcel se rendit à la salle de billard, puis se retrouva au bar où travaillait Sonia. Comme il n'y avait pas foule, elle passa du temps avec lui. Elle ferma le bar assez tôt et dut ramener Marcel à l'hôtel, car il était trop ivre pour quitter Saint-Jean-de-Matha. Sonia était heureuse de gagner du terrain. Son amant passerait la nuit avec elle, même si, dans son état, elle ne pourrait profiter de ses belles caresses.

Violette était repartie à Montréal avec des amies qui comprirent vite que son couple était sur son déclin. Elle était retournée à Pointe-aux-Trembles, le cœur plein d'amertume.

C'était le début de la fin. Marcel avait franchi l'infranchissable. Cependant, le choc du vendredi passé l'avait suffisamment secouée pour ne pas être trop envahie de tristesse. L'ignominie de Marcel l'avait réveillée une fois pour toutes, cependant, elle savait qu'elle n'était pas au bout de ses peines.

La nuit de dimanche à lundi fut longue et elle la passa à réfléchir. En 1967, les gens n'étaient pas si nombreux à divorcer. Pourrait-elle un jour et à son âge refaire sa vie sans tomber sur un coureur de jupons ? Elle était échaudée, et Marcel avec son charme irrésistible et ses promesses lui avait fait perdre ses plus belles années. Quand vint l'heure de se lever, elle se prépara et se rendit, comme à l'accoutumée, à l'arrêt d'autobus. L'y attendait un long trajet qui lui laisserait suffisamment le temps de réfléchir à son avenir, pourvu qu'elle ne manque pas sa correspondance. Quand Violette arriva au travail, elle avait retrouvé le sourire.

# Chapitre 13

Marcel se réveilla avec un mal de tête terrible. Il ne savait plus exactement où il se trouvait. Il avait beaucoup trop bu la veille afin d'oublier la fin de journée qui s'était transformée en une violente querelle avec sa famille. La fin de semaine avait en fait mal débuté chez Sonia et s'était, vraisemblablement, terminée chez elle. Sonia était couchée en cuillère et l'enserrait fortement à la taille. Il regarda le réveille-matin, qui marquait six heures, et décida d'appeler à l'usine. Il déplaça lentement le bras de Sonia afin de ne pas la réveiller. Elle resserra sa prise, ne voulant pas le laisser s'enfuir.

— Où tu vas ?

— Donner un coup de fil à l'usine pour dire que j'entre pas au travail aujourd'hui et je te reviens, ma belle.

— Réveille-moi si je me rendors ! J'aime bien ça le matin, et sombrer à nouveau dans le sommeil après l'amour, c'est très agréable.

— Ça ne sera pas long !

Il s'empara du téléphone et composa le numéro de l'usine. Il entra ensuite dans la salle de bain et se versa un Bromo-Seltzer dans un verre, qu'il avala d'un trait. Il urina, se brossa les dents et retourna se lover dans les bras de sa maîtresse. Elle était douce, affectueuse et bien musclée. Ce qui, au début, n'avait été qu'une partie de jambes en l'air pour se prouver qu'il pouvait encore séduire se transformait, au fil de leurs rencontres, en attachement mutuel. Marcel aimait quand Sonia atteignait l'orgasme et qu'elle exprimait son plaisir sans tenir compte des oreilles chastes des bien-pensants.

Après avoir fait l'amour, Sonia sombra à nouveau dans le sommeil. Marcel resta étendu en pensant à Violette. Il admettait qu'elle n'avait rien fait pour mériter ce qu'elle vivait actuellement, mais il avait l'impression que lui non plus n'y était pour rien, ou presque… Sonia s'était jetée dans ses bras et il n'avait pas pu refuser une telle offre. Malgré l'ambiguïté de sa situation, il ressentait un certain malaise à l'égard de Violette, car il y était attaché. Il sortit du lit pour prendre une douche. Il garda sa barbe du jour, car il n'avait pas son rasoir pour compléter sa toilette. Il renfila son linge de travail puisqu'il avait quitté le chantier en trombe pour chasser la rage qui le consumait.

Marcel sortit pour acheter le journal et déjeuner au casse-croûte. Il se sentait bien et avait de l'appétit. Il lisait le *Montréal-Matin*, qui parlait du succès monstre de l'exposition universelle. Il était fasciné par la croissance de Montréal depuis l'intronisation du maire Jean Drapeau. Ce dernier avait été élu une première fois en 1954 pour épurer l'administration municipale avec l'aide de Pacifique Plante, puis avait été défait en 1957 par Sarto Fournier. Il avait repris le pouvoir en 1960 après avoir formé le Parti civique. Il semblait indélogeable, car c'était un homme de projets. Aussi réalisait-il de grands chantiers au cours de ses mandats. C'était tout un changement pour les Montréalais, surtout après avoir vécu la période de la Grande Noirceur. Marcel était un fervent admirateur du maire Drapeau et défendait ses politiques et ses projets contre tous ceux qui le raillaient.

Après avoir pris son petit-déjeuner et lu son journal, il retourna au motel pour vérifier si Sonia dormait encore. Il aurait aimé lui montrer l'avancement de son chantier, mais il n'avait pas encore compris que c'était la pierre d'achoppement pour Sonia, elle qui nourrissait le projet de vivre en couple avec lui. Quand il entra dans la chambre, il la trouva sous la douche. Quand elle en sortit, il s'exclama :

— Comme tu es belle, ma chérie !

— Tu as encore de l'appétit ?

— Toujours pour toi, si tu en as le goût.

— Je suis déjà nue, alors il ne te reste qu'à te déshabiller et à me rejoindre sous les draps, lui lança Sonia avec un air espiègle.

Elle savait que, comme beaucoup d'hommes qu'elle avait connus, il était chaud lapin le lendemain d'une cuite. Marcel fut nu en un rien de temps. Il ne se lassait pas de lui faire l'amour, d'autant plus qu'elle débordait d'imagination. Marcel prit égoïstement son plaisir, puis sans se préoccuper de Sonia, s'enfuit sous la douche pour chasser l'odeur du sexe.

— J'ai faim, Marcel! Tu as déjà pris ton petit-déjeuner?

— Je peux t'accompagner. Après, on ira au chalet pour ramasser mon linge parce qu'il faut que je retourne à Montréal aujourd'hui. Tu pourras constater l'avancement des travaux en même temps, si tu veux.

— Je veux bien jeter un coup d'œil si tu insistes, mais ce chalet est l'obstacle qui s'oppose entre nous deux. Es-tu certain qu'il n'y aura personne de ta belle-famille?

— Tout le monde est reparti à Montréal, ne t'en fais pas!

— Et les voisins?

— Il n'y a pas de voisins, sauf mes beaux-frères, et les vacances commencent la semaine prochaine.

Marcel et Sonia se rendirent au casse-croûte. Elle n'était pas à l'aise de se balader au vu des gens du village avec Marcel à son bras. Lui ne semblait pas craindre le commérage qu'on colporterait à leur sujet. C'était soit de l'inconscience, soit de la provocation.

— Tu es certain que ça ne te dérange pas? Je peux rester au motel si tu préfères…

— Non! Je veux que tu voies. Nous sommes habiles, nous les Robichaud!

— Alors allons-y! répliqua Sonia.

Ils prirent la direction du lac Noir. En arrivant sur les lieux, Sonia constata que les travaux étaient bien avancés. À en juger par sa taille, le chalet ne serait pas très gros, mais parfait pour deux personnes et un couple d'invités. Sonia admira la construction avec une pointe d'envie. Aurait-elle un jour la possibilité de posséder une maison à elle ? Avait-elle un avenir avec Marcel ? Elle en doutait, sachant que son attachement et son acharnement à sauver ce projet étaient voués à l'échec. Marcel voulait le beurre et l'argent du beurre. Sans connaître Violette, elle la comprenait. Violette était ici chez elle, entourée des siens, alors que Marcel était l'intrus.

— C'est un bien beau projet, Marcel, mais pourquoi t'acharnes-tu à le mener jusqu'au bout ? Tu sais très bien que t'as aucune chance contre ta femme. En tout cas, je ne serai pas là pour affronter ta femme et sa famille…

— Je vais me battre jusqu'au bout pour garder ce chalet ! J'ai jamais rien possédé et c'est moé qui l'ai imaginé de A à Z.

— Tu veux rien comprendre, pas vrai ? Ça me déprime de t'écouter. J'aimerais mieux que tu me ramènes au motel !

— Voyons, Sonia ! Tu peux pas m'en vouloir de m'accrocher à mes rêves ? C'est tout ce que j'ai, sacrament !

— Moi, je compte pas ? Ramène-moi au motel et ça presse !

— Calme-toé ! Tu commenceras pas à me parler de même, OK.

— J'vais m'en retourner à pied si tu continues.

— Vous êtes ben toutes pareilles, vous autres, les femmes !

Ce qui avait commencé comme une journée agréable avait vite dégénéré en un cauchemar pour Sonia. Elle saisit qu'elle n'avait aucun avenir avec Marcel. Elle s'était bercée d'illusions en pensant le contraire. En la reconduisant chez elle, Marcel s'était enfermé dans un mutisme le plus total, d'où il ne voulait pas sortir. Il s'entêtait à ne rien comprendre en rejetant le blâme sur les femmes. Il fit descendre Sonia devant la porte de son motel sans même lui dire adieu. Il savait qu'il regretterait d'avoir refusé de l'écouter. Il savait aussi qu'elle avait raison, mais qu'il ne pouvait pas reconnaître qu'il avait tort.

Aussitôt que Sonia referma la portière de son véhicule, Marcel fit crisser ses pneus, projetant des cailloux et une traînée de poussière sur elle. Il était furieux. Il prit la route pour Montréal en cherchant à justifier auprès de sa femme sa désertion de la veille. L'explication servant à le disculper ne lui venait pas à l'esprit. Marcel était certain que Violette serait froide avec lui. Avoir une maîtresse était une chose, surtout lorsque personne n'était en mesure de fournir de preuves, mais découcher confirmait le fait qu'il était coupable. Violette le chasserait peut-être du logis, à moins qu'il y soit avant qu'elle ne revienne du travail… Il trouverait bien, entre-temps, l'alibi pour se disculper. Son départ de Saint-Jean-de-Matha l'avait sans doute à jamais brouillé avec Sonia. Il n'aurait plus de lieu où se réfugier si tel était le cas. Marcel avait un talent inné pour se mettre dans des situations intenables et, cette fois, il s'était bien enfoncé sans l'aide de personne. Il devait réfléchir avant d'affronter Violette. Mais, avant, il devait absolument étancher sa soif. Il fit halte dans une brasserie de Joliette et se commanda une bière et un cognac. Par malheur pour lui, l'endroit disposait de tables de billard. Il but son cognac et sirota sa bière. Puis, comme il se doit, il déposa son vingt-cinq cents pour réserver sa place parmi les joueurs qui attendaient leur tour.

— Quelle est la mise ? demanda-t-il.

— À cette table, on joue pour la bière et à celle-ci, ça dépend des joueurs. Il n'y a pas de limite.

— Je vais jouer pour la bière, pour voir le calibre des joueurs. Je me méfie de ceux qui sont trop habiles. J'ai l'habitude de bien me défendre… répondit Marcel.

Il joua une première partie et la perdit de façon délibérée. Ça faisait partie de sa stratégie. Il déposa vingt-cinq cents à l'autre table et commanda une autre bière et un cognac. Il attendit son tour. Les joueurs le prenaient pour un pigeon qui serait facile à plumer.

— Moi, je joue à dix piastres la partie ! lança le joueur qui détenait la table.

— Dix piastres ! C'est beaucoup d'argent, mais j'vas m'essayer quand même, répliqua Marcel.

Le joueur qui détenait la table avait normalement la casse, mais il ne rentra aucune boule. C'était au tour de Marcel et il nettoya la table, laissant son adversaire pantois.

— J'ai été chanceux! répondit Marcel. J'en jouerais ben une autre avec la même gageure!

— J'suis partant pour un match revanche! dit celui qui venait d'être vaincu.

Cette fois, Marcel avait la casse et la chance lui sourit. Sans vider la table, il positionna ses boules de façon avantageuse. Il gagna à nouveau la deuxième partie. Les autres joueurs commençaient à se méfier de lui. Celui qu'il avait défait à deux reprises s'entêta à reprendre son avantage, mais perdit à nouveau la troisième partie. Marcel fit l'erreur de rire de la défaite de son opposant et reçut en échange un coup de baguette sur la tempe. Le serveur s'interposa entre les deux belligérants. L'œil de Marcel enfla en peu de temps. Il était sonné.

— Qu'est-ce qui te prend, Roger? À ce que je sache, ton opposant n'a pas triché? Paye-lui ce que tu lui dois ou va-t'en! Tu le sais qu'on aime pas la chicane, icitte.

L'œil de Marcel enflait à un point tel qu'il était complètement fermé. Il se rendit aux toilettes pour constater les dommages. Le type ne l'avait pas manqué. Il quitta les lieux en toute hâte, fâché qu'on y respecte peu l'éthique sportive. Tout à coup, il eut l'idée de raconter cette histoire où il y aurait billard, beuverie et bagarre, mais pas d'adultère. Est-ce que Violette serait assez naïve pour le croire encore une fois? S'il réussissait à chasser le spectre de Sonia de l'esprit de Violette, il croyait que c'était gagné. Il n'aurait qu'à la supplier de lui laisser une place dans son cœur, ce qui ne devrait pas être si difficile. Plus ce serait tiré par les cheveux et plus il avait de chance de réussir. Jamais elle ne pourrait deviner jusqu'où sa perfidie pouvait aller. Il devait regagner sa place auprès d'elle puisque, de toute évidence, sa vie avec Sonia était vouée à l'échec. Elle n'avait rien d'autre à offrir que son corps. Et jamais il ne pourrait accepter que sa femme s'expose ainsi devant tout le monde. Par fanfaronnade, il avait prouvé qu'il pouvait séduire une femme beaucoup plus jeune que lui. Rien ne l'empêcherait de poursuivre sa quête de chair fraîche une fois qu'il aurait assuré sa place auprès de Violette. Elle se méfierait de lui quelque temps, mais, en se montrant attentif et prévoyant à son égard, elle ne lui résisterait pas longtemps. Car elle ne demandait qu'à l'aimer, pensa-t-il. Bien sûr, il aurait à refaire son image auprès de la famille Robichaud et peut-être aussi auprès de la famille Dandenault, si Violette s'était confiée à ses sœurs.

Marcel, chemin faisant, tournait son plan dans tous les sens pour reconquérir Violette, quitte à ce qu'elle le prenne en pitié. Il ne voulait pas se retrouver à la rue sans y être prêt. Il aurait un autre plan, le cas échéant. Il devrait certes faire plier son orgueil, mais ce ne serait que temporaire, le temps qu'il reprenne son ascendant sur son épouse. L'important était qu'il soit de retour au logis avant Violette. Elle ne pourrait pas lui en interdire l'accès. N'avait-elle pas prouvé, dernièrement, qu'elle pouvait être opiniâtre ? Marcel se regarda dans le rétroviseur et eut de la difficulté à se reconnaître. Il arborait exactement la mine nécessaire pour stimuler sa pitié.

Violette travailla toute la journée avec célérité et détermination. Elle ne laissait rien voir de son émoi, mais ce n'était pas facile de rejeter du revers de la main plus de dix ans de vie commune avec Marcel. Elle essayait de s'endurcir à la vie qui l'attendait. Elle se sentait faible sans la présence de sa belle-sœur Nicole auprès d'elle. Cette dernière aurait pu la soutenir dans sa volonté de ne pas fléchir devant Marcel, tout comme elle l'avait fait durant la fin de semaine où elle s'était montrée ferme envers son mari et envers les autres aussi. Mais une fois seule dans son logis, elle avait trouvé les lieux ternes et sans vie. Elle s'était rendu compte qu'elle n'avait pas mis d'emphase sur la décoration, sur ce qui aurait dû être normalement son nid. La journée était enfin terminée, et le trajet de retour en autobus lui avait paru interminable. Quand elle arriva à la hauteur de son immeuble, elle reconnut l'auto de Marcel. Il était revenu. Devait-elle s'en réjouir ou en pleurer ? Avant d'entrer, Violette tenta de se forger la carapace qui lui serait nécessaire pour affronter son mari, mais l'angoisse prit le dessus. Elle tourna la clé dans la serrure, s'attendant à l'affronter. Il n'était pas là. Elle déposa son sac à main sur la table de la cuisine, se déchaussa pour étouffer le bruit de ses pas, puis se rendit devant la porte de leur chambre à coucher.

Marcel était étendu sur leur lit, un sac de glace sur le visage. Elle prit son courage à deux mains et lui dit:

— Tu as décidé de revenir, en fin de compte?

Marcel sursauta en entendant la voix de Violette. C'était maintenant ou jamais. Ou bien ça passait ou bien ça cassait. Il enleva son sac de glace pour montrer son visage tuméfié à son épouse.

— Qu'est-ce que tu t'es fait?

Marcel geignit pour augmenter l'effet dramatique de la situation.

— T'as raison de me détester, Violette, parce que j'me suis saoulé hier pis j'me suis battu avec le résultat que tu vois. Par contre, j't'ai pas «trichée», j'te le jure. Tu peux me jeter dehors si tu veux pis je m'obstinerai pas. J'aurai juste ce que je mérite. Je n'ai aucune excuse, sinon que la fin de semaine a bien mal commencé avec tout le monde qui doutait de moi. Quand j't'ai dit que c'était fini, c'était vraiment fini, et j't'ai pas trompée depuis cette fois-là.

— Comment veux-tu que je te croie, Marcel? Tu me mens tout le temps! Tu t'es fait arranger le portrait comme il faut. Avec qui t'es-tu chicané cette fois-ci?

— Je jouais au billard pour me calmer et j'ai gagné une fois de trop! Mon adversaire m'a donné un coup de baguette sur l'œil. Le propriétaire l'a mis dehors, mais le mal était déjà fait.

J'avais trop bu et j'ai décidé de coucher à Joliette. J'me suis réveillé avec un mal de tête et l'œil complètement bouché. J'sus vraiment désolé, Violette !

— Tu me jures que c'est la vérité ? Que tu ne m'as pas « trichée » ?

— J't'le jure sur la tête de ma mère !

À ces paroles, Violette vint s'asseoir sur le bord du lit et regarda l'œil au beurre noir de Marcel. Elle se pencha au-dessus de lui et il en profita pour l'enlacer. Vainement, elle voulut résister à son étreinte, mais elle désirait trop le croire pour ne pas se laisser aller à la tendresse. Elle se leva pour rafraîchir la serviette qu'il appliquait sur sa blessure. Elle revint quelques instants plus tard et replaça le tissu sur son œil.

— Apparemment qu'un morceau de steak est très efficace si on l'applique directement sur la contusion.

— Étends-toi à mes côtés et j'sus certain que la guérison sera plus rapide. J'ai besoin de toi, Violette !

Elle s'allongea à ses côtés et posa la tête sur son épaule. Elle avait tellement besoin d'affection qu'elle se sentit comme une marionnette désarticulée quand le bras de Marcel lui enserra la taille. Il ressentit une certaine moiteur sur son épaule. C'était Violette qui pleurait en silence. Il la souleva et lui embrassa les yeux. Il la caressa, glissa ses mains sous ses vêtements, cherchant les zones érogènes susceptibles de l'exciter. Elle se laissait caresser sans opposer aucune résistance. Elle voulait tellement oublier cet épisode qui était source de chagrin.

— Peux-tu essayer de passer l'éponge sur ces derniers mois, Violette ? Je ne veux pas te perdre ! On pourrait avoir une belle vie si on le voulait vraiment. On est sur le point d'avoir un chalet bien à nous. On ne peut pas lâcher rendus où on en est. Qu'est-ce que t'en penses ?

— Moi non plus, je ne veux pas te perdre, mais tu m'as vraiment fait mal en me trompant. Je peux pardonner, mais je ne peux pas oublier. J'ai trop peur de souffrir encore plus. Tu me jures que tu ne me trromperas plus ? Jure-le !

— J't'le jure ! Tu peux me croire. Laisse-moi te caresser pour te le prouver.

— Je ne veux pas faire l'amour maintenant, mais tu peux me serrer dans tes bras si tu veux. C'est plus de chaleur que de sexe que j'ai besoin en ce moment, lui répondit Violette.

Marcel était déçu, car les réponses de Violette étaient conditionnelles. Elle ne voulait pas oublier son infidélité. Il sentait l'impatience monter en lui, mais il devait faire attention à ses réactions colériques qui lui mettraient la puce à l'oreille. Il devait s'armer de patience s'il voulait la convaincre de sa sincérité. Il se contenta donc de la tenir dans ses bras, jusqu'à ce que le sommeil les envahisse tous les deux.

Le lendemain, c'était le boulot qui reprenait. Marcel se fit taquiner par ses camarades à la vue de son coquard, mais, comme d'habitude, il avait déjà une réponse toute prête.

— Dis donc, Robichaud, c'est qui le type qui t'a fait ça ?

— Tu te rappelles pas ? C'est toé, imbécile, qui m'as fait ça pendant que je baisais ta femme…

Violette avait hâte à la fin de la semaine parce que c'était le début des vacances. Paul et Monique seraient au lac Noir pour deux semaines, accompagnés de leurs plus jeunes enfants. Il y aurait aussi Patrick et Thérèse. Ils avaient pour objectif de terminer le chalet à peu de choses près. Monique serait une présence rassurante parce que jamais Marcel n'oserait faire de bêtises en sa présence sans encourir ses foudres. L'anxiété de Violette avait diminué juste en pensant à sa belle-sœur, mais aussi à son beau-frère Paul, qui saurait temporiser son mari.

\* \* \*

De retour à Granby, Émile, Nicole, Serge et Patrick se questionnaient sur l'attitude destructrice de Marcel. Que cherchait-il à prouver en agissant ainsi ? Émile en parla à Lauretta.

— J'te dis que c'était pas drôle chez Marcel en fin de semaine !

— Qu'est-ce que tu veux dire par là, Émile ?

— En arrivant, Marcel était pas là! Quand tu attends de la visite, c'est plus que normal d'être là, surtout s'ils viennent t'aider. Qu'est-ce que t'en penses toé, Lauretta?

— Où était-il?

— Si tu veux mon idée, il était avec sa guidoune! J'vois pas d'autre chose…

— Je n'aime vraiment pas ce mot-là, Émile!

— Il faut ben appeler un chat un chat! J'trouve pas d'autres mots…

— Comment était Violette dans tout ça?

— C'est elle pis Nicole qui l'ont pogné sur le fait. J'te le dis, y'a mérite pas! J'avais honte pour lui. Ç'a mal été toute la fin de semaine sur le chantier. Marcel pensait juste à se sauver!

— Mon Dieu! On élève nos enfants du mieux qu'on pense, mais, finalement, on se rend compte qu'on n'a pas grand contrôle sur le résultat final. Celui-là m'a toujours inquiétée! Pendant longtemps, j'ai pensé qu'il finirait en prison et j'ai souvent prié saint Jude. Ce que tu me dis, c'est qu'il faudrait que je prie aussi sainte Rita pour qu'elle exauce Violette.

— J'les connais pas toutes par cœur, mais c'est sûr qu'elle aurait besoin d'un coup de main du ciel avant de virer folle! répondit Émile.

— Il faut que j'en parle à Monique! C'est la seule qui peut lui faire entendre raison. Je pense que je vais l'appeler tout de suite avant qu'elle se retrouve face à un drame et témoin, avec ses jeunes, de la folie de notre fils.

Lauretta eut sa fille au téléphone et lui demanda d'appeler Marcel, mais aussi de parler à Violette pour avoir le fin mot de l'affaire. Une fois de plus, Monique se retrouvait impliquée dans des problèmes familiaux qui ne la concernaient pas, par déférence pour sa mère. Tout le monde semblait oublier qu'elle avait sa propre famille, avec deux adolescents et deux plus jeunes, sans compter Jean-Pierre.

— Violette! Comment vas-tu? On va être chez vous vendredi! Vous nous attendez toujours?

— Oh! si tu savais comme j'ai hâte de te voir, toi et ta famille! J'ai tout organisé avec ma mère : elle dormira chez Gilles pendant tout le temps de votre séjour. On va être un peu à l'étroit, mais on va être bien quand même, tu verras…

— Si je t'appelle, c'est que j'ai eu des échos que ça n'allait pas très bien avec Marcel? Tu connais ma mère? Elle s'en fait toujours et c'est parfois sans fondement, déclara Monique.

— Je te mentirais si je te disais que nous n'avons pas nos problèmes, moi et Marcel, mais tous les couples ont des périodes difficiles, pas vrai? J'aurais besoin de tes conseils, mais ça peut attendre à vendredi. J'ai tellement hâte de te revoir!

— Est-ce que mon frère est là?

— Non! Il est parti jouer au billard, mais il ne devrait pas tarder à arriver…

— Ne lui dis pas qu'on s'est parlé, mais fais-lui le message qu'il me rappelle en arrivant. N'oublie pas que je suis ton alliée. Il va falloir que mon frère marche droit s'il ne veut pas de problèmes avec moi.

— Je lui fais le message et merci d'avoir appelé. J'ai hâte à vendredi!

— Moi aussi! Je t'embrasse!

Marcel ne tarda pas à rappeler Monique. Son timbre de voix laissait supposer qu'il était de bonne humeur.

— Salut ma p'tite sœur! As-tu hâte d'être au lac Noir?

— Allô, Marcel! Bien sûr que j'ai hâte. Je m'ennuie de vous deux. Maxime sera le seul à ne pas être là. Il est devenu un grand garçon qui travaille durant toute la saison estivale. Il est chez Laurin fruits et légumes. Il travaille dur!

— À son âge, j'travaillais au restaurant Bazinet, tu t'en rappelles?

— Oui, je m'en souviens! Écoute, Marcel, tu dois te douter que je ne t'appelle pas pour parler de la pluie et du beau temps.

— Tu as eu vent des derniers événements?

— Oui et ça vient de maman!

— Je voulais justement appeler Pat, parce que la fin de semaine passée a été rude sur le chantier. Je t'expliquerai…

— Vas-y, Marcel, je suis tout ouïe!

— C'est une longue histoire et j'veux pas t'ennuyer avec ça, mais, pour faire une histoire courte, j'me suis fait accuser d'avoir «triché» Violette alors que c'était pas vrai pantoute!

— Si ce que tu me dis est vrai, tu n'as pas dû apprécier?

— Crisse non! Ça m'a mis le feu au cul si tu veux savoir… Après ça, tout a tourné au vinaigre. Je devrais peut-être m'excuser auprès de Pat. Il a rien fait pour m'écœurer, mais il était ben tanné vers la fin…

— Je m'en viens avec mes enfants, Marcel. Peux-tu me promettre de bien te comporter pendant notre séjour? On y va pour vous aider, il faudrait que tu te contrôles. Je sais que tu as un tempérament bouillant, mais je sais que Paul ne fera rien pour te provoquer et Pat non plus d'ailleurs. Il faut que tout le monde se sente bien parce que des vacances, c'est fait pour s'amuser même si on travaille en même temps.

— Écoute, Monique, je t'ai dit que c'était accidentel la fin de semaine passée. T'as pas à t'inquiéter de rien! J'aime ma femme et j'ai l'intention de te le prouver.

— Je t'entends et veux bien te croire! On aura du plaisir, et Paul a bien l'intention de finir ton chalet durant ses vacances annuelles, si Pat est toujours responsable du chantier. Appelle donc Pat pour t'assurer qu'il n'est pas trop frustré. Ton frère est presqu'aussi soupe au lait que toi. Tu t'imagines ? lança Monique en riant.

— T'as ben raison ! Méchante gang de malades, les Robichaud. Je lui donne un coup de fil aussitôt que tu raccroches. *Bye* et à vendredi ! dit Marcel en terminant.

Monique avait tâté le terrain pour en savoir plus sur le couple Marcel-Violette. D'après Émile, ils étaient devenus des antagonistes. Quelqu'un lui mentait, mais elle ne pouvait pas déterminer qui. Sûrement pas son père, même s'il pouvait avoir fait une mauvaise lecture de la situation. De fait, elle se méfiait beaucoup plus de Marcel, qui n'hésitait jamais à mentir pour se vanter ou se couvrir. À ses yeux, sa belle-sœur Violette était la victime du couple, connaissant bien son frère retors. Elle avait hâte à vendredi pour constater par elle-même, mais elle ferait un dernier appel à sa sœur Nicole, qui était là au moment des faits reprochés à Marcel.

— Allô, Nicole ! Te prépares-tu à partir pour Old Orchard ?

— Oui ! J'ai bien hâte de voir la mer et de m'y tremper les pieds.

— Je ne sais pas comment tu fais pour te baigner dans cette eau glaciale. Brrr… j'ai des frissons juste à y penser !

— On s'habitue !

— Dis-moi, Nicole, tu étais au lac Noir la fin de semaine passée, à ce qu'il paraît. Que s'est-il passé exactement ?

— Ne m'en parle pas ! Marcel est vraiment un imbécile. Il savait qu'on arrivait vendredi soir et il n'était même pas là pour nous accueillir. Il était avec sa pitoune !

— Comment peux-tu savoir ça ?

— Son auto était stationnée dans la cour du motel et il a prétendu qu'il avait eu une panne ! Est-ce que j'ai l'air d'une valise qu'on peut remplir autant qu'on veut ? T'aurais dû voir dans quel état était la pauvre Violette… Elle était complètement anéantie.

— Je lui ai parlé un peu plus tôt et elle m'a paru plutôt bien. J'imagine qu'elle s'est réconciliée avec Marcel. Tu parles d'un garnement, elle qui est douce comme une soie. Elle ne pouvait pas plus mal tomber ! Si on parle d'un couple mal assorti, répliqua Monique.

— Serge est tellement en colère qu'il ne veut plus jamais y retourner. Il m'a même dit que, si je voulais y retourner, je devais m'arranger avec un autre membre de la famille. Il a rajouté qu'il avait autre chose à faire que de perdre son temps. Le chantier n'a pas beaucoup avancé si je me fie sur ce que j'ai entendu pendant le voyage de retour. Pat était aussi frustré que Serge. P'pa s'est enfermé dans un mutisme qui en disait long…

— Il n'a pas fait de bêtises au moins ?

— P'pa n'est presque plus reconnaissable depuis qu'il a pris sa retraite. Il est même gentil par moments.

— Je sais ! M'man m'en parle assez pour que je commence à la croire. Apparemment qu'il n'est jamais trop tard pour bien faire ! C'est juste regrettable que j'aie tant goûté à sa médecine. Des fois, j'ai l'impression que ça s'est passé dans une autre vie.

— En tout cas, il avait l'air bien malheureux pour Violette. Je crois que c'est sa préférée…

— De toute façon, on monte vendredi avec deux autos, et on verra bien ce qui va se passer… dit Monique.

— Bon voyage si on ne se reparle pas d'ici là !

— À toi aussi, Nicole. *Bye !*

Monique pouvait se faire une idée sur ce qui l'attendait, mais elle comptait sur son influence pour que son frère contrôle ses bas instincts. Paul aussi avait un certain ascendant sur Marcel. Il représentait la maturité, le grand frère de sept ans son aîné, mais c'était surtout son calme qui le démarquait des autres membres de la famille Robichaud. Il savait célébrer et égayait les fêtes en chantant des airs à répondre. Il savait rire, mais pouvait aussi être sérieux quand la situation l'exigeait. Monique pensa à le mettre au parfum sur ce qui les attendait au Lac Noir.

— Je viens de parler avec ma mère, ainsi qu'avec Violette, Marcel et finalement avec Nicole. Je peux me faire une bonne idée de ce à quoi on peut s'attendre en montant dans le Nord.

— Je sais! J'ai tout entendu pendant que je lisais mon journal. Marcel a encore fait des siennes la fin de semaine passée? Le plus important, c'est de savoir comment Pat a réagi et s'il tient à terminer le chantier. Son aide est très précieuse, comme tu sais.

— Pourquoi tu ne l'appellerais pas, Paul? C'est toi qui vas travailler avec lui, après tout!

— Si j'ai bien compris, tu me laisses terminer le travail commencé par ton père et pris en charge par ta mère? Je veux bien, mais ça va être bref! Pas de mémérage inutile. Tout ce qui m'importe de savoir, c'est s'il veut terminer le chantier. Point à la ligne. Ça vous laissera de quoi discuter entre vous, toi, Thérèse et Violette…

— Ne sois pas méchant, mon chéri! Tu devrais être habitué depuis le temps que tu fais partie de la famille!

— Justement! Je ne veux pas me retrouver empêtré dans vos histoires. Tout ce que je demande à Marcel, c'est qu'il travaille sur son chantier.

# Chapitre 14

Vendredi arriva enfin. C'était le début des vacances. Monique avait passé une partie de la journée à remplir l'auto avec sa fille Martine, qui aurait quatorze ans bientôt. Elle était enthousiaste à l'idée de partir elle aussi, même si sa mère lui avait réservé un rôle de surveillance : veiller sur les deux plus jeunes, Michel et Danièle. Elle n'avait pas d'inquiétude face à la plus jeune parce qu'elle cherchait à l'imiter dans tout ce qu'elle faisait. Elle aurait à s'occuper d'une petite poupée charmante et vivante. C'était une tout autre histoire pour son frère Michel, qui était têtu comme une mule. Elle avait peur qu'il s'aventure dans l'eau et qu'il se noie.

— Dis, maman ! Qu'est-ce que je fais si Michel s'aventure dans l'eau ?

— Tu appelles ton père et il lui passera l'idée de se baigner sans la présence d'un adulte. Il devrait comprendre assez vite. Ton père est le seul qui a de l'emprise sur lui.

— D'accord !

Le convoi se mit en branle en direction du lac Noir. Patrick était seul à bord de son véhicule avec sa femme Thérèse et Paul suivait avec sa famille. La circulation était dense, car c'étaient les vacances pour la majorité des Québécois. Ils mirent une heure de plus que d'habitude à faire le trajet, mais

Violette et Marcel les attendaient patiemment. Rien dans leur attitude ne laissait présager qu'un malaise s'était installé dans le couple en les regardant. Ils avaient une mine souriante, et Violette s'empressa d'embrasser tous ses invités pendant que Marcel saluait Paul et Patrick.

— Allons souper! Je vous ai préparé une lasagne et une salade verte. J'espère que tout le monde aime ça, dit Violette.

— Quand l'appétit est là, tout est bon, même pour les enfants, déclara Monique.

Ils rentrèrent leurs bagages, prirent possession de leur chambre et revinrent s'attabler. Les hommes parlaient déjà des travaux qu'ils auraient à réaliser et dans quelle séquence ils devraient les entreprendre. Marcel était enthousiaste, ce qui motiva Patrick et Paul.

— Voulez-vous une bière avant le souper? demanda Violette.

— J'ai apporté du vin rouge, si vous êtes amateurs. Ça va très bien avec des pâtes! déclara Paul.

— Quelle sorte de vin?

— Italien! Du Chianti!

— Je veux bien essayer, en espérant que ça ne ressemble pas au vin que mon père fait dans sa cave… fit Patrick d'un air dédaigneux.

— Aucun rapport avec sa piquette, je t'assure! Goûtes-y et tu verras que ce n'est pas la même chose. C'est un cadeau que j'ai reçu d'une compagnie de transport que j'encourage en leur donnant des contrats. J'aime promouvoir les compagnies locales de Granby. Monique! Où t'as mis le vin que j'ai apporté?

— Il doit être dans le coffre de la voiture. Je n'y ai pas touché!

— Je vais aller le chercher. Ce n'est pas très bon de le laisser à la chaleur du véhicule, dit Paul.

Ce dernier se dirigea vers l'arrière de sa voiture et en sortit une caisse. Il la rentra dans le chalet et en extirpa une bouteille qui avait un emballage en paille. Il l'ouvrit et huma son parfum.

— Je vous le dit, ça n'a rien à voir avec le Saint-Georges ou le 999 qu'on achetait au gallon. C'est beaucoup plus raffiné! Goûtez-y et vous m'en donnerez des nouvelles. Et vous, mesdames, je vous en verse une larme? demanda Paul.

— Non merci, Paul. Je ne supporte pas l'alcool! répondit Violette.

— Juste un petit verre pour te faire apprécier ta lasagne qui semble succulente!

— Bon d'accord, mais juste un petit verre!

— Et toi, Monique? Thérèse?

— Bien sûr! répondirent-elles en chœur.

Tous trinquèrent au succès des travaux qui se continue-raient dès le lendemain dans l'espoir de les terminer avant la fin des vacances. Après avoir mangé à satiété, ils sortirent faire un feu de camp pour amuser les enfants. Dès qu'il se mit à crépiter, Violette leur sortit un sac de guimauves qu'ils firent griller sans se faire prier. Le couvre-feu sonna tôt pour que tous soient en forme le lendemain, car la journée s'annonçait splendide.

Allongés dans leur lit, Paul et Monique chuchotèrent pour ne pas être entendus de leurs voisins de chambre.

— Ce que Nicole m'a révélé est en contradiction avec ce que j'ai constaté depuis notre arrivée. Qu'est-ce que tu en dis, Paul?

— Tu as raison! Marcel et Violette semblent être en harmo-nie. Ça me surprendrait que Marcel soit subtil à ce point et qu'on soit tous dupes de son jeu. Ils ont dû faire la paix!

— J'en saurai plus demain quand je serai seule avec Violette, mais, en même temps, je ne veux pas raviver la plaie.

— Je vais tenter de mon côté d'en savoir plus long sur Sonia. Il a peut-être rompu avec elle? Mais on aura tout le temps de constater si c'est juste une façade ou non, répondit Paul.

— Ce ne sera pas facile de faire l'amour, avec les enfants autour de nous.

— Il n'y a que Danièle dans la chambre et elle dormira sûrement quand nous nous coucherons la plupart du temps. On se fera discrets!

— D'accord, mais il n'y a pas que nos enfants. La maison est pleine de monde. D'ailleurs, je ne serais pas étonnée d'entendre geindre Thérèse un de ces soirs. Peut-être même Violette, qui sait?

— Assez de fantasmes pour ce soir! J'ai l'impression d'être un voyeur. Allez, dors!

— Pas avant que tu m'aies embrassée! Je t'avoue que ça m'excite rien que d'y penser. La petite s'est déjà endormie. On pourrait faire une tentative ce soir si tu veux, mon chéri?

Paul l'enlaça et il sentit le corps chaud et sensuel de Monique. Après de doux ébats, ils tombèrent dans les bras de Morphée, avec un sourire béat sur les lèvres. Les vacances commençaient bien.

L'odeur du café réveilla toute la maisonnée. Martine et Michel, qui dormaient dans le salon, s'étaient réveillés au premier bruit qu'avait fait Violette en préparant le café. Elle avait l'habitude d'être matinale, même en vacances. Violette aimait beaucoup les enfants et se réjouissait que quelques-uns de ceux de Monique soient au chalet pour deux semaines. Elle les dorloterait, pour la durée de leur séjour. C'était un de ses grands regrets: ne pas avoir eu d'enfants.

— Bonjour, Martine! Bonjour, Michel! Je vous ai tirés du lit?

— Non, matante! J'étais déjà réveillée et j'ai très bien dormi, répondit Martine.

— Voulez-vous des crêpes ou des galettes de sarrasin pour déjeuner? J'ai tout ce qu'il faut!

— Je ne me rappelle pas avoir déjà mangé des galettes de sarrasin. Ça ressemble à quoi?

— C'est un peu comme une crêpe, mais en plus épais. C'est très bon servie avec de la mélasse, lui expliqua Violette.

— Maxime fait des crêpes chaque fois qu'il a en la chance. J'aimerais bien goûter à tes galettes, matante. Est-ce que je peux te regarder faire? J'aime bien apprendre des nouvelles recettes.

— C'est très facile, tu verras! Séraphin Poudrier en mangeait tout le temps, parce que ça ne coûtait pas cher. Il était très avare, tu te rappelles?

— Tu parles des *Belles Histoires des pays d'en haut*? Maman aime beaucoup cette émission.

Paul et Monique écoutaient la conversation qui se déroulait dans la cuisine. Ils trouvaient regrettable que Violette n'ait pas d'enfants. Elle était tellement patiente avec eux et aurait pu s'épanouir si elle en avait eu, et probablement que Marcel aurait été différent, lui aussi.

— Que diriez-vous si on allait cueillir des petits fruits aujourd'hui ? Si on en ramasse suffisamment, on pourrait faire une tarte pour le souper. Il y a des mûres et des framboises tout près. Malheureusement, il est trop tard pour les fraises, par contre, on trouvera peut-être des bleuets.

— Oh oui, ça serait le *fun* ! répondit Michel, qui s'était jusque-là contenté de les écouter parler.

— Tiens ! Michel est complètement réveillé à son tour. remarqua Violette.

— J'étais réveillé, mais c'étaient des histoires de filles. J'ai pas le goût d'apprendre à faire des galettes, mais j'ai celui d'en manger, par exemple.

— Tous les hommes devraient savoir cuisiner. Les coureurs des bois devaient se nourrir par eux-mêmes, répliqua Violette.

— J'avais pas pensé à ça, matante ! Tu es sûre qu'ils n'apportaient pas des conserves quand ils partaient dans le bois ?

— Les conserves n'existaient pas dans ce temps-là, mon beau Michel ! Ils devaient se débrouiller avec de la viande séchée, de la farine, des fèves, du sel, du poivre et je ne sais quoi d'autres. Ils vivaient de chasse et de pêche. La vie ne devait pas être facile dans ce temps-là.

— Moi, j'aurais aimé ça vivre à cette époque-là, mais j'aurais apporté des sacs de *chips* et du *popcorn*, répondit Michel, le plus sérieusement du monde.

— Les *chips*, ça n'existait pas non plus, mon grand !

Martine se mit à rire de l'ignorance de son frère, puis se reprit quand elle vit la moue réprobatrice de sa tante. Violette avait sorti les ingrédients pour la préparation des galettes. Elle empoigna un grand bol pour en faire pour tous ses invités. La maison s'éveillait tranquillement et tout le monde semblait reposé après une bonne nuit de sommeil.

En se couchant la veille, Martine avait remarqué le silence de la nuit, où l'on entendait seulement les bruits de la nature. L'hululement de la chouette et le cri des coyotes, qui faisaient peur d'habitude aux gens de la ville. Le maraudage des ratons laveurs pouvait être confondu avec celui de l'ours pour une oreille craintive. La nuit était tellement sombre loin de la pollution lumineuse des villes que le ciel était rempli d'étoiles. Martine était restée éveillée une partie de la nuit et avait rêvassé. Tous ces bruits qu'elle découvrait pour la première fois ne l'avaient pas effrayée, mais elle n'avait pas osé non plus s'aventurer à l'extérieur. Elle avait cru entendre du bruit dans la chambre de ses parents, mais ne pouvait pas les imaginer faisant l'amour. Ils étaient trop vieux pour s'adonner à un acte aussi trivial. Elle était encore bien naïve.

— Bon matin ! lança sa mère, qui fut la première adulte à se lever. As-tu besoin d'aide, Violette ?

— Non, ça va ! Verse-toi une tasse de café pendant que je prépare des galettes pour les enfants. En veux-tu, toi aussi ?

— Je ne dis pas non, mais ça peut attendre! Paul se lève lui aussi et je suis certaine qu'il en voudra. Je vais mettre le couvert en attendant, répondit Monique.

— Bon matin, Violette et les enfants! Les autres sont encore couchés? demanda Paul.

— Il est encore bien tôt! À peine six heures et demie. Ils peuvent bien roupiller encore un peu, non? Qu'en penses-tu, Paul?

— Tu as bien raison. Je crois que je vais aller me saucer dans le lac pour me réveiller complètement. Si j'habitais sur le bord d'un lac, je le ferais tous les matins sans exception. J'aime vraiment ça! Il me semble que ça commence bien une journée…

— Moi, je suis trop frileuse! répliqua Violette. J'ai des galettes de prêtes, les enfants! En voulez-vous tout de suite?

Michel et Martine ne se firent pas prier. L'odeur de friture termina de réveiller les plus paresseux. Il n'y avait que la petite Danièle qui roupillait encore comme une marmotte. Marcel était de bonne humeur et embrassa sa femme, en lui demandant deux galettes pendant que Monique lui servait du café.

— J'ai l'impression de retourner dans le temps, quand on vivait tous ensemble dans la maison de la rue Sainte-Rose. Je pense que j'aurais aimé ça avoir de la marmaille grouillante tout autour de moi! lança Marcel.

Le visage de Violette s'assombrit un bref instant en pensant à ce que Marcel venait de dire, mais elle se reprit aussitôt. L'heure n'était pas au regret. Patrick et Thérèse se levèrent les derniers, vers sept heures. Paul était revenu de sa baignade et s'apprêtait à goûter aux galettes de Violette.

— Ça sent bon! C'était une vraie torture que de rester couchée, dit Thérèse. Je crois que je vais mettre mon bikini et me faire bronzer, étendue au bord du lac.

— C'est une bonne idée! Je vais t'imiter! déclara Monique.

— Moi, je vais cueillir des petits fruits avec Martine et Michel, à moins qu'ils aient changé d'idée…

— Non non, matante! Toi, Michel?

— Moi aussi, ça me tente encore et on va revenir avec des gros paniers remplis jusqu'au bord! Pas vrai, matante?

— Je trouve que tu as beaucoup d'ambition, Michel! Si on commençait par trouver une bonne talle?

— Nous autres, on va travailler comme des bêtes pendant ce temps-là. Pas vrai, les gars? dit Patrick.

— Ouais! À moins qu'on mette un tablier et qu'on prépare le dîner… lança Marcel.

— Si ça te fait rien, Marcel, je préfère mettre mon tablier à clous! lança Paul.

— Il faudrait qu'on commence si on veut finir! Qu'est-ce que vous en pensez? répliqua Patrick.

— Je suis prêt!

— Moi aussi!

— Allons-y!

Les trois gars se rendirent sur le chantier. Il restait à terminer le filage, qui avait été laissé en plan la fin de semaine précédente. C'était un travail relativement simple, mais il fallait prendre le temps de bien le faire. Marcel avait opté pour une finition en préfini parce c'était plus facile à installer et que ça ne nécessitait aucune peinture, la solution facile et économique pour un chalet.

— Dis-moi, Marcel, je pense qu'une prise supplémentaire serait fort utile dans les chambres. Qu'en dis-tu? demanda Paul.

— J'sais pas! J'ai déjà défoncé le budget que je m'étais alloué pour le chalet. J'sais pas où j'trouverai l'argent pour la finition extérieure. J'aime mieux m'en tenir au plan, pour le moment.

— As-tu l'argent pour la plomberie? La toilette, la douche, l'évier de salle de bain et celui de la cuisine, c'est ça qui coûte cher, Marcel.

— Heureusement, j'ai déjà tout le matériel pour la plomberie et l'électricité. Ce n'est rien de sophistiqué, mais ça fera l'affaire.

— Tes armoires et ton comptoir ? Comment feras-tu ?

— Je le sais pas encore ! Pas facile de bâtir un chalet sans crédit, mais j'vas le terminer le plus vite possible et j'ferai venir le gérant de la Caisse populaire pour voir ce qu'il peut faire pour moé, ou plutôt pour nous autres, parce que le terrain appartient à Violette.

— Je ne serais pas à l'aise de travailler comme ça, sans savoir si je pourrais le finir un jour, mentionna Patrick.

— On n'a pas ben, ben le choix ! On va faire ce qu'on peut pour le rendre habitable le plus tôt possible… répondit Marcel.

— Est-ce que Violette est au courant de la situation ? demanda Paul.

— Ben sûr que non ! Elle a ben assez de problèmes comme ça sans que j'en rajoute sur le tas… répliqua Marcel.

— Tu ne devrais pas lui cacher la vérité parce qu'elle va finir par l'apprendre quand même et, là, ça va faire plus mal encore ! Tu penses pas ?

— Écoute, Paul, je veux lui laisser le temps d'avaler la pilule concernant Sonia. C'est fini entre nous deux. J'avais perdu la tête, je le sais maintenant. Il faut que j'essaye de sauver notre couple si c'est faisable, mais j'sus même pas sûr de ça.

— T'as fait un bon bout de réflexion, Marcel! Mais il te reste à trouver une solution pour sauver ton chalet. Es-tu sérieux quand tu dis que ta relation avec Sonia est terminée?

— Ça, c'est certain! J'avais perdu la tête pour une jeunesse, mais j'sais que ç'avait pas d'allure. Il faut que j'essaye maintenant de réparer mon erreur.

Marcel mentait de façon éhontée, car il n'avait aucunement l'intention de rompre avec sa maîtresse, même s'ils s'étaient quittés en mauvais termes la semaine passée. Il avait l'intime conviction qu'il pouvait la reconquérir s'il s'en donnait la peine. Pour le moment, il espérait que son frère et son beau-frère colportent la nouvelle auprès de leurs épouses respectives. Il fallait que Violette n'ait plus aucun doute quant à ses sentiments à son égard. Le sachant à tout jamais loin de Sonia, elle déploierait tous les efforts nécessaires pour financer le chalet.

Paul avait de la difficulté à croire que Marcel avait délaissé Sonia. Son regard disait qu'il mentait, mais il ne voulait pas le confronter tout de suite. Il savait que Marcel se trahirait et il avait deux semaines pour l'observer. Il trouvait regrettable malgré tout qu'il ne puisse finir son chalet comme il le souhaitait. Pendant que Paul achevait d'installer l'alimentation électrique, Patrick, aidé de Marcel, recouvrait les murs de préfinis et posait les moulures qui transformeraient les pièces en aires habitables. C'était encourageant.

Violette avait emmené les enfants aux petits fruits. Même la petite Danièle avait tenu à participer à la cueillette. Elle en mangeait plus qu'elle n'en récoltait, mais ce n'était pas grave. Elle ne risquait aucune indigestion à la vitesse à laquelle elle les cueillait. Le panier de Martine et de sa tante fut bientôt rempli de mûres et de framboises, assez pour en faire une succulente tarte et un pot de confitures, aux dires de Violette. Par crainte de se faire égratigner, Michel avait cueilli des bleuets avec sa petite sœur.

— Je crois que ça suffit pour aujourd'hui, dit Violette.

— Tu as raison! Il faut en garder pour demain, suggéra Martine.

— Retournons à la maison parce que je dois y préparer le dîner! Vous pourrez aller vous baigner si ça vous tente. Votre tante Thérèse pourra sûrement vous surveiller.

Violette et les enfants se dirigèrent sur le bord du lac où étaient installées Monique et Thérèse sur des chaises longues. Monique lisait un roman, pendant que Thérèse alternait entre la baignade et le bronzage.

— Regarde, maman, tout ce qu'on a ramassé en à peine une heure! Matante Violette pense qu'on en a suffisamment pour faire une tarte et un pot de confiture. Je vais l'aider cet après-midi, dit Martine.

— C'est une excellente idée, car on n'est jamais trop jeune pour apprendre à cuisiner et ta tante est une experte en la matière, répondit sa mère.

— Je me sauve, si vous voulez manger ce midi! Je vous laisse les enfants? demanda Violette.

— Je vais aller t'aider Violette, si Thérèse veut bien surveiller les enfants. Venez mettre vos costumes de bain, dit Monique.

— Je m'occupe d'eux dès qu'ils se seront changés! déclara Thérèse. Pourrais-tu m'apporter mon roman-photo, Martine? Il est sur la table de chevet, dans ma chambre.

— Bien sûr! Le temps d'enfiler mon maillot et je reviens.

Martine avait le corps très développé pour son âge. Elle serait, à n'en pas douter, aussi plantureuse que sa mère. Paul n'aimait pas beaucoup la voir en bikini, mais il n'y pouvait pas grand-chose puisque sa femme lui avait fait comprendre que sa fille n'était pas différente des jeunes filles de son âge. Tout comme elles, Martine était fière de son corps. De plus, elle était une excellente gardienne d'enfants et jouait à la perfection son rôle d'adolescente mature, prudente et responsable. Paul avait de quoi être fier d'elle et inquiet à la fois, comme tous les pères.

Monique et Violette s'attaquèrent à la préparation de sandwichs et de trempettes pour les crudités. Violette aimait toujours concocter des salades variées, qu'elles soient aux pâtes, aux patates ou au riz chinois aux légumes. C'était léger, mais, pour le repas du midi, c'était suffisamment élaboré.

— Le dîner est prêt! cria Monique tout en mettant le couvert sur la table de piquenique.

— On arrive! cria Patrick.

— Je pense que je vais mettre mon costume de bain, moi aussi! Il fait pas mal chaud dans le chalet, lança Marcel.

— Tu peux travailler en bobettes si tu veux Marcel, pourvu que tu gardes ton tablier à clous, le taquina Thérèse.

— T'aimerais ben trop ça!

— Vous êtes tous faits pareils, les Robichaud! Pas long de jambes, avec de bonnes épaules carrées puis une bedaine de bière, rétorqua Thérèse.

— Je commencerai pas à décrire les Breton parce que ça va être ben laid!

— Qu'est-ce que tu veux dire par là, Marcel Robichaud? Qu'on n'est pas beaux?

— Ben non! C'est juste pour t'agacer! Tu dois pas nous trouver si laids que ça, vu que t'en as « marié » un, pis pas le plus beau, en plus de ça.

— Marcel, mon sacrament! Commence pas parce que ça va mal virer. T'es chanceux qu'il y ait des enfants icitte, mon ostie…

— Prends-le pas personnel, Pat, mais c'est elle qui a «parti» le bal!

— Arrêtez de dire des bêtises et mangez donc! dit Monique, souhaitant ramener un peu de discipline autour de la table.

Après le repas, les hommes retournèrent travailler, mais vêtus de leurs maillots de bain. Ils gardèrent cependant leurs bottes aux pieds.

Thérèse et Martine débarrassèrent la table et lavèrent la vaisselle. Monique et Violette, pour leur part, planifiaient les provisions pour les jours à venir. Monique ne s'étant jamais mise à la conduite, ce fut Thérèse qui se chargea des emplettes, avec l'aide de Martine.

— Tu m'attends avant de faire la tarte, matante!

— Ne t'inquiète pas, Martine, je vais t'attendre et te montrer comment faire une pâte digne des grands restaurants. Ce sera notre secret, d'accord?

— D'accord. Nous ne serons pas longtemps parties, répondit Martine.

Profitant d'être seule avec Violette, Monique put lui parler plus librement.

— C'est la première fois que j'ai l'occasion d'être seule avec toi, Violette. Dis-moi comment ça va entre toi et Marcel, si tu veux bien m'en parler.

— On a des hauts et des bas comme tout le monde, mais tu es sûrement au courant qu'il m'a trompée.

— Oui, je l'ai su par Nicole que vous avez vécu une crise assez sérieuse la semaine dernière. Comment tu vis ça ?

— Tu sais, Monique, je l'aime tellement que je suis prête à passer par-dessus bien des choses. Qu'il ait eu une aventure, c'est une chose, mais qu'il ait une maîtresse qu'il voie régulièrement, c'est une tout autre affaire.

— Je me mets à ta place et je crois que j'arracherais les yeux de Paul si j'apprenais qu'il a une maîtresse. Marcel a beau être mon frère, je lui en veux de t'avoir fait ça. J'espère pour toi que c'est une histoire terminée. Je te trouve bien courageuse, Violette !

— Je ne sais pas si c'est du courage ou si c'est de la lâcheté ! Parfois, je me pose la question. Je n'ai connu aucun homme avant lui et j'en suis tombée follement amoureuse dès que je l'ai vu. Des fois je me dis que je suis une vraie andouille, mais je ne connais pas mieux…

— J'ai connu un seul homme avant Paul, et tu sais ce qui m'est arrivé. J'ai eu Jean-Pierre et j'ai eu droit au châtiment de mon père. J'ai failli sombrer dans la folie, mais heureusement j'ai rencontré Paul. Ça fait plus de vingt ans et ça me torture encore. Je crois que je mourrai avec mes secrets et ma culpabilité, même si j'ai eu quatre beaux enfants avec Paul. Je suis incapable d'affronter Jean-Pierre sans me sentir lâche.

— Toi, tu as eu plusieurs enfants tandis que, moi, je n'ai pas eu ce bonheur. Marcel, lui, en aurait voulu des enfants, mais à défaut d'en avoir, je l'ai bichonné comme s'il était mon fils unique. C'est moi qui suis coupable de l'avoir pourri comme ça.

— Vous n'avez pas pensé à en adopter? Les crèches sont pleines d'enfants abandonnés qui ne demandent pas mieux que de trouver un foyer où ils seraient aimés.

— J'y avais pensé, mais Marcel ne veux même pas passer le test de fertilité pour savoir qui de nous deux est stérile. Je vais te confier un secret, Monique! Je suis allée sans lui en parler et je suis fertile.

— Tu ne lui en as jamais rien dit?

— Il m'aurait tuée! Il est tellement orgueilleux qu'il n'accepterait jamais de reconnaître qu'il est stérile. J'aimerais lui dire surtout quand on se chicane à ce sujet, mais je suis sûre qu'il est incapable d'accepter quoi que ce soit qui remette en question sa virilité.

— Maudit Robichaud! L'orgueil plus gros que le cerveau!

— Ne dis pas ça, Monique!

— Si je le dis, c'est parce que c'est vrai! Tous autant qu'ils sont. Ça fait partie de l'héritage du bonhomme que tu respectes tant…

— Tu parles de ton père, Monique?

— Oh, je suis mieux de changer de sujet de conversation car je sens la colère qui monte en moi comme à chaque fois qu'il est question de lui. Toi, Violette, tu l'as connu alors qu'il commençait à devenir plus humain et, en plus, il t'aime. Tu ne peux pas comprendre !

— C'est vrai que ton père me fait sentir qu'il m'aime.

— C'est parce qu'il voit ma mère en toi et qu'il a carrément raté son coup avec elle. Il l'a fait souffrir toute sa vie, et, si je n'avais pas été là pour l'encourager à se défendre, elle aurait fini écrasée. Pauvre Lauretta !

— C'est drôle que tu dises ça, Monique, parce que j'ai toujours vu ta mère comme une femme forte.

— Elle l'est vraiment devenue quand elle a vu de quelle manière il me traitait et surtout quand je me suis révoltée face à l'injustice qu'il me faisait vivre.

— Ça fait partie des secrets de famille que je ne connais pas. Ah tiens ! Voilà Thérèse et Martine qui sont déjà de retour. Je vais aller les aider.

Les hommes travaillaient tranquillement sans s'inquiéter et sachant qu'ils étaient dans la finition. Paul avait presque terminé le branchement du panneau électrique. Bientôt, il pourrait se joindre à Patrick et à Marcel pour couvrir les murs de préfini. Ce travail irritait Marcel, qui n'avait pas beaucoup de patience pour ce travail de finition. Paul ne comprenait pas son désintéressement puisqu'il s'agissait de son chalet. N'est-ce pas ce qui serait le plus apparent quand on y entrerait ?

— Eille, les gars ! Que diriez-vous d'aller jouer une partie de billard après notre journée de travail ?

— Sais-tu, Marcel ! J'aimerais mieux me baigner avec les enfants et les femmes, en sirotant tranquillement une bonne bière.

— Pis toé, Pat ! Une partie de billard ?

— Es-tu sûr que c'est une partie de billard qui t'intéresse ? J'veux pas me retrouver à ton bar de danseuses !

— J'ai jamais pensé à ça, Pat ! Juste une partie pis on revient. Promis !

— Peut-être demain, mais, là, j'ai plus le goût de me baigner, moi aussi.

Le dépit et la frustration se lisaient sur le visage de Marcel. À contrecœur, il se rallia aux autres et alla chercher des bières dans la remise. Les femmes et les enfants étaient tous au bord de l'eau, allongés sur des chaises ou des serviettes de plage.

— Qui veut de la bière ? lança-t-il.

Thérèse leva la main d'un geste nonchalant. Monique fit de même. Paul et Patrick étaient déjà dans l'eau, à se rafraîchir après une bonne journée de travail. Marcel en conclut qu'ils en prendraient une, eux aussi.

— Et toi, ma chérie ? demanda-t-il à sa femme.

— Je te remercie, Marcel, mais je vais aller chercher de la limonade pour les enfants et pour moi-même. Je vais jeter un œil sur la tarte que nous avons préparée, moi et Martine. N'est-ce pas, ma chérie ?

— Veux-tu que j'aille voir, matante ? Je peux rapporter la limonade en même temps…

— Dis donc, Martine ! Te voilà aussi bien faite qu'une femme ? lui cria Marcel.

Les joues de Martine s'empourprèrent, même si elle était fière en même temps du commentaire de son oncle. Elle prenait conscience que son corps faisait tourner les têtes. Paul n'apprécia guère la remarque concernant sa fille, à peine nubile à ses yeux. Cependant, les enfants grandissaient et la preuve en était que Maxime ne suivait déjà plus la famille dans ses déplacements. Paul s'adaptait mal à ce changement.

# Chapitre 15

Les travaux se poursuivaient rondement et Patrick cherchait une façon de construire un comptoir de cuisine afin d'y mettre l'évier et une structure qui servirait d'armoires. Le budget était défoncé, mais il y avait toujours moyen de fabriquer quelque chose de pratique à défaut d'être esthétique. L'important était de rendre le tout fonctionnel sans avoir à démonter ce qui était déjà en place. L'orgueil de Marcel était blessé et la tension semblait monter à nouveau entre Violette et lui. Monique avait d'ailleurs surpris une conversation entre les époux. Son frère semblait tenir sa femme responsable de la situation qui prévalait en ce moment. Elle le trouvait injuste et le lui ferait savoir à la première occasion.

En se couchant ce soir-là, Monique en glissa un mot à Paul. Il lui répondit que ça ne les concernait pas. Monique ne l'entendait pas ainsi.

— Je regrette de te contredire, mais je pense que c'est justement mes affaires. Si Marcel ne sait pas vivre, c'est en grande partie de ma faute.

— Voyons, Monique ! Où prends-tu des idées semblables ? Tu n'es ni sa mère ni son père, à ce que je sache.

— Ma mère en avait plein les bras avec son mari et ses huit enfants. Elle devait contrer constamment les effets pervers de mon père qui n'aidait en rien à éduquer les enfants. As-tu remarqué que tous mes frères boivent beaucoup trop, à l'exception peut-être d'Yvan, et qu'ils ressemblent de plus en plus à leur père en vieillissant ? Jean-Pierre semble aussi y échapper, pour l'instant.

— En quoi ça te concerne, Monique ? Tu as ta propre famille à t'occuper. Tes frères sont tous rendus adultes et mariés. Tu ne peux plus rien pour eux.

— Tu as sûrement raison, mais avoue que c'est frustrant, non ? J'ai toujours joué ce rôle dans la famille, celui de préfet de discipline, et ce n'est pas facile de l'oublier. Ma mère me sollicite chaque fois qu'il y a un problème familial.

— Il faut que tu te retires de ce piège, Monique ! Ça va t'empoisonner la vie jusqu'à ta mort si tu te laisses faire.

— Facile à dire, mais pas facile à faire ! Qu'est-ce que je fais pour Violette, alors que Marcel continue à pelleter la responsabilité du sous-financement du chalet sur son dos ?

— Le terrain appartient à Violette et aucune banque ne va prêter de l'argent pour financer ce chalet tant qu'elle n'aura pas cédé les titres du terrain. Mais elle ne veut pas et je ne la blâme pas. Marcel n'a pas suffisamment montré patte blanche, Violette reste sur le qui-vive. Il pourrait peut-être avoir un prêt personnel ou en demander un à Yvan.

— Tu n'y penses pas ! Yvan est frustré depuis que la famille a déserté son chalet au lac Selby pour donner un coup de main à Marcel. Ils ne sont pas les meilleurs amis du monde et ça remonte à très loin. Marcel est l'aîné d'un an et il le lui a bien fait sentir…

— En ce qui me concerne, je vais lui donner l'aide nécessaire à terminer son chalet et, pour le reste, je m'en lave les mains. Ne reviens pas sur le sujet d'une autre manière, car ma réponse sera toujours la même : non ! Je ne veux pas me retrouver impliqué dans quelque chose qui ne me regarde pas.

— D'accord ! Embrasse-moi et passe une bonne nuit. C'est vrai que notre vie est facile quand on la compare…

— Bonne nuit, ma chérie, et cesse de t'en faire pour eux !

Monique était déçue de la réaction de son mari, mais elle devait reconnaître qu'il avait raison. Il l'avait épousée elle et non pas sa famille. Monique avait assumé un rôle d'arbitre trop longtemps. Elle voulait protéger sa mère, mais elle lui en voulait un peu de lui faire assumer ce rôle ingrat. Elle devait résoudre des centaines de petits tracas desquels se déchargeait sa mère pour épargner sa santé. Elle trouvait que les syncopes ou les malaises dont elle souffrait tombaient toujours à propos. Elle se demandait si ce n'était pas de l'hypocondrie. Ou une manière de se libérer de beaucoup de soucis, Mais Monique ne voulait pas lui prêter de mauvaises intentions ni l'accuser de manipulations, même si cette idée l'avait effleurée. Elle assumait.

Le lendemain, les hommes reprirent leur ouvrage et les femmes s'étaient montrées curieuses de voir l'avancement des travaux. Elles avaient été impressionnées. Les chambres étaient terminées, il ne manquait plus qu'à revêtir le plancher. La minuscule salle de bain était terminée aussi. Patrick avait trouvé une solution pour les armoires de cuisine et était heureux du résultat. Il avait monté une structure en deux par quatre pour les armoires du bas et l'évier, avec des tablettes en deux par trois pour recevoir les chaudrons et poêlons. Violette regardait sa cuisine déçue. C'était pour elle la pièce la plus importante, où elle pourrait préparer de bons petits plats pour Marcel et ses invités. Elle tenta de camoufler sa déception. Paul, qui avait l'œil vif, comprit que Marcel avait volontairement omis d'acheter l'essentiel pour que l'aire de travail soit adéquate pour Violette, alors qu'il avait acheté un foyer qui n'avait que peu d'utilité. Violette ravala son amertume, car le message était clair dans son esprit. Elle remarqua que les fils destinés au chauffage du chalet étaient installés, mais que les plinthes n'y étaient pas. Les hommes avaient réalisé tout ce qu'ils pouvaient à l'intérieur. Ils fignoleraient le reste dans le courant de la journée et s'attaqueraient à la finition extérieure dans les jours à venir.

Tout comme Paul, Monique avait noté le visage défait de Violette. Cette dernière avait terminé la visite en silence. Il manquait beaucoup de choses pour que le lieu soit habitable. Elle se chargerait de se procurer à bas prix les biens dont elle aurait besoin, soit des meubles, des lits, des électroménagers, etc. En attendant, elle ferait du camping dans son chalet, jusqu'à l'arrivée des premiers gels. Elle sentait confusément que, si elle cédait à Marcel les titres du terrain, elle se ferait avoir. Il fallait coûte que coûte qu'elle lui tienne tête, malgré la pression qu'il exercerait sur elle. Pendant qu'ils faisaient le tour des pièces, Marcel lança à la cantonade :

— J'sus pas mal fatigué et déprimé de constater que je pourrai pas le finir comme j'veux. On arrête-tu pour aujourd'hui ?

— C'est comme tu veux, Marcel ! On commencerait l'extérieur demain ? demanda Paul.

— Il faut que je change d'air ! J'étouffe icitte ! J'pense que j'vas aller jouer au billard. Ça me fait toujours du bien de gagner. Est-ce qu'il y en a que ça intéresse ?

— Moi, je vais rester avec les enfants. Je vais profiter de la belle journée pour me baigner et relaxer, répondit Paul.

— Moi aussi, j'vais me reposer en faisant une petite sieste, fit Patrick.

— Moé, j'y vas pareil ! déclara Marcel, avec un air de défi en direction de Violette.

Cette dernière le fixa des yeux. Marcel soutint son regard un certain temps, puis baissa la tête et partit sans un mot. Marcel était furieux envers la vie qui le rendait si vulnérable à la volonté de la banque, de sa femme et de tous ceux qui l'empêchaient de réaliser les choses comme il l'entendait. Au lieu de se diriger vers la salle de billard, il roula en direction du bar où travaillait Sonia. Il n'avait aucune idée de la façon dont il serait accueilli, mais il s'en moquait. Leur dernière rencontre avait été houleuse. Il avait ce jour-là amené Sonia au chalet en construction, le même qui le faisait souffrir en ce moment. Il cherchait désespérément un moyen de se sortir de cette impasse.

— Tiens, un revenant! lui lança Sonia, en l'apercevant.

Dans la pénombre, il n'aperçut qu'une silhouette floue, mais il reconnut sa voix tranchante. Une fois ses yeux habitués à l'obscurité des lieux, il la vit, toujours aussi désirable avec son petit slip qui ne recouvrait pour ainsi dire presque rien et ses seins qui pointaient fièrement. Elle tenait un cabaret vide à la main, et sous l'élastique de son slip pendaient des billets qu'elle gardait pliés en deux.

— Je te sers quelque chose?

— J'prendrais une cinquante!

Il la regarda se diriger vers le bar et ne put s'empêcher de ressentir un délicieux frisson. Il trouvait regrettable de ne pouvoir jouir du meilleur des deux mondes, mais en quoi sa vie avec Violette était-elle enviable? Il avait eu une tigresse comme maîtresse et il l'avait rejetée pour une femme qui ne lui donnait rien en retour. Non seulement Violette n'avait pas le charme et la jeunesse de Sonia, mais elle refusait de lui céder les titres de son satané terrain en échange de tout ce qu'il sacrifiait pour elle, et ce n'était pas rien. Il ressentit une bouffée de mépris pour sa femme, qui l'humiliait devant sa famille. Il était conscient que son beau-frère Paul et son frère Patrick savaient que Violette détenait la clé qui résoudrait tous ses problèmes d'argent.

— Vieille salope! se dit-il à lui-même en pensant à sa femme.

C'était plus que du mépris qu'il éprouvait pour sa femme : il était habité par un sentiment de haine. Cette soudaine aversion le stimula à commettre une grande bêtise. Il voulait reconquérir Sonia à la seule fin de blesser sa femme. Il lui ferait payer cher sa résistance à ouvrir les goussets de sa bourse. Il était dans une impasse et il le savait. À quoi ce chalet pouvait-il servir, s'il n'était pas terminé à sa satisfaction? Sonia revint vers lui avec son plus beau sourire. Elle déposa sa bière sur la table.

— C'est quoi, ce sourire? C'est le souvenir du plaisir que tu as eu avec moi? Avoue!

— Peut-être un peu, mais il n'y a pas que ça! Toi-même, tu n'as pas résisté longtemps et, si tu es ici aujourd'hui, c'est à cause de moi! Pas vrai?

— Je peux pas te mentir! J'ai rêvé à toi presque tous les soirs depuis la dernière fois. Je dois m'avouer vaincu parce que t'es trop belle… Qu'est-ce que je fais avec ça?

— Je t'ai pas encore remplacé !

— Es-tu en train de m'dire que j'ai encore une chance ?

— Si t'es fin, t'as peut-être une chance, mais il va falloir que tu sois plus disponible que tu l'as été.

— Du temps ? C'est pas facile quand je travaille…

— Tu peux sûrement améliorer ta disponibilité. J'suis pas mal tannée des p'tites vites à la sauvette.

— Là, j'ai mon beau-frère pis ma sœur avec leurs enfants, pis mon frère Pat et sa femme. J'ai pas grands moyens de m'en tirer facilement.

— Je finis à neuf heures à soir ! Si tu veux, j'vais être au motel.

— J'vas être là !

— T'es sûr ?

— Si j'te le dis, c'est que j'vas y être.

Sonia l'embrassa pour sceller leur entente. Elle avait encore envie de Marcel, mais elle ne savait pas pourquoi exactement. Il n'avait rien d'exceptionnel, sauf peut-être son arrogance et cette lueur qui brillait dans ses yeux. Son désir pour elle était manifeste. Sonia n'avait pas une très haute opinion d'elle-même et Marcel répondait à son besoin de se sentir aimée. C'était plus que du sexe, c'était une forme d'amour qu'elle n'avait jamais ressenti auparavant. Il faut dire qu'elle avait été abusée dans sa jeunesse par un de ses frères. Quand elle avait dénoncé la situation, sa mère ne l'avait pas crue. Peu de temps après, elle s'était enfuie de chez elle et s'était retrouvée dans une maison de redressement pour délinquantes. Une fois sa majorité atteinte, à vingt et un ans, elle s'était mise à fréquenter des *clubs* peu recommandables et y travaillait comme serveuse ou *barmaid*. Ça faisait à peine six mois qu'elle était danseuse quand elle y a rencontré Marcel, et elle s'était plus ou moins amourachée de lui.

L'escapade prolongée de Marcel raviva la tension au sein du couple quand il revint au chalet.

— Où étais-tu passé ? demanda Violette.

— J'manquais d'air pis j'avais les bleus ! C'est quoi le problème ? J'sus revenu avant le souper.

— On a des invités, Marcel. En plus, ce sont des membres de ta famille qui sont ici pour nous aider.

— Je leur ai dit que j'avais le moral à terre, je les ai même invités à m'accompagner. J'peux pas faire plus !

— T'es vraiment un égoïste, Marcel Robichaud ! T'es allé voir ta maîtresse ?

— Vas-tu arrêter de m'écœurer avec ça ? On dirait que tu fais exprès pour me pousser dans ses bras, sacrament.

Marcel et Violette avaient haussé le ton au point d'être entendus par tout le monde. Monique et Paul étaient toujours étendus sur la plage avec leurs enfants, tandis que Patrick et Thérèse étaient allongés dans leur chambre, terminant de faire une sieste.

— Ça y est, l'engueulade est repartie! Ils sont mieux de s'arrêter tout de suite parce que je redescends à Granby aussi vite que j'suis arrivé, dit Patrick à sa femme.

— C'est normal que Violette lui reproche de s'absenter pendant qu'on est là pour lui, répondit Thérèse.

— Il nous avait informés avant de partir qu'il allait jouer au billard, puis ça faisait mon affaire de pouvoir me reposer après-midi, rétorqua Patrick.

— C'est certain que de les entendre se chicaner, ça nous rend mal à l'aise, mais ça nous arrive à nous aussi!

Paul crut nécessaire d'intervenir pour désamorcer la bombe qui s'apprêtait à exploser.

— Va donc te chercher une bière, Marcel, puis viens te baigner! L'eau est vraiment bonne…

— J'pense que c'est la première chose sensée que j'entends depuis que j'sus revenu, lui lança Marcel.

Paul avait mis un terme, pour l'instant, à leur querelle. Violette n'avait pas réalisé que la voix portait beaucoup plus quand on se trouvait au bord d'un lac. Elle s'excusa en rougissant et entra dans le chalet de sa mère. Patrick et Thérèse en sortirent au même moment. En la croisant, ils virent des larmes au coin de ses yeux.

— Dis-moi, Marcel! Est-ce qu'on commence à poser le *clabord* demain comme prévu? On a pas mal d'ouvrage si on veut faire du beau travail. C'est de la finition et ça fait toute la différence quand c'est bien fait!

— Ben oui, Paul! J'avais prévu commencer ça demain. Violette comprend pas ma frustration de ne pas pouvoir finir l'intérieur à cause de la crisse d'argent.

— Ça, Marcel, ça ne me regarde pas! Je ne veux pas prendre pour l'un ou pour l'autre. Ce problème vous appartient! Pas vrai?

— T'as encore une fois raison, Paul, mais, à voir les yeux de ma sœur, c'est clair qu'elle partage pas ton opinion. Si c'était des fusils, je serais mort depuis longtemps. J'ai-tu raison, Monique?

— On dirait que tu fais exprès pour lui faire de la peine. Tu sais pourtant qu'elle est fragile… répondit Monique.

— J'pense que j'vas coucher dans mon chalet sur une chaise longue pour ne pas la déranger.

— Tu ne vas pas aider ta cause en la fuyant, Marcel! Tu n'es pas très doué en psychologie féminine, à ce que je vois? lui lança Monique.

— J'ai-tu le droit de respirer, sacrament? J'étouffe, crisse! C'est-tu si dur que ça à comprendre?

— Surveille ton langage devant mes enfants, Marcel! Es-tu capable de t'exprimer sans sacrer comme un charretier? Une chance que tu es mon frère et non pas mon mari parce que ça ne marcherait pas comme ça. Je t'en passe un papier…

— Heureusement que t'es pas ma femme parce que tu trouverais pas ça facile, toé non plus…

— Eille! Calmez-vous tous les deux. Vous allez faire peur aux enfants, dit Paul.

L'arrivée de Patrick et Thérèse créa une diversion qui désamorça la prise de becs qui se préparait entre Monique et Marcel. Patrick avait fait une halte dans la remise pour faire le plein de bières et en distribua à tout le monde. Thérèse se lança à l'eau sans hésitation, cherchant à effacer les traces de sa sieste.

— Qu'est-ce qu'elle fait en dedans? demanda Monique à Patrick.

— Je ne sais pas! Comme je sortais, elle entrait dans sa chambre.

Monique quitta sa chaise pour se rendre au chalet afin de savoir dans quel état était Violette. Elle la trouva étendue sur son lit, à regarder le plafond, sans toutefois verser de larmes.

Elle avait probablement dépassé cette étape et ne se faisait plus de grandes illusions concernant son couple.

— Secoue-toi les puces, Violette! Ta réaction ne fait que jeter de l'huile sur le feu qui brûle entre vous deux.

— Il est incapable d'être gentil deux journées de suite! C'est plus fort que lui et c'est toujours de ma faute en plus de ça!

— Je vois bien qu'il est frustré, mais ce n'est pas une raison pour accepter la culpabilité dont il t'accable. Sors comme si de rien n'était et brave-le en silence. Il est très fort en gueule, mais, quand tu l'affrontes, il est pissou, dit Monique.

— Tu crois?

— J'en suis sûre! Allez, viens te baigner, ça te fera du bien!

Violette se leva en esquissant un sourire. Elle savait que sa belle-sœur avait raison. En sortant, elles furent happées par le soleil ardent, et Violette avait retrouvé sa joie de vivre. Monique se dirigea vers le lac, suivie de Violette. Elles tâtèrent l'eau et les trois femmes se retrouvèrent immergées jusqu'aux aisselles.

— L'eau est vraiment chaude, malgré les petits courants rafraîchissants, dit Monique.

— C'est vrai qu'on est bien! répondit Violette.

— Ton mari se dirige vers votre nouveau chalet ! mentionna Thérèse.

— Il doit bouder ! On n'est jamais bien en même temps ! On ne peut pas continuer à vivre comme ça, déclara Violette.

— Qu'est-ce qu'on mange pour souper ? demanda Thérèse.

— J'avais pensé à du poulet et des salades. Rien de compliqué ! fit Violette.

— Hum !

— J'ai deux petits poulets. La cuisson ne devrait pas être trop longue ! J'ai vraiment pas la tête à les préparer. T'en occuperais-tu, Monique ?

— Aucun problème ! Je vais mettre Martine à contribution. Elle veut apprendre ? Eh bien, elle va voir que ce n'est pas si compliqué que ça de concocter un bon repas. Qu'en penses-tu, Violette ?

— Plus vite elle sera indépendante, mieux ce sera pour elle. C'est une belle jeune femme et j'espère qu'elle va être moins naïve que je l'ai été, soupira Violette.

— Qu'est-ce que tu veux dire ?

— J'espère qu'elle n'attendra pas le prince charmant sur son beau cheval blanc comme je l'ai fait et qu'elle n'ouvrira pas les yeux une fois qu'il sera trop tard.

— Tu es découragée ?

— Qui ne le serait pas à ma place ? Comme disait mon père, ce n'est pas avantageux de se retrouver avec un quêteux monté à cheval. J'ai bien peur que ce soit ma réalité. Un homme qui veut dans une même femme la sécurité d'une mère et la fraîcheur d'une jouvencelle. Ce n'est pas réaliste, ne crois-tu pas ?

— Je vois que tu as bien cerné le personnage, Violette ! Mon frère sera toujours immature. J'aurais pu te le dire avant que tu le « maries », mais tu ne voulais rien voir à cette époque. Rappelle-toi !

— Le plus blessant, c'est de se réveiller et de se rendre compte que nos plus belles années sont derrière nous. Le choc est terrible et le désespoir s'installe. La majorité des couples sont pris au piège avec le serment formulé à leur mariage : pour le meilleur et pour le pire. J'en viens à douter de ma foi.

— Tu n'as pas la bonne personne pour parler de foi. Tu sais que j'ai rejeté l'Église avec toutes ses niaiseries qui ne visent qu'à nous asservir, nous, les femmes. Je suis chanceuse parce que j'ai un mari que j'adore et qui est tolérant, même s'il est très croyant.

— Je t'envie, Monique ! Des beaux enfants, un mari qui t'aime. Je n'en demandais pas plus que ça, et il semble que même ce petit désir me soit refusé. C'est assez pour douter de la justice divine. J'ai toujours été une bonne personne qui respectait tout le monde et je n'ai rien reçu en retour.

— Tu ne peux pas dire ça, Violette. Toute la famille te respecte et t'aime énormément. Nous savons tous que tu es une bonne personne et si nous avons à prendre position par rapport à ton mariage, je suis certaine que la majorité sera avec toi. Même si nous voulons du bien à notre frère, il faut d'abord qu'il le mérite.

— C'est bien gentil tout ce que tu me dis, mais ça ne me ramène pas un mari en qui je peux faire confiance, et c'est ce qui me manque le plus. Une personne à qui je peux confier mes secrets les plus intimes sans crainte d'être trahie ou qui ne s'en servira pas pour me manipuler, comme Marcel fait en ce moment.

— Tu n'as pas beaucoup d'options qui s'offrent à toi, ma pauvre Violette ! Tu dois te défendre de ses agressions. Ce n'est plus la fin du monde, en 1967, de se séparer, si c'est là ta seule solution pour sauver ton âme. C'est sûr que le divorce n'est pas encore reconnu au Canada, mais ça s'en vient selon Paul, qui suit de près la politique.

— Tu sais que Marcel veut que je donne en garantie le terrain que ma mère m'a donné ? C'est mon seul héritage et je ne veux pas lui en faire cadeau. Je n'ai pas assez confiance en lui pour faire ça.

— Ah, c'est pour ça qu'il est si en rogne ! Ne cède pas sur ce point. Je ne comprends pas grand-chose dans ces choses-là, mais il me semble qu'un héritage, c'est sacré ! C'est long de faire reconnaître nos droits à nous, les femmes. C'est comme si on était encore considérées comme des enfants arriérés ou du bétail. Si je n'avais pas d'enfants, je militerais pour la cause des femmes.

— Je ne te connaissais pas cette passion, Monique !

— Quand j'étais plus jeune, j'étais révoltée par la misère que mon père me faisait vivre et par le jugement des bien-pensants que j'appelais les grenouilles de bénitier. J'ai pris en grippe les curés qui me faisaient sentir comme une moins que rien. Je me suis toujours considérée comme une personne intelligente. J'aurais aimé faire des études, mais je n'ai pas eu cette chance.

— Moi, je n'ai jamais eu de grandes aspirations, sinon de travailler et d'avoir une famille à moi et un mari qui m'aurait aimée. Toi, tu as réussi aux deux niveaux. J'aurais été très heureuse d'avoir ce que tu as, en plus de posséder une belle maison. Tu es chanceuse, tu sais !

— Je le sais ! Excuse-moi, mais je vais aller préparer le souper avec Martine avant que tout le monde crie famine ! Est-ce que tu viens, Martine ?

— Juste le temps de m'essuyer et je te suis, maman !

— Je vais vous accompagner si tu n'y vois pas d'inconvé-nient, fit Violette. Je trouve qu'il fait trop chaud et je ne veux pas remouiller mon maillot.

— Pas de problème! Ça va être juste plus agréable en ta compagnie. C'est rare que je puisse parler autant de mes sentiments et de mes rêves de jeunesse, répondit Monique.

— C'est la même chose pour moi! Tu sais que je vis une situation difficile avec ton frère, et qui d'autre que toi le connais autant sinon plus que moi? répliqua Violette.

— Si tu permets, je vais prendre quelques minutes pour assaisonner les poulets et les mettre au four. Martine s'occupera de surveiller la cuisson et de les arroser jusqu'à ce qu'ils soient prêts. C'est un bon apprentissage pour elle qui fait souvent du gardiennage.

— J'ai appris de la même façon avec ma mère. À un moment donné, je l'ai dépassée en fouillant les livres de recettes et en faisant des plats inédits pour la famille.

— Tu es vraiment un cordon-bleu! Jamais je n'oserais comparer mon talent avec le tien.

Monique expliqua brièvement à Martine ce qu'elle devait faire. Comme elle était douée, elle prépara les poulets en un rien de temps. Elle les mit au four et s'en retourna à l'extérieur, tout en calculant à quel moment elle devait rentrer pour les asperger. Monique et Violette reprirent leur conversation sur la situation délicate que vivaient Marcel et Violette.

— Qu'est-ce que tu ferais à ma place, Monique?

— C'est une question difficile à répondre! En toute franchise, je ne l'aurais jamais épousé parce que je le connais trop. Il a toujours été irresponsable et il n'a pas changé. Tu es un peu fautive sur ce point, en l'ayant dorloté comme un bébé. Tu lui as passé tous ses caprices. Il aurait fallu que tu le traites comme ton mari et non comme ton enfant.

— Il était tellement heureux quand je le bichonnais! J'en retirais de l'affection et de l'amour en retour. Je n'étais pas vraiment perdante…

— Violette! Un couple qui marche vraiment partage les tâches. Toi, tu fais tout dans ton couple en plus de travailler. Tu l'as choyé comme si c'était un pacha, et tu te retrouves l'esclave de ce pacha que tu as créé.

— Oui, mais il m'aimait tellement quand je répondais à tous ses caprices!

— C'est exactement ce que je dis. Moi et Paul, par exemple, nous partageons les corvées domestiques dans la mesure où c'est équitable. Par périodes, Paul travaillait beaucoup: le grand potager, l'élevage de lapins, les encans, en plus de son emploi. Bref, il travaillait tout le temps. Malgré tout ça, il faisait le ménage de la maison, même si je lui disais de me laisser cette tâche.

— Marcel n'a jamais fait le ménage parce qu'il a toujours pensé que ces corvées étaient réservées aux femmes. Il ne sait rien faire dans la maison. Le lavage, le repassage, la vaisselle, changer les draps, laver les vitres, enfin toutes les tâches domestiques ne l'intéressent pas.

— Tu m'enrages, Violette, quand tu me racontes ça! Paul fait tout ça sans rechigner. Quand j'ai eu à garder le lit pendant la grossesse de Maxime, c'est lui qui s'occupait de toute cette besogne et il le faisait très bien. Il n'est pas très fort en cuisine, mais il peut se débrouiller s'il est mal pris. On ne parle pas du même genre d'homme et ça n'enlève rien à sa virilité, crois-moi!

— Tu as gagné le gros lot, toi, Monique! On n'est pas toutes chanceuses comme toi...

— Ne va pas penser qu'il est parfait! Il a ses défauts comme nous tous, mais disons qu'il est facile à vivre contrairement à Marcel, que tu as pourri jusqu'à l'os.

— Tu dis presque que c'est de ma faute?

— Un peu, oui! Si tu t'étais tenue debout dès le début de votre mariage, la situation serait bien différente. Peut-être qu'il t'aurait laissée dès la première année, mais tu aurais pu refaire ta vie avec un homme qui t'aurait aimée et respectée.

— Tu n'y penses pas, Monique! Ma famille est beaucoup trop catholique pour accepter une séparation dès la première année de mariage...

— Tu me fais penser à ma mère Lauretta, qui a raté sa vie pour une histoire de principes religieux. Elle a enduré toute sa vie un mari qui ne prenait pas ses responsabilités. Émile, que tu aimes tant, commence à peine à être vivable à soixante et onze ans, et il est loin d'être parfait. Mieux vaut être seul que mal accompagné ! N'oublie jamais ça, Violette.

Violette avait matière à réflexion. Monique avait été d'une franchise désarmante. Il lui appartenait maintenant de jouer la partie à sa façon, car tout se jouait entre elle et Marcel. Était-il trop tard ? Elle ne le savait pas, mais elle savait que Monique avait dit la vérité, même si celle-ci avait été douloureuse à entendre.

# Chapitre 16

Marcel, ce soir-là, mit sa menace à exécution et alla dormir dans son chalet. Violette, elle, était couchée seule dans celui de sa mère. Marcel avait un plan. Il attendrait que la maisonnée soit endormie pour filer à l'anglaise. Vers une heure du matin, il se glisserait au volant de son auto tous phares éteints, en souhaitant être discret au démarrage du moteur. Il irait rejoindre Sonia juste avant qu'elle termine son quart de travail. Il voulait la voir en action avec des clients qu'il ne connaissait pas. La jalousie, croyait-il, l'exciterait, sachant qu'ils finiraient la nuit ensemble. Il aimait se sentir puissant en possédant ce corps magnifique et cette belle gueule de diablesse.

\*\*\*

Marcel entra dans le bar sans être vu de Sonia. Celle-ci dansait pour un homme qui, visiblement, en pinçait pour elle. Elle ne l'avait pas vu entrer et il se fit petit afin de ne pas attirer son attention. Il fut servi par une danseuse, qui lui offrit une danse moyennant cinq dollars. Il lui commanda une bière et un cognac comme à son habitude, mais refusa son invitation. Il avait les yeux braqués sur Sonia et étudiait son comportement avec ce type qui l'avait accaparée. Il semblait disposer à la faire danser jusqu'à la fin de la soirée. L'inconnu glissait des billets de vingt dollars dans son slip pendant qu'elle lui frôlait le visage avec sa poitrine.

Le dard de la jalousie s'enfonçait profondément dans le cœur de Marcel. Il faillit se lever pour signaler sa présence à Sonia. Pire… il pensa à renverser la chaise de cet homme qui, en plus d'être ivre, touchait son corps. Sonia n'était pas censée se laisser tripoter, mais ce saligaud lui tâtait les fesses sans qu'elle lui résiste. Sa colère atteignit son comble quand cet ivrogne lui embrassa un sein. Elle s'esclaffa en se reculant, pour être hors de portée de sa bouche avide. La musique s'arrêta et l'éclairage monta d'un cran, puis revint à la pénombre, signifiant par là aux clients que c'était la dernière consommation. C'est à ce moment-là que Sonia remarqua Marcel. Ce dernier bouillait de rage. Un malaise s'empara d'elle en voyant son visage déformé par la colère, mais elle ne pouvait laisser tomber sa prise avant la dernière danse, un pigeon qu'elle avait plumé de plus de cent dollars. Il fallait qu'elle pense à sa carrière, car ce client reviendrait sûrement et lui glisserait encore des centaines de dollars dans sa petite culotte. C'était son salaire qu'elle assurait quand un pigeon faisait une fixation sur elle. Il pouvait tomber amoureux sans jamais rien obtenir d'autre que des frôlements lascifs. Certaines filles allaient plus loin en pratiquant une masturbation ou en faisant une fellation ou même une relation complète à la fin de leur quart de travail. C'est pour cette raison qu'il y avait tant de clients seuls et affamés de chair juste avant la fermeture. Sonia ne mangeait pas de ce pain-là, mais n'hésitait pas à plumer un client devenu gaga.

La soirée prit fin et Marcel fulminait toujours. Le videur faisait sortir les retardataires. Marcel n'eut droit à aucun commentaire de lui puisqu'ils se connaissaient bien. Le client accro à Sonia était complètement ivre. Le videur dut l'escorter jusqu'à la porte, l'homme ne pouvant plus se tenir sur ses jambes. Marcel lui aurait botté le cul jusqu'à son véhicule, mais il n'en fit rien. Quand la porte se ferma sur le dernier client, Sonia vint rejoindre Marcel et voulut lui donner un baiser. Il resta de glace.

— Qu'est-ce qu'il y a, Marcel? Ne me dis pas que tu es jaloux?

— Je lui aurais arraché la tête, le sacrament! Et toi, tu te laissais tripoter comme si de rien n'était? Quand il t'a sucé le sein, j'ai failli partir ou lui sauter dessus.

— Il ne m'a pas sucé le sein, il l'a mis dans sa bouche dans un moment d'inattention. Je me suis éloignée de lui aussitôt. Ce gars-là est un malade de moi! Il dit tout le temps qu'il veut m'épouser, mais il est toujours bourré comme un porc et a les poches pleines de fric. Que veux-tu que je fasse? À lui seul, il fait ma journée et de l'argent, j'en ai besoin!

— En tout cas, j'étais en crisse! Le sacrament!

— Calme-toi, Marcel ! Y'a rien là ! C'est avec qui que je vais partir ? C'est ça qui est important. Le reste, c'est juste de la *business*. Arrête de niaiser puis embrasse-moi !

Marcel se détendit et l'enlaça, mais la scène qu'il avait vue lui resta sur le cœur. Il savait qu'il ne pourrait pas supporter de semblables situations, malgré de louables efforts. La jalousie le rendrait fou. Pour sa santé mentale, il aurait mieux valu qu'il ne s'amourache pas de Sonia, mais il était trop tard. Il avait goûté au fruit défendu et Sonia coulait dans ses veines telle une drogue. Il prit conscience tout à coup qu'il s'était donné une vie d'enfer à vivre constamment dans le mensonge. Il devait y mettre un terme.

Cette nuit-là, il lui fit l'amour comme si c'était la dernière fois. Il voulait se rappeler ses odeurs intimes, même si, ce faisant, il lui serait plus difficile de l'oublier. Il avait la conviction qu'il ne pourrait plus jamais se contenter que de sa femme. Pour le satisfaire, il avait besoin de la perversion que Sonia lui avait apprise, car jamais Violette n'accepterait la diversité au lit. En réalité, il s'était fait une idée de sa femme et ne voulait pas toucher à cette icône à saveur religieuse. Il l'avait cloîtrée dans un rôle de femme immuable et presque parfaite. Elle était une reine du foyer et cette image n'allait plus avec lui. À ses yeux, sa femme ne pouvait plus le satisfaire sexuellement, convaincu qu'elle refuserait toutes propositions de sa part.

Marcel quitta le motel au lever du soleil. Sonia dormait à poings fermés. C'était le bon moment de rentrer, malgré sa crainte d'être vu. Il gara sa voiture et en sortit sans faire de bruit. Au moment où il s'apprêtait à pénétrer dans le chalet de sa belle-mère, Paul sortait du lac en s'ébrouant.

— Salut, Marcel !

— Salut, Paul ! T'es bien matinal à matin ?

— Il faisait chaud cette nuit dans le chalet et j'ai décidé de me rafraîchir. C'est le moment idéal pour se baigner. Tout est calme, tout le monde dort encore. J'ai été un peu surpris de t'entendre arriver…

— Écoute, Paul ! Ne dis rien à personne. Moi non plus je ne m'endormais pas et j'ai décidé d'aller faire un tour, mais j'ai peur que, si tu en parles, Violette pense le pire, tu comprends ?

— Ce que tu fais, ça ne me regarde pas. À l'avenir, arrange-toi donc pour te faire discret !

— Bon ! Tu vois, toi-même tu penses au pire.

— Écoute, Marcel ! Prends-moi pas pour un épais, OK ! T'arrives dans la cour en catimini, sans faire de bruit. Tu agis comme un voleur ou comme quelqu'un qui a quelque chose à se reprocher. Entre les deux, où est la vérité ? T'es sûrement pas un voleur puisque tu es chez toi… L'autre option, c'est que tu as quelque chose à te reprocher.

— Promets-moi que tu ne diras rien, Paul !

— Tu as un sacré problème, mon gars! Je ne dirai rien, non, mais tu ne peux pas continuer comme ça sans penser que tu vas t'en sortir. C'est impossible!

— C'est terminé entre moi et Sonia!

— Quand tu dis ça, tu me fais penser à un alcoolique qui dit que c'est sa dernière bière! Voyons donc, Marcel! Tu te fais des accroires.

— Crisse que j'ai pas le goût de parler de ça à matin!

— Oublie ce que je t'ai dit! C'est aussi simple que ça. Dis-moi donc, on commence-tu la pose du *clabord* comme prévu?

— Ça change rien! Si Pat est prêt, on va commencer comme prévu. J'vas aller prendre une douche pour me réveiller comme il faut.

Marcel pénétra dans le chalet. Personne ne bougeait. Il se glissa sous la douche, ouvrant l'eau froide à gros jet pour se ranimer. Il n'avait presque pas dormi, et un traitement-choc lui ferait le plus grand bien.

L'entrée de Marcel dans le chalet avait réveillé Martine et Michel. Monique se leva, sentant l'absence de Paul. Elle vit ses deux enfants assis bien sagement sur leur lit de fortune.

— Bonjour, les enfants! Vous vous êtes réveillés tôt? Est-ce que c'est papa dans la douche?

— Non ! C'est mononcle Marcel ! répondit Martine.

— Où est papa ?

— Je ne sais pas ! Je ne l'ai pas vu !

Monique sortit sur le balcon et fut rassurée en voyant Paul nager dans l'eau fraîche du lac. Elle disparut aussitôt pour préparer le café. L'arôme eut tôt fait d'envahir le chalet.

— Voulez-vous prendre votre petit-déjeuner tout de suite ? Des *toasts* dorés avec du sirop d'érable ?

— Oh oui, ce serait bon ! répondit Martine.

— Veux-tu voir comment on fait la préparation ? C'est très simple ! Selon la quantité que tu veux faire, tu prends des œufs battus avec un peu de lait et tu ajoutes de la vanille et de la cannelle au mélange. Tu mets du beurres dans le poêlon, tu trempes ta tranche de pain dans le mélange et tu la fais griller de chaque côté. C'est aussi simple que ça !

Monique avait préparé le mélange tout en l'expliquant à sa fille. Quand il fut prêt, Martine mit les tranches de pain dans le poêlon. Elles grésillèrent doucement ; un parfum de cannelle et de vanille embauma agréablement la pièce. Ce fut le signal pour le réveil de ceux qui traînaient encore au lit. Marcel, qui avait terminé sa toilette, fut l'un des premiers à goûter ce délice. Paul entra en maillot de bain et alla à sa chambre pour enfiler un short court.

— Bon matin, mon amour! Si tu savais comme l'eau est bonne! Elle est fraîche et revigorante. J'aimerais commencer toutes mes journées en me baignant. Ce serait le bonheur, mais, malheureusement, il y a l'hiver au Québec. J'avoue que je m'en passerais volontiers.

— Veux-tu un café, mon chéri? Je vais te faire griller deux *toasts* dorés, d'accord?

— Sais-tu que je ne te changerais pas pour rien au monde? dit Paul, en serrant sa femme dans ses bras.

— Moi non plus! dit Monique en répondant à sa caresse.

— Salut, le beau-frère! En forme, ce matin? Dormir sur une chaise longue ne doit pas être des plus confortables?

— Non, Paul! Pas du tout…

Paul avait taquiné Marcel pour l'ébranler, sans toutefois avoir l'intention de le dénoncer. Il voulait rester loin des histoires de ce couple moribond. Pour lui, ce n'était qu'une question de temps…

Aux derniers lèchements de babines des plus gourmands, Martine et sa mère débarrassèrent la table et lavèrent la vaisselle. Les hommes, eux, se rendirent au chalet pour poser le revêtement de déclins. C'était un travail relativement facile. Il suffisait d'un qui prenait les mesures et d'un autre qui coupait le déclin le plus exactement possible, un autre clouait chaque planche à sa place. Le trio était l'équipe idéale pour avancer rapidement.

Violette et Thérèse tuaient le temps à l'intérieur du chalet, pendant que Monique et ses enfants s'étaient installés au bord de l'eau pour profiter de la belle chaleur estivale.

\*\*\*

Sonia se réveilla vers onze heures. Marcel était parti comme un voleur, sans lui laisser un mot. Pour quelle raison? Soudainement, elle se sentit en colère contre lui et fit quelque chose qu'elle n'avait jamais fait auparavant. Sachant que la femme de Marcel était une Dandenault, elle demanda à la téléphoniste le numéro d'une dame portant ce nom au lac Noir. Après avoir obtenu l'information désirée, Sonia composa le numéro sans tarder.

— Allô! Pourrais-je parler à Marcel Robichaud, s'il vous plaît?

Thérèse, qui avait décroché le combiné, répondit:

— Un instant! Violette, c'est une femme qui veut parler à Marcel! Veux-tu lui lâcher un cri pour qu'il vienne au téléphone!

Violette trouvait bien étrange que quelqu'un appelle son mari un dimanche. Ce n'était sûrement pas un fournisseur, car ils étaient tous fermés le dimanche. Violette fit venir malgré tout Marcel, curieuse de savoir ce qu'on lui voulait.

Marcel quitta ses travaux, rongé d'inquiétude. Qui pouvait l'appeler aujourd'hui ? Il était loin de s'imaginer que Sonia avait pu avoir eu cette folle idée. Il prit le récepteur et, d'une voix craintive, murmura :

— Allô !

— T'es un bel écœurant, Marcel Robichaud ! Tu pars comme un voleur après m'avoir baisée sans même me dire au revoir ou m'écrire un p'tit mot. Pour qui me prends-tu ? Une pute que tu baises et que tu délaisses une fois satisfait ?

— Ah ! Vous avez reçu le ventilateur pour la salle de bain. C'est parfait, je passerai le chercher demain ! Est-ce que ça vous va ?

— Ah, mon ostie de crosseur ! Ta femme est à côté puis t'essayes de me faire passer pour un fournisseur ? Un fournisseur de cul ! J'peux te dire que la *shop* est fermée puis que je te revois pas la face au bar, mon écœurant ! C'est-tu clair, calvaire ?

— D'accord ! Merci, bonjour.

Marcel raccrocha, le front en sueur. Sonia avait crié dans le combiné. Il était certain que Thérèse et Violette avaient tout entendu. Il sortit en baissant la tête sans laisser le temps à Violette de réagir. Il venait tout juste de franchir la porte que sa femme le rappela.

— Marcel, viens ici ! J'ai affaire à te parler !

— Ça peut pas attendre à plus tard? Les gars attendent après moé! Le travail arrête quand j'sus pus là…

— Qu'ils prennent une pause! J'ai affaire à toi tout de suite. Thérèse, pourrais-tu aller sur la plage pendant que je m'entretiens avec mon mari? C'est très personnel!

— Pas de problème, Violette, mais j'ai tout entendu de l'appel.

Thérèse se dirigea vers la plage pendant que Marcel revenait vers le chalet. Tout le monde voyait qu'un drame allait se produire. Marcel sentait qu'une bombe exploserait et qu'il en serait la victime. Cette salope de Sonia s'était vengée en le dénonçant. Si elle n'avait pas crié si fort au téléphone, il aurait pu s'en tirer, comme toujours, avec un mensonge. Mais, aujourd'hui, il était pris au piège. Paul avait eu raison de le mettre en garde, mais il était trop tard maintenant.

Thérèse s'empressa de raconter à Monique ce qu'elle avait entendu de la communication entre Marcel et sa maîtresse. Monique était soufflée.

— Voyons donc, Thérèse! Elle a du front d'appeler chez la mère de Violette. Elle connaît alors bien l'endroit, cette fille! Marcel ne pourra pas se sortir de cette situation avec une entourloupette comme il a l'habitude de le faire.

— En tout cas, Violette a vraiment l'air décidé de lui régler son cas, cette fois-ci.

— J'ai brassé Violette en la tenant responsable de tout ce qui lui arrivait en ce moment. Je voulais la réveiller. Ce n'est pas en se fermant les yeux sur tout ce que Marcel lui fait subir qu'elle se fera respecter. Marcel a beau être mon frère, c'est un salaud avec sa femme. Il ne la mérite pas !

Marcel entra dans le chalet, sachant le regard de toute sa famille braqué sur lui. Il se sentait comme un écolier qui allait se faire gronder devant toute la classe.

— Explique-moi comment elle a pu savoir le numéro de téléphone du chalet de ma mère ?

— De qui parles-tu ?

— Ne me prends plus pour une cruche, Marcel ! J'ai été naïve assez longtemps. Je parle de ta maîtresse ! Tu es tellement menteur que je n'ai plus que du mépris pour toi. Je te rends ta liberté à partir de maintenant. Ne t'avise pas de tenter de me toucher, je te répondrai par une gifle. Tu peux terminer le chalet ou t'en aller la rejoindre. Ça ne fait pas de différence pour moi...

— Calme-toi, Violette ! Tu vois bien qu'elle a appelé ici pour se venger de la rupture qu'elle n'a pas acceptée !

— T'es vraiment un salaud, Marcel Robichaud ! J'ai tout entendu et elle te reprochait d'être parti comme un voleur. Elle ne parlait pas du passé, mais de la nuit dernière, alors que je croyais que tu dormais dans le chalet en construction.

T'es vraiment hypocrite ! J'ai de la pitié pour cette pauvre fille qui s'est amourachée d'un sans-cœur comme toi.

Marcel ne savait pas quoi répondre. Violette avait bien compris la situation. Il ne pouvait pas se défendre sans se ridiculiser davantage. Il avait l'air piteux de s'être fait pincer aussi bêtement. Jamais il n'aurait cru qu'on aurait pu lui tendre un piège aussi grossier, mais c'était oublier que Sonia pouvait brouiller les cartes avec un coup d'éclat aussi spectaculaire que celui-là. Les ponts étaient-ils rompus des deux côtés ? Pouvait-il persuader Sonia que, s'il était rentré ce matin, c'était pour expliquer à Violette qu'il désirait se séparer d'elle et qu'il voulait régler tout ce qui concernait le chalet ? C'était un peu tiré par les cheveux, mais il croyait qu'il avait suffisamment d'emprise sur Sonia pour la convaincre.

— Écoute, Violette ! Je m'en vas tout de suite parce que j'dois réfléchir, mais j'vas revenir pour terminer le chalet. J'apporte ma trousse de rasage et une petite valise. J'vas mentionner à Paul et à Pat que j'dois m'en aller, mais que j'reviendrai demain une fois que j'aurai trouvé où me reloger. J'sus vraiment désolé de tout ce qui arrive…

— Bla… Bla… Bla ! Ne dis rien de plus, car juste le timbre de ta voix mensongère m'horripile ! Fais ta valise en vitesse et fous le camp, mais prends le temps de t'expliquer avec Paul et Pat. Dis la vérité parce que je vais leur expliquer la situation de long en large.

Les dernières paroles de Violette lui firent comprendre qu'il vivrait dans la honte chaque fois qu'il reviendrait au chalet pour y travailler. Qu'il ne pourrait pas non plus partager les repas avec eux. Il acceptait son sort, en se promettant de se venger et de garder coûte que coûte le chalet. Il fit ses bagages en toute hâte, parce que Violette épiait chacun de ses gestes. Il sortit sans un mot et alla déposer sa valise dans le coffre de sa voiture. Puis il se dirigea vers le chalet en construction pour parler à Paul et Pat, et leur dit :

— C'est l'enfer pour moé, les gars ! J'dois absolument partir, mais j'serai de retour dès demain. Si vous voulez continuer sans ma présence, gênez-vous pas ! Une chose est sûre, demain, j'vas être là !

Il serra la main à son frère et à son beau-frère, et s'en alla. Il faisait pitié à voir. De dos, on aurait juré que c'était Émile. Le poids de son action l'écrasait.

— Qu'est-ce qu'on fait ? demanda Patrick.

— Je vais aller voir Violette pour en avoir le cœur net ! Elle me dira si elle veut qu'on continue ou pas. Heureusement qu'on n'a pas participé à la bêtise de Marcel. Elle ne peut pas nous en vouloir ! En tout cas, moi, je l'aime Violette et je trouve ça bien malheureux pour elle. C'est jamais facile une séparation.

— Ouais, vas-y, Paul ! Tu vas mieux savoir quoi dire que moi. J'suis pas bien bon dans ces affaires-là.

Paul se dirigea vers le chalet de madame Dandenault où Violette se trouvait. Il cogna avant d'entrer au cas où Violette aurait préféré être seule pour vivre son chagrin.

— Tu peux entrer, Paul! J'ai pleuré tout ce que j'avais à pleurer il y a longtemps déjà. Maintenant, je ne ressens que du mépris pour Marcel. Je n'aurais jamais pensé que c'était un être aussi vil. J'ai des bouffées de haine que je tente de contrôler parce que c'est très malsain pour moi. J'essaye de lui trouver des excuses, mais j'en suis incapable.

— C'est trop tôt, Violette! Donne-toi du temps et tu verras plus clair d'ici peu. Je suis extrêmement désolé pour toi, mais dis-toi que la vie continue. Cherche le positif dans ta vie et tu verras qu'il y en a beaucoup plus que tu penses. Tu n'es coupable de rien…

— C'est drôle que tu me dises ça, parce que Monique semble penser le contraire…

— Ma femme a sûrement voulu dire que tu devais te défendre et ne pas jouer le rôle de la victime. Monique t'aime tellement qu'elle n'a certainement pas voulu te faire du mal.

— Oh, je sais que Monique m'aime et qu'elle a seulement voulu me secouer. C'est vrai que je suis un peu responsable de ce qui m'arrive! Je l'ai beaucoup trop dorloté sans rien recevoir en retour. J'aurais dû comprendre dès ce moment-là que je m'en allais directement dans un mur et que je nourrissais son égoïsme dont il est devenu le roi.

— Je suis mal à l'aise parce que je le fréquente depuis trop longtemps pour ne pas le connaître à fond. J'aimerais mieux laisser Monique discuter de ces choses-là avec toi. Je ne veux pas ruiner vos chances de renouer un jour quand il aura réfléchi sur sa vie. Tu es une très bonne personne. Ne doute jamais de cela et de l'amour que nous avons pour toi. Je peux parler au nom de ma famille sans crainte de me tromper.

— Merci, Paul ! Si tu savais le bien que tu me fais, j'en ai les larmes aux yeux...

— Ne pleure pas pour ça, Violette ! C'est sincère et naturel pour nous de t'aimer. Tu as tout ce qu'il faut pour rendre un homme heureux. Pour le chantier, veux-tu que, moi et Pat, on continue à y travailler ou tu préfères qu'on arrête maintenant ?

— Paul ! Ce qui se passe entre moi et Marcel n'a aucun rapport avec vous autres. Si vous avez le goût de continuer à m'aider, je vous en serai reconnaissante. C'est à vous de décider.

— Dans ces conditions-là, moi et Pat, on va faire le maximum avec le matériel qu'on a. Va donc rejoindre les femmes, Violette ! Ce n'est pas très sain de s'isoler dans des moments pareils.

— C'est ce que je vais faire, mais c'est bientôt l'heure du dîner. Je vais leur demander de l'aide pour tout préparer.

Paul retourna au chantier et répéta les dernières paroles de Violette à Patrick. Il était très impressionné par son sang-froid. Marcel avait vraiment usé sa tolérance, elle qui l'avait tant aimé.

— C'est pas parce que mon frère est tombé sur la tête que j'vais abandonner, déclara Patrick après que Paul lui eut fait part du vœu de Violette. Il nous reste de l'ouvrage pour trois, quatre jours. On va tout faire ce qu'on peut, si t'es d'accord?

— Moi, c'est sûr que je n'abandonne pas! J'avais prévu de passer deux semaines avec Monique et les enfants. L'endroit est paradisiaque! On continue!

Marcel avait quitté le chalet à regret. Il en voulait à Sonia, mais il n'avait pas le choix d'aller la retrouver. Il tenterait de l'amadouer pour ne pas se retrouver seul. En arrivant au motel, il frappa à sa porte. Comme il s'y attendait, elle ne répondit pas.

— C'est moé, Marcel! Ouvre, calvaire! Mais qu'est-ce qui t'as pris d'appeler chez ma belle-mère à matin? Il me semblait que c'était clair que je le finissais, ce crisse de chalet-là! J'voulais juste pas te réveiller quand j'sus parti. Tu m'as vraiment mis dans la marde! Réponds, t'as pas à avoir peur, j'sus pas choqué après toé!

Sonia était ébranlée. Il avait réussi à semer le doute dans son esprit, mais elle restait craintive. Les hommes qu'elle avait connus avant lui la battaient pour moins que ça.

— Je te crois pas ! Si tu me touches, je crie !

— Je t'le dis, Sonia, t'as pas à avoir peur ! J'peux même te dire merci parce que ça faisait assez longtemps que ça traînait… C'est avec toé que j'veux être ! Ouvre s'il te plaît, demanda Marcel d'un ton plaintif.

Sonia ouvrit la porte tout en gardant la chaîne de sécurité. Elle affichait une certaine peur, comme si elle regrettait son appel au chalet de madame Dandenault. C'était justement cet appel qui avait tout fait basculer à son avantage. Finalement, elle ne regrettait rien.

— Tu m'en veux pas ? demanda-t-elle.

— Mais non ! mentit-il.

Elle fit glisser la chaîne et se recula instinctivement. Marcel entra avec son petit bagage à la main. Sonia eut un élan de pitié en voyant sa mine déconfite. Il semblait si démuni, si vulnérable qu'elle le prit dans ses bras pour l'étreindre. Il laissa tomber sa minuscule valise pour la serrer à son tour.

— Excuse-moi, Marcel ! J'étais trop choquée lorsque je me suis réveillée toute seule à matin. Je pensais que tu m'avais encore une fois abandonnée.

— C'est correct ! Il fallait que ça arrive un jour ou l'autre, mais, là, c'est toé qui est pognée avec moé, asteure ! Es-tu prête à ça ?

— Bien oui, grand fou ! Pourquoi j'aurais fait tout ça si je voulais pas de toi ? Tu vas voir, on va être bien !

— J'ai hâte de voir ce que ça va donner de voyager d'icitte à Pointe-aux-Trembles, soir et matin.

— Je vais te récompenser à tous les jours si tu veux, minou !

— C'est nouveau que tu m'appelles comme ça ?

— T'es mon vieux matou, mais j'aime mieux t'appeler minou ! Ça te dérange-tu ?

— Ben non, j'aime ça !

— Je vais appeler au bar pour dire au *boss* que je rentre pas aujourd'hui. Je veux passer la journée avec toi puis on va faire l'amour toute la journée. Et si on a faim, on fera livrer ! Qu'est-ce que t'en penses, minou ?

— Beau programme, mais j'sus pas certain d'être à la hauteur de tes attentes.

— Fie-toi à moi, minou ! T'as des réserves que tu soupçonnes même pas…

— Il faut que tu comprennes que j'dois retourner travailler demain sur mon chalet, même si tout est fini entre moé pis ma femme. J'veux pas le perdre, j'ai trop mis d'argent là-dedans pour le laisser aller, tu comprends ?

— Pourvu que ça soit vraiment fini entre toi puis ta femme et que, le soir, tu reviennes coucher, le reste a pas tellement d'importance. Je me demande comment tu vas faire pour travailler, en la sachant juste à côté de toi ?

— Il va falloir que j'apporte mon *lunch* parce qu'elle m'a ben dit qu'elle me nourrirait pas. J'pense que j'vas aller dîner à la cantine du village le midi. Il faut que j'profite de l'aide que mon frère pis mon beau-frère me donnent. On va finir ce qu'on peut cette semaine pis, après ça, il va falloir que j'attende d'avoir de l'argent pour le compléter.

— Y te manque combien ?

— J'le sais pas exactement, mais c'est pas tant que ça ! C'est surtout les armoires de cuisine pis le comptoir, mais ça peut attendre…

— Je pourrais peut-être t'aider parce que j'ai un assez gros bas de laine, tu sais !

— T'es ben gentille de me l'offrir, mais j'te demanderai jamais ça, Sonia. J'aurai pas le chalet sans qu'il y ait une guerre entre moé pis ma femme. Le terrain est à elle. Ça part mal, mais, pour le reste, avec un bon avocat, ça devrait ben aller !

— Le terrain est à elle ! Qu'est-ce que t'as pensé, minou ?

— C'est avant que je te connaisse, Sonia ! C'est toé qui as tout bouleversé ma vie. J'le savais pas que j'tomberais en amour avec toé comme ça. Avant, moé pis ma femme, on formait un couple, et ce qui était à moé était à elle et vice-versa. Là, j'vois ben que c'est pas de même que ça marche…

— Comment penses-tu t'en sortir?

— J'ai vraiment pas le goût de parler de ça avant d'avoir parlé à un avocat. J'connais pas assez ça pour en discuter! J'imagine que, avec tout l'argent pis les efforts que j'ai mis là-dedans pour le construire, ça devrait compter!

— Je vais être bien franche avec toi, je connais rien dans les affaires de lois. Je connais des avocats qui viennent au bar, puis ils sont pas parmi les plus sympathiques. C'est comme si tout leur appartenait. Je t'en recommanderais pas un seul, minou!

Sonia était retombée complètement sous le charme de Marcel. Elle le sentait vulnérable, mais, pour la première fois, elle avait l'impression qu'il était à elle. Elle était prête à l'aider pour qu'il gagne sa bataille contre sa femme, sans se soucier s'il avait tort ou raison. C'était son homme et elle le défendrait. Elle ne savait pas qu'un jour elle regretterait amèrement de lui avoir fait confiance.

# Chapitre 17

Après avoir passé leurs deux semaines de vacances au chalet de Violette et Marcel, Paul et Monique retournèrent enfin à Granby. Ils avaient assisté à l'éclatement du couple, et leurs enfants furent témoins des tensions, des querelles, mais aussi des prises de position des uns et des autres au sujet de ce drame qui les avait éveillés à une dure réalité.

Martine, l'aînée, était déchirée entre l'affection qu'elle vouait à sa tante Violette et celle qu'elle portait à son oncle Marcel, si gentil envers elle. Sensible à ses charmes, il n'hésitait pas à lui dire qu'elle était déjà une belle femme, ce qui la flattait au plus haut point. Elle avait écouté la conversation que ses parents, son oncle Patrick et sa tante Thérèse avaient engagée à propos de cette séparation et essayait maintenant de se forger sa propre idée, sans prendre ni pour l'un ni pour l'autre. Elle venait de réaliser que les couples n'étaient pas éternels, et craignait par-dessus tout que ses parents en viennent un jour à se quitter eux aussi. Elle était à l'affût du moindre signe qui l'alerterait en ce sens. Quant à Michel et Danièle, ils étaient trop jeunes pour être conscients des événements qui se déroulaient sous leurs yeux, mais ils ressentaient malgré tout une vive tension dans l'atmosphère.

Le chalet de Violette et Marcel était enfin fini. Patrick et Paul avaient fait le maximum avec le matériel dont ils avaient disposé. La finition extérieure était terminée, à l'exception de la jupe. L'intérieur était habitable tel qu'il était. Il ne manquait que certains détails, comme les moulures, les couvre-planchers et les portes d'armoires.

Après le départ de sa belle-famille, Violette était restée sur place, assise près du lac, à s'imprégner de la quiétude des lieux. Elle en avait besoin, après le désordre que Marcel venait de causer dans sa vie. La venue d'une voiture interrompit soudainement le fil de sa pensée. C'était Marcel qui revenait.

Marcel exigeait de l'habiter puisque Violette lui refusait l'accès au logement de Pointe-aux-Trembles.

— Écoute, Violette, j'accepte de ne plus rester avec toé dans notre logis à Pointe-aux-Trembles, mais il faut ben que j'habite quelque part. Si j'reste au chalet, j'pourrai voyager la distance soir et matin et ce sera pas plus long que pour toi quand tu te rends à la *shop* de couture.

— Tu vas m'écouter toi aussi, Marcel ! Ce n'est pas moi qui ai créé cette situation. C'est toi avec tes histoires de maîtresse ! Tu me demandes de te laisser habiter le chalet ? Il est autant à moi qu'à toi et il est sur mon terrain. En plus, il n'y a aucun meuble !

— J'peux m'organiser ! Tu peux pas avoir le logement et le chalet, Violette ! Je l'ai quand même bâti, c'te crisse de chalet-là, non ?

— D'accord! Mais c'est toi qui m'as trahie avec une autre femme alors que, moi, je n'ai rien fait de répréhensible! J'ai été une épouse fidèle et aimante. C'est toi qui as brisé le lien, Marcel!

— Je te répète que tu peux pas avoir les deux, sacrament! C'est-tu si dur que ça à comprendre? Tu peux pas tout avoir pis moé rien, câlisse! Y'a aucune justice dans ton affaire…

— Je pense qu'on va avoir besoin d'avocats tous les deux! Je ne suis pas capable de voir clair à travers tout ça. J'ai besoin de conseils judicieux.

— Laisse faire tes grands mots pis écoute-moé! J'prends possession du chalet, que tu le veuilles ou non, pis ça va prendre plus que la police pour me mettre dehors! As-tu compris, ostie?

— Tu peux sacrer tant que tu veux, mais je vais avoir recours à des avocats pour garder mon bien, Marcel Robichaud!

— Comment tu vas faire pour retourner à Montréal?

— Je vais me débrouiller comme je l'ai fait la dernière fois que tu étais apparemment parti à Joliette. Tu étais revenu à l'appartement avec un œil au beurre noir. T'en souviens-tu? Tes belles histoires, et moi la niaiseuse qui gobait tout ça comme si c'était la vérité.

— J'veux pas te faire la guerre, mais j'y ai droit! J'vas te payer le terrain si tu veux. J'vas même me trouver un autre emploi pour te le payer au plus vite…

— Arrête, Marcel! Je ne veux plus rien entendre. Je me demande comment tu vas te sentir entouré par mon frère, ma sœur et ma mère. Ne va pas t'imaginer qu'ils vont t'accueillir à bras ouverts. Ils vont te faire la guerre, n'en doute pas un seul instant!

— Penses-tu que j'ai peur d'eux autres? Ils m'effraient pas pantoute, même que j'vas les attendre! dit-il sur le même ton que sa femme.

Ce n'était pas tout à fait l'harmonie entre les deux protagonistes. Tous deux croyaient avoir raison et être dans leur droit. Ils avaient tous deux raison. Si Violette avait injecté un peu d'argent dans la construction du chalet, il n'en demeurait pas moins que le terrain lui appartenait par héritage. Marcel, lui, avait investi plus de sa poche et plus de son temps. Il voulait qu'on reconnaisse les semaines de labeur acharné qu'il y avait consacrées.

\* \* \*

Le clan Robichaud prenait parti pour Violette. Marcel n'avait vraiment pas été à la hauteur des attentes de la famille. Tous se liguaient contre lui, ce qui ne l'empêchait pas de foncer tête baissée dans la même direction, sans jamais reculer. Lauretta et Monique, penchées sur des patrons à découper, trompèrent l'ennui en discutant de la situation.

— Je me demande comment s'arrange la pauvre Violette? dit Lauretta à sa fille Monique.

— Je ne le sais pas, maman! Aux dernières nouvelles, Marcel habitait le chalet et Violette avait gardé le logis à Pointe-aux-Trembles et les meubles.

— D'après ce que m'a dit Patrick, le chalet n'a pas de comptoir ni de meubles. Il ne peut pas vivre comme ça!

— Ne t'inquiète pas pour lui, maman! Marcel a toujours été débrouillard et il a sa maîtresse, qui doit avoir gardé son pied-à-terre à Saint-Jean-de-Matha. Il a sûrement trouvé des meubles chez un brocanteur ou chez des gens connus de Sonia.

— Oh, ne me parle pas d'elle, cette briseuse de ménage! Je ne sais pas si je dois la plaindre ou la châtier, mais il reste qu'elle n'aurait pas dû s'enticher d'un homme marié.

— Tu sais, maman! Marcel est assez grand pour mettre les pieds dans le plat sans qu'on l'aide. Je gagerais que c'est lui qui a couru après cette fille jusqu'à tant qu'elle tombe dans son piège. Elle n'a pas remporté le gros lot, si tu veux mon avis. Violette non plus, d'ailleurs…

— Seigneur! Je ne sais pas ce que j'ai fait au Bon Dieu pour mériter ça, en plus de toutes les autres épreuves que j'ai à surmonter…

— Il a trente-cinq ans, maman, pas cinq ans! Ça ne te concerne plus ce qu'il fait de bien ou de mal. Il doit assumer.

— Tu m'en reparleras quand tes enfants seront grands et qu'ils auront quitté la maison! Ce seront toujours tes enfants et tu t'en feras toujours pour eux malgré tout. Je m'en fais encore pour toi, tu imagines?

— Tu as peut-être raison, mais, pour le moment, il est question de Violette et de Marcel. Violette a du chagrin, mais elle est bien entourée par sa famille. Elle va s'en remettre, du moins, je le lui souhaite. Marcel ne la méritait pas au départ.

Monique se tut et reprit son travail, taillant les patrons selon les directives de sa mère. Elle repensait aux conversations qu'ils avaient eues avant la fin des vacances. En l'absence de Marcel, Patrick s'était vidé le cœur. Il avait traité son frère de tous les noms, encouragé par Thérèse. Il croyait que Violette l'aurait stimulé à en rajouter, mais elle avait été attristée par le mépris de Patrick et de sa femme. Heureusement, Paul et Monique, en raison de la présence de leurs enfants, s'étaient abstenus de tous commentaires désobligeants à propos de Marcel.

\*\*\*

Quand Lauretta avait annoncé à Émile la séparation de Marcel et Violette, il avait été dévasté par la nouvelle. Après Gérard, c'était maintenant au tour de Marcel. Il se demandait quand cela s'arrêterait. Émile se sentit coupable et en fut quitte pour une bonne cuite. Celle-là fut mémorable et dura deux jours. Le premier soir, il s'était endormi dans sa chaise berceuse, dans le garage. Le lendemain matin, il avait travaillé dans le jardin en titubant, puis il s'était pris d'une affection soudaine pour ses lapins. Il en avait sorti un de sa cage et l'avait pris pour le caresser. Il s'était rendormi avec l'animal dans les bras. Au lendemain du deuxième jour, Lauretta, qui l'avait surveillé de temps à autre, aperçut un lapin en liberté. Celui-ci se dirigeait lentement vers le jardin.

— Émile ! Émile ! cria-t-elle.

Étant sans réponse de lui, elle sortit pour voir ce qui se passait. À son âge, Émile aurait pu faire un infarctus, mais il était solide comme le roc à l'aube de ses soixante-douze ans. Elle le trouva dans le clapier, profondément endormi, la bouche grande ouverte, assis sur une chaise droite. Éclatant de colère, elle alla dans le garage, assurée d'y trouver quelques bouteilles d'alcool. Si elle avait accepté qu'il consomme modérément de la bière, elle avait une sainte horreur de la boisson forte. Elle tomba sur deux quarante onces de Captain Morgan et sur une bouteille vide. Lauretta cassa de rage les deux bouteilles pleines et s'en retourna à la maison sans se préoccuper du lapin ni d'Émile.

Celui-ci se réveilla plus tard dans la matinée. Il cligna d'abord des paupières, puis constata la disparition d'un de ses lapins. Peu à peu, la mémoire lui revint. Il se mit à le chercher dans le clapier, puis dehors et le vit finalement gambadant dans le jardin. Il s'empressa d'aller le chercher en l'empoignant le plus doucement possible. Il le ramena dans sa cage en titubant. Tout cet exercice lui avait donné soif. Il marcha en direction du garage pour s'humecter le gosier avec une bière. Une odeur marquée de rhum imprégnait le lieu. Il remarqua à cet instant les deux bouteilles brisées, avec le précieux liquide imbibant le sol. Il n'y avait aucun doute dans son esprit, Lauretta était venue dans son garage pour commettre ce sacrilège. Émile jura et maugréa, mais jamais il n'en dit mot à sa femme. Il avait été négligent en ne camouflant pas mieux son précieux nectar. La prochaine fois, il trouverait une meilleure cachette. Il continua à ruminer tout en vidant jusqu'à la fin sa réserve de grosses bières. Il se rendormit dans sa chaise berceuse et n'émergea qu'à l'heure du souper. Quand il entra dans la cuisine, il sentait le tonneau et l'urine. Lauretta fit la grimace.

— Franchement, Émile, tu empestes l'alcool et l'urine! Prends au moins le temps de te laver avant de te mettre à table! Veux-tu bien me dire ce qui t'a poussé à boire autant? Ça faisait longtemps que ça ne t'était pas arrivé…

— C'est ben simple, chus pas capable d'accepter que Marcel ait quitté Violette, une si bonne femme! J'ai pas peur d'le dire, y'a méritait pas! Il l'a laissée pour une catin à part de ça, le sans-cœur!

— Va te laver, Émile, puis on en reparlera! L'eau froide va te faire le plus grand bien pour t'aider à dégriser! T'as raison d'avoir de la peine, mais ce n'est pas une raison pour m'en faire à moi en te saoulant comme tu l'as fait!

Cette réplique le secoua plus que tout. Lauretta avait donc encore quelques sentiments à son égard si ça la touchait encore qu'il se saoule autant. Émile entra dans la salle de bain et ouvrit le robinet de la baignoire, y laissant couler l'eau. Puis il alla dans sa chambre et en ressortit avec des vêtements propres. Il retourna de nouveau dans la salle de bain, avec l'intention de se raser. Après deux ou trois coupures, il abandonna son rasoir. Il ferma l'eau, se déshabilla et entra dans l'eau froide. Il se savonna vigoureusement de la tête aux pieds, puis il s'immergea complètement quelques instants et en ressortit revigoré. Il sortit du bain et s'essuya rapidement. Il s'habilla et ne remit pas ses bottines. Il enfila plutôt ses pantoufles. Ce traitement-choc l'avait complètement dégrisé et lui avait ouvert l'appétit.

Quand Émile quitta la salle de bain, Lauretta regardait la télévision. Elle ne s'intéressait plus à lui, mais avait laissé sur la cuisinière un restant de ragoût. Son odeur était alléchante, lui qui avait une faim de loup, et il était juste assez chaud sans être brûlant. Il s'en versa une bonne portion dans une assiette. Il se coupa deux grosses tranches de pain et s'installa à table pour manger. Il trempa son pain dans la sauce tout en piquant un morceau de viande et des légumes, qu'il dévora comme un glouton.

Émile ne se rappelait pas la dernière fois qu'il avait été aussi affamé. Quand il eut terminé, il rinça son assiette et eut honte de lui. Il s'était saoulé et avait mangé comme un porc sans respect pour Lauretta. Il la regarda sans qu'elle le voie, trop absorbée qu'elle était par son feuilleton. Sa femme, qui avait maintenant soixante et un ans, était encore jolie malgré les quelques rides qui sillonnaient son visage. Il ne comprenait pas que Marcel ne trouve pas de charme à Violette, elle qui était si ravissante. Il la quittait pour une histoire de sexe, ce qu'Émile ne pouvait comprendre, lui qui avait préféré l'alcool au plaisir sexuel.

L'avenir était plus qu'incertain pour Marcel. Émile savait que celui-ci avait fait les mauvais choix, tout comme lui. Pas pour les mêmes raisons, mais le résultat était le même : une vie ratée. Émile était persuadé que son fils ne le réalisait pas encore. À trente-cinq ans, on se croit éternel quand on est arrogant et suffisant comme Marcel. Émile n'était pas plus intelligent que lui au même âge, mais le fait d'avoir eu des enfants l'avait ancré à la terre. Si au moins Marcel en avait eu, peut-être qu'il aurait évité le naufrage de son mariage. Gérard, lui, avait joui de tout cela, ce qui ne l'avait pas empêché de délaisser sa femme. Il vivait maintenant comme un nomade sans feu ni lieu pendant que ses enfants apprenaient à l'oublier. C'était peut-être préférable à la vie qu'Émile avait fait subir aux siens. C'était trop de réflexions pour Émile et c'était pour cette raison qu'il se saoulait. Pour réussir à tolérer les pensées et les remords qui l'assaillaient, il avait besoin d'alcool. Ça lui donnait même un semblant d'intelligence quand il avait des visions de l'avenir qui se dessinait pour ceux qu'il aimait. Vivre avec ses démons n'était pas une sinécure, lui qui ne demandait qu'à être meilleur.

Marcel avait d'autres soucis. Il s'étourdissait dans la luxure pour oublier Violette, qui tourmentait son esprit. Il savait que son fils et sa femme se livreraient une guerre larvée. L'amertume dominerait le combat qu'ils se livreraient, chacun étant certain d'avoir raison et d'être dans son droit. Marcel était trop fourbe pour reconnaître ses torts. Il savait que Violette avait tout fait pour faire fonctionner leur couple, mais sa mauvaise volonté avait tout ruiné. Il aimait sa femme, mais il adorait aussi faire l'amour à Sonia, à toutes les Sonia de la terre. Il ne voulait pas se contenter uniquement de Violette.

\* \* \*

Pour la nième fois, Violette avait tourné la page sur sa vie avec Marcel. Tout lui disait de l'oublier et de refaire sa vie avant qu'il ne soit trop tard. Elle savait que la séparation officielle ne serait pas facile, mais elle n'avait pas l'intention de se laisser dépouiller par son mari. Il avait trop joué avec ses sentiments. Elle se croyait maintenant endurcie. Elle se trompait, mais elle se faisait petit à petit une carapace, à coups de pleurs et de larmes. Le soir, elle s'ennuyait ou pensait à Marcel. Elle essayait de le chasser de ses pensées, mais il avait sa façon d'être qui la faisait rire, pleurer ou écumer de colère. Il était unique parce qu'elle n'avait jamais connu d'autre homme. Elle s'était mariée vierge, chose fréquente à l'époque. Elle n'avait donc connu intimement que Marcel, toujours rasé de près, bien coiffé et qui sentait si bon avec l'Aqua Velva.

Aujourd'hui, elle devait chasser cette image qui revenait la hanter. Heureusement, elle avait le travail pour la sortir de sa torpeur. Elle ne refusait plus de faire des heures supplémentaires, pour le plus grand bonheur de son patron. Violette aurait besoin de cet argent pour payer son loyer et toutes les autres dépenses inhérentes au logement. Nicole et Monique l'appelaient régulièrement pour prendre de ses nouvelles et aussi de celles de Marcel, qui n'appelait plus sa famille. Sans le savoir, elles ravivaient chaque fois la plaie de son amour perdu. Elle reçut même un coup de fil de son frère Gilles.

— Dis-moi, Violette! Viens-tu dans le Nord en fin de semaine? lui demanda ce dernier.

— Je pense que je vais laisser faire! J'ai dit au *boss* que je travaillerais demain. C'est la saison d'automne en ce moment et on est bien en retard dans nos commandes.

— Depuis quand te préoccupes-tu des affaires de ton *boss*? C'est pas en te tuant à l'ouvrage que tu vas améliorer ton sort, sœurette!

— Si je veux arriver dans mes finances, il faut que je travaille un peu plus! La guenille, ce n'est pas payant, tu devrais le savoir. Il faut que je devienne contremaîtresse et ce n'est pas en refusant de travailler que je vais obtenir une promotion. Qu'est-ce que t'en penses, Gilles? lui lança-t-elle sarcastiquement.

— Ouais! T'as bien raison, mais j'espère que tu prends le temps de te reposer un peu? C'est pas le moment de tomber malade… Pourquoi tu ne retournes pas vivre avec m'man? Ça te coûterait bien moins cher!

— Non! Me vois-tu à trente-cinq ans retourner chez ma mère? Tu ne peux pas être sérieux quand tu dis ça!

— J'suis très sérieux, au contraire! Avec le procès qui s'en vient et tout… L'as-tu appelé l'avocat que je t'ai recommandé? C'est un bon, spécialisé dans les séparations!

— Je n'en ai pas eu le temps encore, je m'excuse!

— Violette! Le fais-tu exprès, baptême? J'suis plus capable de voir sa face de baveux qui me défie constamment quand j'arrive au chalet. En plus, il amène sa guidoune!

— Je ne veux même pas entendre prononcer son nom! As-tu compris?

Là-dessus, elle avait raccroché.

Son frère avait raison. Elle devait s'occuper de ses affaires au plus vite. Elle hésitait à appeler l'avocat en question parce qu'elle avait peur des frais que la suite engendrerait. Une fois qu'elle aurait le pied dans l'engrenage, elle ne pourrait plus reculer. Ce serait la guerre entre elle et son mari, et elle se devait de la gagner à tout prix, sinon elle courait à sa perte. Comme la vie était compliquée depuis qu'elle était seule ! Elle aurait préféré disparaître plutôt que d'affronter tout cela.

Marcel, de son côté, faisait la navette entre Pointe-aux-Trembles et le lac Noir. À chaque voyage, il revenait avec un article pour meubler son chalet. Sonia avait été la plus efficace pour glaner des meubles çà et là. Elle avait même réussi à trouver des électroménagers pour un prix ridicule. Marcel eut la surprise, en revenant du travail, de trouver poêle, réfrigérateur ainsi que laveuse et sécheuse installés à leurs endroits respectifs.

— D'où vient tout ça, Sonia ?

— C'est un cadeau que je te fais ! Tu ne trouves pas que le chalet fait plus habité avec des électroménagers ? J'ai eu ça pour une bouchée de pain et je te les offre ! Es-tu content ?

— Je me demande seulement ce que tu as dû faire pour les obtenir ? Tu ne dis rien ?

— Essayes-tu de m'insulter ou c'est juste parce que tu es de mauvaise humeur ? lui demanda Sonia, qui commençait à sentir la colère montée en elle.

— Réponds à ma question ?

— J'ai tout acheté chez un brocanteur si tu veux le savoir, et je n'ai rien fait d'autre que négocier. Tu me prends pour une pute ? T'es vraiment un salaud, Marcel Robichaud ! Je m'en vais et puis arrange-toi donc tout seul avec tes affaires.

— Excuse-moi, Sonia ! J'voulais pas dire ça, mais c'est tellement un gros cadeau…

— Non, j'ai pas baisé avec le marchand ! Es-tu content, asteure que j'suis en ostie après toi ? Tout ce que j'ai eu à dire, c'est que je m'étais fait bâtir un chalet puis que j'avais manqué d'argent pour le finir et pour le meubler. Y'a encore des gens charitables dans le monde et je regrette de leur avoir menti pour toi !

— Prends pas ça de même, bébé ! J'sus tellement tendu que j'dis n'importe quoi…

— Ne m'appelle plus jamais bébé ! S'il y a un mot que je déteste, c'est bien qu'on m'appelle bébé. Eille, bébé ! T'aimerais-tu ça, toi ?

— Arrête ! J'vas-tu passer mon temps à m'excuser, sacrament ? Repars avec tes cadeaux si t'es pas contente ! J'en ai plein le cul pis t'en rajoutes, j't'ai rien demandé, calvaire…

Sonia se dirigea vers la porte, mais il lui barra la route. Elle essaya de forcer la barrière, mais il la prit dans ses bras pour la retenir. Elle se démena pour se libérer, mais il était plus fort qu'elle. Elle se calma. Marcel la regarda dans les yeux et lui tint le visage d'une main.

— J'ai reçu la visite d'un huissier, aujourd'hui, à l'usine. Tu dois savoir de quoi il s'agit. C'est ma femme qui demande la séparation légale.

— C'est quoi le problème ?

— Ça veut dire qu'elle va demander la moitié des biens, et le chalet en fait partie. D'autant plus que le terrain, c'est l'héritage qui vient de sa mère. J'vas me défendre, mais j'sus pas sûr de gagner. C'est ça qui me met en crisse ! Comprends-tu ?

Sonia ne répondait pas. Il tenta alors de l'embrasser, mais elle détourna la tête.

— Tu penses m'amadouer en m'embrassant ? Tu vis sur une autre planète, mon pauvre ! Tu dépenses beaucoup d'énergie à lui enlever ce qui est à elle. Es-tu juste un voleur ? Je commence à la comprendre, même si je l'ai jamais vue.

Dans sa colère, Marcel lui serra le bras, mais elle se dégagea de sa prise. Elle le regarda avec mépris.

— Ne t'avise jamais de me toucher parce que tu vas te rendre compte que j'ai des chums qui n'auront pas peur de toi !

— Qu'est-ce qui se passe avec toé, Sonia ? Pogne pas les nerfs ! J'sus un peu jaloux, mais c'est normal avec une belle femme comme toé.

— T'es mieux de te faire à l'idée parce qu'avec le métier que je fais y'a bien des hommes qui me tournent autour.

Quand t'es avec moi, j'aimerais ça que t'arrêtes de penser à la meilleure manière de voler ta femme. Même si elle a jamais habité le chalet, je sens sa présence quand même. J'sais pas pourquoi je fais des efforts pour le meubler. J'ai pas d'affaire icitte! Si je suis obligée de retourner dans ma chambre de motel la fin de semaine, c'est parce que ma place est pas icitte.

— Tant que j'ai pas passé en cour, vaut mieux pas qu'on te voie icitte…

— C'est comme si tu me cachais dans une garde-robe les fins de semaine. Règle tes affaires puis on verra après si ça me tente encore de sortir avec toi…

— Es-tu en train de me dire que tu me laisses? Au moment où j'ai le plus besoin de toé? T'es *bitch* en sacrament!

— Tu peux me traiter de *bitch* tant que tu voudras, mais je t'aiderai sûrement pas à voler une autre femme… J'vais rappeler mon gars des électroménagers pour qu'il vienne les reprendre.

— Ils sont icitte pis y vont rester icitte! Tu m'as dit que t'avais payé cent piastres? Tiens, le v'là ton cent piastres!

— C'est parfait comme ça! J'voulais te dire que c'était plus la peine de gratter à ma porte parce que je pourrais t'avoir trouvé un remplaçant. Pour le reste des affaires, considère-les comme des cadeaux!

Marcel était furieux d'être évincé de la sorte. Il se demandait quelle mouche l'avait piquée. C'est vrai que la vie n'était pas drôle depuis quelque temps. Plus la date du procès approchait, plus il était nerveux. Son avocat lui avait dit que ses chances de pouvoir garder le chalet étaient minces, à moins que sa femme le lui cède moyennant une compensation financière équivalente à la moitié des actifs du couple.

Il lui avait mentionné aussi qu'il pourrait obtenir une hypothèque, à la condition qu'il fasse du chalet sa résidence principale. Ce qu'il craignait, c'est que la femme de Marcel se trouve un endosseur et qu'elle obtienne un prêt pour rembourser l'argent que son client avait investi dans la construction. Tout dépendrait de la décision du juge. Si l'avocat de Violette faisait témoigner des gens qui prouveraient son adultère, Marcel se retrouverait dans une position fâcheuse. Le juge n'aurait sûrement aucune clémence à son égard. Comme il habitait le chalet illégalement puisqu'il était sur le terrain de la plaignante, c'est-à-dire sa femme, cette action pourrait être considérée comme un affront.

Marcel était déprimé, d'autant plus que Sonia venait de le quitter. Il avait besoin d'une femme dans sa vie. Il n'avait peut-être pas besoin qu'elle vive avec lui, mais il avait besoin qu'elle existe. Il pouvait manger au restaurant et faire laver son linge à la buanderie, où l'on offrait même le service de repassage. Régler les détails techniques était simple, mais trouver une femme l'était moins. Les seuls endroits où il pouvait en rencontrer une, c'était dans les bars. Il n'y avait que là qu'on pouvait les croiser en dehors du travail.

Ses finances étaient presque à sec, parce que toutes les heures passées à boire lui coûtaient cher. Marcel avait beau gagner la plupart du temps quand il jouait au billard, ce n'était pas suffisant pour couvrir ses frais. Les autres joueurs l'avaient repéré et ne voulaient plus gager contre lui. Et puis voyager du lac Noir à Pointe-aux-Trembles n'était pas une sinécure. Si, par malheur, il jouait au billard à Pointe-aux-Trembles, il prenait la route le plus souvent ivre. Ce n'était pas facile de parcourir toute cette distance sur des routes secondaires. Finalement, il manquait de sommeil et se réveillait avec la gueule de bois sept jours sur sept.

Serge, Patrick, Émile et Paul avaient reçu une citation à comparaître qui les obligeait à venir témoigner au sujet de l'adultère de Marcel. L'avocat de Violette ne prenait rien à la légère, mais les personnes qu'il obligeait à comparaître n'appréciaient guère d'être témoins à charge contre Marcel. À moins de se parjurer, elles seraient obligées de trahir celui-ci, qui faisait partie de la famille.

Quand Serge reçut la citation des mains de l'huissier, il était furieux d'avoir à témoigner contre son beau-frère. D'autant plus qu'il y avait une brouille entre eux. Il décida d'appeler Marcel à l'usine où il travaillait. C'était le seul numéro de téléphone valide qu'il avait pour le joindre.

— Marcel! C'est quoi cette histoire de *subpoena*? Ça vient de l'avocat de ta femme! J'vais être obligé de témoigner contre toi, sacrement, sinon j'me parjure! J'vais perdre combien de journées d'ouvrage à cause de toi?

— Calme-toé, Serge, j'le savais même pas, bâtard! Là, j'sus vraiment dans la marde...

— J'suis pas le seul qui a eu la visite de l'huissier. Ton frère Pat, ton père, puis Paul en ont tous eu un.

— Il y va fort, l'enfant de chienne!

— J'sais pas si tu peux imaginer ta mère quand l'huissier est rentré dans la cour. Elle a fait une syncope! Une chance que Monique était là pour la ranimer. Ton père était dans le jardin quand Monique a crié. Une fois dans la maison, il comprenait rien. Monique a dû lui expliquer qu'il devait comparaître en cour pour dire tout ce qu'il savait à propos de ton aventure avec une autre femme.

— Toute la famille est au courant?

— D'après toi, Marcel? T'es le seul sujet de conversation puis tout le monde est en crisse après toi. T'avais pas à nous mêler à tes affaires. On va être obligés de témoigner contre toi. Comprends-tu ça?

— Qu'est-ce qu'elle a à vous mêler à ça?

— Violette est pas folle! Elle sait bien qu'on est au courant de ton aventure avec Sonia.

— J'sors même pus avec, sacrament !

— Ça change rien à l'affaire, Marcel ! T'as sorti avec, c'est tout ce qui compte. Veux-tu connaître le fond de ma pensée ?

— Vas-y donc, pour voir !

— T'es un ostie d'épais parce que si tu t'étais pas vanté devant nous autres que t'avais une amie danseuse, tu serais pas dans la marde comme tu l'es en ce moment !

Marcel était bouche bée. Il ne savait pas quoi répondre à son beau-frère. Il savait qu'il témoignerait contre lui et qu'il y prendrait plaisir. Ce qu'il ne digérait pas, c'est que son père soit appelé à témoigner contre lui également. Tel qu'il le connaissait, Émile favoriserait Violette. Il se liguerait contre son propre fils, le vieux salaud, avec une étrangère. Pour lui, c'était contre nature que son père puisse témoigner contre lui. Il avait le même sang bouillant qui lui coulait dans les veines. Quand Marcel pensait à toutes les saloperies que son père avait commises durant sa vie, il trouvait que sa faute, par comparaison, était bien peu de chose. Peut-être que lui, Marcel, quittait sa femme, mais il ne lui ferait pas vivre une vie d'enfer plus de quarante ans…

La rage de Marcel était telle qu'il pensa qu'il se saoulerait dès que sa journée de travail serait terminée. Peut-être attendrait-il d'être rendu au lac Noir pour prendre un verre. Il se rendit compte que ce n'était pas l'idée du siècle, car il risquait d'y voir Sonia. Une catastrophe par jour lui suffisait amplement. Aussi ne tenait-il pas à la croiser et à se faire narguer. Il pourrait perdre ses moyens si jamais elle le provoquait et ce serait une catastrophe de trop. Finalement, à la sortie du travail, il prit la direction du lac Noir, avec la ferme intention de se rendre directement chez lui.

Tout en conduisant, Marcel ne pouvait s'empêcher de penser aux témoins que Violette avait fait citer à comparaître. Elle se servait de sa propre famille à lui pour le déposséder de ses biens. S'il avait adopté un profil bas au lieu d'étaler sa superbe, pensa-t-il. C'était le premier des péchés capitaux qu'il avait hérité de son père et qui signerait sa perte. Qui était-il pour se couvrir de cet orgueil mêlé de dédain? Qu'est-ce qui lui donnait le droit de détenir ce sentiment de supériorité?

Il n'était qu'un olibrius, un bonimenteur qui avait réussi à abuser de la confiance de Sonia une courte période. Une fois l'illusion créée, il redevenait ce qu'il avait toujours été, un petit homme colérique et rancunier qui était incapable de reconnaître ses erreurs.

Marcel décida de faire une halte à la brasserie de Saint-Jean-de-Matha. Comme à son habitude, il commanda une bière et un cognac, et se dirigea vers les tables de billard. Avant qu'elles soient libres, il eut le temps de recommander une autre bière et un autre cognac. Quand son tour arriva enfin, le billard ne lui disait plus rien qui vaille. Il se contenta de boire. Une fois ivre, il décida d'appeler Violette.

— Salut, Violette! Comment ça va?

— Je ne sais pas, Marcel! Et toi?

— T'es une belle d'avoir envoyé des *subpoenas* à ma famille!

— Je dois me défendre et ce sont les seules personnes qui peuvent témoigner de ton adultère. Je n'ai pas eu le choix. Tu n'auras pas le chalet, Marcel! J'ai mis trop d'argent dans ce qui était un beau projet d'avenir pour nous deux.

— T'es une belle salope!

— Je n'ai rien à me reprocher et tu ne peux pas en dire autant!

— J'vas me battre! Fie-toé à moé que t'auras pas le chalet sans que ça te coûte une beurrée. J'vas demander à mon avocat qu'il repousse le procès le plus longtemps possible. J'vas profiter du chalet au maximum au cas où je perdrais. Il pourrait aussi brûler accidentellement.

— Tu peux te battre, Marcel, et c'est ton droit, mais si tu menaces de brûler le chalet, c'est un acte criminel. Le sais-tu?

— Si je brûle quelque chose qui m'appartient et que je réclame rien à une compagnie d'assurances, je ne vois pas ce qu'il y a de criminel là-dedans…

— Je pense que tu es rendu fou, Marcel! Dis-moi que tu n'es pas sérieux quand tu penses à mettre le feu au chalet? Tu me hais tant que ça?

— J't'haïs pas, mais tu gagneras pas contre moé ! Ça, j't'le garantis !

— Tu as bu ?

— Qu'est-ce que ça change dans ta vie, Violette ?

— Si tu n'avais pas bu, tu ne parlerais pas comme ça. Le procès, c'est une procédure pour valider notre séparation et partager nos biens de façon équitable. Je ne veux pas te voler, mais je ne veux pas que tu me voles non plus. Comprends-tu que ça n'a pas besoin d'être la guerre entre nous ? On pourrait même s'entendre hors cour si tu voulais être raisonnable.

— J'sus tellement en crisse à l'idée de perdre le chalet que tout le reste n'a plus d'importance. J'fais juste imaginer la face de mon frère Yvan quand il va apprendre que j'l'ai perdu. Il va tellement rire…

— Ce n'est pas de ma faute s'il t'a refusé un prêt bancaire ! Mon frère Gilles va me conseiller pour que j'en obtienne un. Je ne comprends pas exactement comment ça fonctionne, mais je pourrai te rembourser l'argent que tu as investi dans le chalet.

— Tu penses déjà que tu vas l'avoir ? Si c'est le cas, tu te mets un doigt dans l'œil en sacrament !

— Écoute, Marcel ! Je pense que ça ne sert à rien de poursuivre la conversation. Tu as trop bu pour être raisonnable. Tu t'imagines entouré par ma famille ? Mon frère, ma sœur et ma mère? Penses-tu qu'ils vont t'accueillir gentiment comme voisin?

— C'est comme tu veux, Violette, mais jamais je vais lâcher le morceau! Jamais! M'as-tu compris? Ta famille, j'm'en crisse…

Marcel raccrocha avec fracas. La *barmaid* l'examina avec attention. Était-il déjà trop ivre pour avoir des manières aussi brusques? Il était désemparé et il aurait pleuré s'il avait pu se laisser aller, mais un homme, ça ne pleure pas… Il avait l'estomac noué, les poumons comprimés, le souffle court, mais l'alcool lui donnait la sensation de gagner du temps. En réalité, il s'enfonçait un peu plus chaque jour. S'il avait pu remonter l'horloge du temps, il ne serait jamais entré dans ce bar où il avait fait la connaissance de Sonia. Le malaise entre lui et Violette datait de bien avant cette rencontre, mais il aurait pu s'accommoder de la situation en attendant des jours meilleurs.

# Chapitre 18

Violette s'empressa d'appeler son frère à la suite de la menace de Marcel. Elle le croyait assez fou pour incendier le chalet, d'autant plus qu'il avait bu.

— T'as une seule chose à faire, Violette, c'est de l'assurer ! Es-tu assurée pour ton ménage ?

— Oui !

— Appelle ton courtier dès demain pour qu'il assure le chalet avant qu'il arrive un malheur. C'est la seule chose que tu peux faire. Ne lui mentionne jamais les menaces de Marcel parce qu'il refusera ta demande. Assure-le à ton nom seulement. Laisse faire Marcel ! J'suis en train de me demander si tu ne devrais pas le faire expulser par la police ?

— Non ! Je ne veux pas aller jusque-là. On ne sait pas de quoi Marcel est capable et je ne veux pas qu'il se retrouve en prison.

Gilles, qui connaissait bien son ancien beau-frère, croyait qu'il était plus fort en gueule qu'en acte. Marcel pouvait menacer Violette, qui se sentait fragile devant lui, mais il reculerait devant des policiers venus le chasser de la propriété de sa femme.

Marcel était habité par une pulsion étrange. C'est ce qui l'avait amené à dire des choses qui dépassaient sa pensée.

Était-il dépressif ? Curieusement, si Violette lui avait ouvert les bras, il se serait précipité vers elle pour chasser l'insécurité qu'il ressentait et réparer tout le mal qu'il lui avait causé. Il savait que c'était trop tard. Violette n'était plus l'épouse naïve d'autrefois. Quelque chose en elle s'était brisé, ou plutôt c'était lui qui avait détruit le lien de confiance. Elle était maintenant tellement déterminée qu'il savait qu'elle gagnerait le procès. Pourquoi s'était-il précipité volontairement dans cet enfer ? Violette lui avait même pardonné son incartade, mais ça ne lui avait pas suffi.

Violette suivit les conseils de son frère Gilles. Elle crut bon aussi d'appeler son avocat pour l'informer des intentions de son mari.

— Bonjour, maître, mon mari a menacé de brûler le chalet hier. Ce matin, j'ai appelé mon courtier d'assurances pour l'assurer.

— Vous avez bien fait, madame, mais ne vous inquiétez pas outre mesure. Ce sont souvent des paroles en l'air. Je suis tout à fait confiant concernant votre procès. Vous allez le gagner et reprendre possession de votre bien.

— Comprenez-moi bien, maître, je veux seulement ce qui est à moi ! Je veux qu'il ait sa part parce qu'il a quand même mis de l'argent dans la construction du chalet. Je ne veux voler personne !

— C'est tout à votre honneur, madame, mais j'ai communiqué avec l'avocat de votre mari et je peux vous dire qu'il n'est pas aussi raisonnable que vous. Il serait prêt à vous offrir cinq mille dollars pour votre terrain. Ça ne m'apparaît pas raisonnable ! Je vous conseillerais de lui faire une contre-offre de cinq mille dollars pour l'argent investi dans le chalet et que ce soit une offre ferme. Si la réponse de votre mari est négative, c'est le juge qui aura le dernier mot.

— C'est plus que l'argent qu'il a investi, mais il a beaucoup travaillé à le construire avec l'aide de sa famille et, dans une moindre mesure, avec l'aide de la mienne.

— Si j'ai bien suivi, les personnes qui vous ont donné un coup de main sont les mêmes qui vont témoigner contre votre mari si nous devons faire appel à elles ?

— Je sais que ma belle-famille a été témoin de son adultère ou qu'il s'est confié à elle. Ce sont tous des gens que je respecte profondément. C'était aussi ma famille ! Si vous n'avez pas à les faire témoigner, épargnez-leur ce supplice, je vous en prie.

— Madame Dandenault, mon devoir est de faire en sorte que vous gagniez votre cause. Vous êtes la victime, et il est important que vous pensiez que vous l'êtes. Vous êtes la plaignante et la justice doit redresser ce tort ! Êtes-vous d'accord avec ce principe ?

— Vous avez raison, maître ! Je n'ai pas à me sentir coupable et j'accepterai la sentence du juge. Des fois, je suis toute mêlée. Excusez-moi !

Les propos de son avocat ne parvenaient pas à la rassurer. Violette se décida à appeler Monique, qui l'avait toujours appréciée jusqu'à présent. Par contre, elle ne savait pas comment celle-ci avait réagi à la citation à comparaître que Paul avait reçue concernant sa demande de séparation.

— Allô, Monique ! Comment vas-tu ? J'étais un peu mal à l'aise de t'appeler…

— Je suis tellement contente d'entendre ta voix. Moi, ça va, mais je m'inquiète plus pour toi. Tu as enfin pris la décision qui s'imposait. N'oublie jamais que tu es mon amie et que si mon frère fait des bêtises, je m'attends à ce qu'il en paye le prix.

— Est-ce que Paul pense comme toi ?

— C'est certain que ça ne fait pas nécessairement son affaire, mais ne t'inquiète pas, il va dire la vérité. C'est plutôt le fait de perdre une journée de travail qui l'agace, mais sois sans crainte, il t'aime tout autant qu'avant.

— Tu me rassures, Monique ! Vous êtes ma belle-famille et, après la séparation, nous ne serons plus unis par les liens familiaux. Mais les liens amicaux sont tout aussi valables pour moi, sinon plus.

— Je t'admire d'avoir pris la décision de laisser tomber Marcel. Et tant pis pour lui! J'espère de tout cœur que tu pourras garder le chalet.

— Je travaille plus d'heures à la *shop* et j'ai bon espoir de devenir contremaîtresse. J'ai parlé à mon patron. Mon taux horaire n'est pas assez élevé et je m'en suis plainte. Après tout, ça fait plus de vingt ans que je travaille pour lui et j'ai occupé tous les postes de travail. Il va réfléchir pour que je sois nommée contremaîtresse. De cette façon, je pourrai conserver le chalet.

— Je te le souhaite, Violette! Après Marcel, la vie continue, tu sais. Je me demande si elle ne sera pas plus belle à l'avenir. J'espère que tu rencontreras un homme meilleur que mon frère.

— Il est encore trop tôt pour ça. J'ai été pas mal échaudée, tu sais.

— Je te comprends! En attendant, tu es bien entourée par ta famille. Le procès, c'est dans deux semaines, je crois?

— Oui et j'ai bien hâte que ce soit terminé! Je t'avoue que je suis un peu angoissée du dénouement. Mais, quand le verdict tombera, je suis certaine que ça ira mieux.

— Tu pourras tourner la page et regarder vers l'avenir avec plus de sérénité! Est-ce que ça te fait peur?

— Un peu ! Mais que dit l'expression ? Vaut mieux être seul que mal accompagné ! C'est bien ça ?

— Tout à fait ! Cela vient du philosophe Jean-Jacques Rousseau. C'est mon frère Jacques qui me l'a fait connaître.

— Je n'ai pas eu la chance de le voir souvent, mais je l'aime beaucoup.

— Ah, Jacques ! Je ne peux pas m'empêcher d'aimer son esprit rebelle. C'est le bébé de la famille et il n'en fait qu'à sa tête. C'est le seul qui aura fait des études supérieures s'il termine son cours de droit.

— J'aimais tellement ta famille que j'avais l'impression que c'était la mienne.

— Ce n'est pas parce que tu te sépares de Marcel que tu ne fais plus partie de la famille, Violette ! On continue de t'aimer tout autant.

— Salue les enfants de ma part et dis-leur que je les aime ! Embrasse ton mari pour moi et dis-lui que je suis désolée pour les ennuis que je lui cause.

— Oublie ça, Violette ! Paul t'aime tout autant que moi et les enfants. On te souhaite de gagner et que ce ne soit pas trop dur pour toi. Un procès, ce n'est jamais agréable... je t'embrasse !

Violette raccrocha, rassérénée par cette discussion franche avec sa belle-sœur. Elle fit sa toilette et alla se coucher. Demain venait toujours très vite pour elle. Elle espérait que sa promotion ne tarderait pas à devenir une réalité, car son compte en banque était presque à sec.

Les deux semaines qui précédèrent le procès passèrent rapidement. Entre-temps, Violette avait eu sa promotion tant attendue. Un souci en moins pour elle. Elle arriva au palais de justice accompagnée de son frère, qui avait accepté de la soutenir compte tenu des circonstances. En traversant le hall, elle vit son beau-père Émile. Ce dernier avait l'air égaré. À l'évidence, il n'avait jamais mis les pieds dans un palais de justice. Il était entouré de Serge, Patrick et Paul. La présence de Marcel la perturba légèrement. Il était en train d'échanger avec le groupe. Violette salua toute sa belle-famille, y compris Marcel. Anxieuse, elle serra plus fortement le bras de son frère Gilles. L'avocat vint à leur rencontre et les fit entrer dans une petite pièce pour peaufiner la demande de Violette.

— Comment allez-vous ce matin, madame Dandenault ?

— Je suis un peu nerveuse !

— Je vais commencer par faire témoigner votre beau-père, Monsieur Émile Robichaud, et, par la suite, votre beau-frère Serge Gosselin, si cela est nécessaire. Qu'en pensez-vous ?

— Mon beau-père m'aime beaucoup, mais il est vieux et il risque d'être intimidé par la cour.

— Ne vous inquiétez pas, je le guiderai !

— C'est l'avocat de la défense qui m'inquiète! répondit Violette à son tour.

— Ne vous préoccupez pas de ces détails! Je m'objecterai s'il va trop loin. C'est bientôt l'heure! Restez calme et tout ira bien. Suivez-moi et évitez de regarder votre ex, ce sera plus facile pour vous!

Violette suivit son avocat dans la salle d'audience. Ils prirent place à l'endroit normalement dédié à la poursuite. De son siège, elle vit l'avocat de la défense et Marcel entrer à leur tour. Elle vit aussi plein de gens franchir les portes de la salle et s'asseoir. Elle vit également ses témoins parmi la foule. La panique s'empara d'elle à la vue de toutes ces personnes qui écouteraient leur histoire. Elle se sentit faiblir et eut peur de s'évanouir, mais elle dut se ressaisir quand le greffier demanda à l'assistance de se lever au moment où le juge s'apprêtait à faire son entrée. Dès qu'il fut assis dans son fauteuil, il déclara la séance ouverte. La première cause qu'il devait entendre était la leur. On demanda aux témoins de quitter la salle, sauf Émile Robichaud. Il fut le premier à être appelé à la barre des témoins. Le pauvre était perdu, mais ne semblait pas nerveux outre mesure. Le greffier lui tendit la bible.

— Monsieur Robichaud! Jurez-vous de dire la vérité, toute la vérité? Dites: je le jure!

— Je le jure! répondit Émile.

L'avocat de la poursuite commença à le questionner.

— Monsieur Robichaud! Vous avez été témoin de gestes et de propos compromettants de la part de l'accusé, Marcel Robichaud, dans la demande de séparation pour cause d'adultère de madame Violette Dandenault? lui demanda l'avocat de Violette.

— Oui! répondit Émile.

— Quelle était la nature des gestes dont vous avez été témoin?

— Qu'est-ce que vous voulez dire par là? demanda Émile.

— Est-ce que c'était des gestes indécents, selon vous?

— Ça, c'est sûr! Elle était toute nue pis elle s'est assise sur lui pour l'embrasser. Elle m'a passé ses fesses à deux pouces du nez. Y'a rien que des gidounes qui font ça, dans mon livre à moé.

— Surveillez votre langage, monsieur Robichaud! le réprimanda le juge.

— Est-ce que d'autres personnes que vous ont été témoins de ces gestes indécents?

— Tout le monde l'a vue dans l'bar! Elle dansait toute nue. Y'avait mon gars Pat, pis mon gendre Serge. On était tous assis à la même table que Marcel. On voyait ben qu'elle était intime avec lui pis qu'il irait la rejoindre quelque part à un moment donné.

— Objection, votre honneur! Ce sont des suppositions! lança l'avocat de Marcel.

— Objection retenue! déclara le juge.

— Vous auriez pas dit ça si vous aviez été là! relança Émile.

L'assistance éclata de rire à la réplique d'Émile, et le juge demanda le silence. L'avocat de Violette reprit l'interrogatoire.

— Monsieur Robichaud, les avez-vous entendus se donner rendez-vous, Marcel et… Sonia, la supposée amie de votre fils?

— La musique était ben forte, mais, vu que j'étais juste à côté, elle lui a demandé s'il viendrait la retrouver au motel à la fin de son *shift*. Y'a répondu que si y pouvait, y'irait! C'est toute une jeunesse, vous savez?

— Est-ce qu'il y a d'autres détails qui vous ont fait penser qu'ils étaient intimes?

— Bout de viarge! Quand on est une jeunesse comme elle, assise sur tes genoux pis que tu y pognes les fesses pis les tétons, c'est difficile de penser le contraire! En plus, elle l'embrassait tout le temps un peu partout…

— Donc, monsieur Robichaud, vous pensiez qu'elle était sa maîtresse?

— Ce jour-là, y'avait pas de doute dans mon esprit qu'a couchait avec lui, répondit Émile, qui encore une fois fit rire l'assistance.

— Ce sera tout pour moi, monsieur le juge !

— Monsieur l'avocat de la défense, avez-vous des questions à poser au témoin ? demanda le juge.

— Oui, monsieur le juge ! J'ai une question concernant le bruit. Comment pouvez-vous affirmer, monsieur Robichaud, que vous les avez entendus se donner rendez-vous malgré la musique qui était bien forte, selon vos paroles ?

— Quand t'as travaillé dans une *shop* comme moé, où le bruit était infernal, tu apprends à lire sur les lèvres avec juste des morceaux de mots ! répondit Émile.

— À l'âge que vous avez, monsieur Robichaud, ça doit faire longtemps que vous n'avez pas pratiqué ce talent, si on peut dire ?

— Vous saurez que, quand j'ai vu ça, ça faisait même pas un mois que j'avais arrêté de travailler. J'ai soixante et onze ans pis, si c'était juste de moé, j'travaillerais encore !

— Je n'ai plus de question, votre honneur ! dit l'avocat de la défense.

— Avez-vous d'autres témoins, messieurs ? demanda le juge.

— J'aurais monsieur Serge Gosselin, le beau-frère de l'accusé, monsieur le juge, répondit l'avocat de la poursuite.

— Faites-le entrer ! répondit le juge.

Serge s'approcha de la barre des témoins et jura, à son tour, de dire la vérité.

— Monsieur Gosselin ! Vous avez été témoin que l'accusé a feint un problème mécanique avec sa voiture, laquelle se trouvait dans la cour dudit motel. Est-ce la vérité ?

— Oui ! Marcel a appelé au chalet, prétextant un problème mécanique avec son auto étant donné que sa femme et la mienne l'avaient vue dans la cour du motel. Son histoire ne tenait pas debout, et il m'a demandé de dire que c'était un problème réel. J'ai menti à ma femme et à Violette pour le protéger.

— Pourquoi avez-vous menti ? lui demanda l'avocat de Violette.

— On le savait tous que Sonia était sa maîtresse ! J'ai menti par solidarité !

— Je n'ai plus de question, votre honneur ! dit l'avocat de la poursuite.

— Et vous, maître ?

— Non, votre honneur !

— Donc ! Si je prends compte des faits, monsieur Marcel Robichaud est accusé d'adultère dans une requête de séparation légale par madame Violette Dandenault et de partage des biens. Il y a les biens meubles du logement qu'ils partageaient et un chalet situé au lac Noir près de Saint-Jean-de-Matha, dans Lanaudière. La construction du chalet n'est pas terminée et le terrain appartient à madame par héritage, un bien qu'elle a reçu après le mariage. Monsieur offre cinq mille dollars pour le terrain et deviendrait propriétaire du chalet. Acceptez-vous cette offre, madame Dandenault ?

— Non, monsieur le juge.

— Et vous, monsieur Robichaud, acceptez-vous la proposition de votre épouse, qui consiste à vous rembourser l'argent et le temps que vous avez investi dans la construction du chalet, soit environ cinq mille dollars, selon elle ?

— C'est mon chalet, monsieur le juge ! Je l'ai pensé, je l'ai construit de mes mains avec l'aide de ma famille et un peu avec celle de sa famille. Il m'appartient !

— Votre épouse a-t-elle investi des sommes d'argent dans la réalisation de ce projet ?

— Environ trois mille cinq cents piastres, votre honneur !

— Donc, vous lui offrez mille cinq cents dollars pour son terrain, si je suis votre cheminement ?

— Oui, votre honneur !

— Ça vous apparaît raisonnable ? demanda le juge.

— Ça vaut pas ben ben plus que ça, votre honneur !

— Et « pas ben ben plus que ça ! » C'est combien, d'après vous, monsieur Robichaud ?

— Je dirais tout au plus sept mille cinq cents, monsieur le juge !

— Donc, si je sais compter, vous lui offrez cinq milles dollars pour un terrain qui en vaut sept mille cinq cents et un investissement de trois mille cinq cents dollars qu'elle a déjà déboursés. Nous sommes rendus à onze mille dollars. Si je comprends bien, vous lui demandez de vous faire cadeau du terrain et « pas ben ben moins que ça », pour utiliser vos termes. N'est-ce pas, monsieur Robichaud ? Vous essayez de la duper ?

— Pas du tout, votre honneur ! J'avais juste pas vu ça de même !

— Madame ne veut pas vous vendre le terrain ! Vous avez deux options qui s'offrent à vous. Vous déménagez le chalet sur un autre terrain et vous lui versez trois mille cinq cents dollars pour l'argent qu'elle a déjà investi dans le chalet. Ou, seconde option, vous acceptez les cinq mille dollars qu'elle est prête à vous donner. Avez-vous un fonds de pension, monsieur Robichaud ? Si oui, elle a droit à cinquante pour cent de ce fonds, et la même chose pour vous, si elle en détient un. J'espère que vous allez agir en adulte pour ce qui est des meubles de votre logement.

Marcel regarda Violette. Il était désemparé, lui qui avait préféré jouer à l'autruche depuis le début. C'était une cause perdue d'avance.

— Monsieur le juge! Je renonce à son fonds de pension s'il accepte mon offre de cinq mille dollars pour le temps et l'argent qu'il a investi dans le chalet, s'avança Violette.

— Qu'en dites-vous, monsieur Robichaud? dit le juge.

Marcel consulta son avocat un bref moment et répondit qu'il acceptait l'offre de sa femme.

— L'affaire est donc close, selon le bon vouloir des époux. Ils sont d'ores et déjà séparés légalement, selon l'entente prise devant cette cour. Il ne vous restera qu'à signer les papiers au greffe. Bonne fin de journée, messieurs-dames! Cause suivante! déclara le juge.

Violette était souriante et remerciait son avocat quand Émile s'approcha d'elle pour la féliciter. Elle le prit dans ses bras et lui exprima sa gratitude.

— Merci beaucoup, monsieur Robichaud, pour votre franchise! Ça n'a pas dû être facile de vous prononcer contre votre fils?

— Beaucoup plus facile que tu penses, ma belle Violette! La vérité est toujours plus facile à dire que le mensonge, et j'en connais tout un chapitre sur le sujet... Malgré tous mes défauts, j'ai pas peur d'le dire, j'aurais jamais fait ça à Lauretta!